PANDORA

Anne Rice

EDICIONES B
GRUPO ZETA

Barcelona • Bogotá • Buenos Aires • Caracas • Madrid • México D.F. • Montevideo • Quito • Santiago de Chile

Título original: *Pandora*

Traducción: Camila Batlles

1.ª edición: noviembre 1999

© 1999, 1998 by Anne O'Brien Rice
© Ediciones B, S.A., 1999
   Bailén, 84 - 08009 Barcelona (España)
   www.edicionesb.es

Printed in Spain
ISBN: 84-406-9466-0
Depósito legal: M. 38.704-1999

Impreso por BROSMAC, S.L.
Crta. Villaviciosa a Móstoles Km. 1
28670 VILLAVICIOSA DE ODON (Madrid)

PANDORA

Anne Rice

Traducción de Camila Batlles

DEDICADO A
STAN, CHRISTOPHER Y MICHELE RICE
A
SUZANNE SCOTT QUIROZ
Y
VICTORIA WILSON

EN MEMORIA DE
JOHN PRESTON

A
LOS IRLANDESES DE NUEVA ORLEANS
QUIENES, EN LA DÉCADA DE 1850,
CONSTRUYERON EN LA CALLE CONSTANCE
LA GRAN IGLESIA DE ST. ALPHONSUS,
LEGÁNDONOS, A TRAVÉS DE LA FE,
LA ARQUITECTURA Y EL ARTE,
UN MONUMENTO ESPLÉNDIDO

A
«LA MAGNIFICENCIA DE GRECIA
Y LA GRANDEZA DE ROMA»

De la señora Moore y el eco
en las cuevas de Marabar

... pero el eco comenzó a minar de una forma indescriptible su dominio sobre su vida. El eco,
que se producía en un momento en que ella se
sentía fatigada, había murmurado: «Pathos, piedad, coraje [...], existen, pero son idénticos, al
igual que la podredumbre. Todo existe, nada posee valor.»

E. M. FORSTER,
Pasaje a la India

Vosotros creéis que existe un Dios. Hacéis
bien: los demonios también lo creen, y tiemblan.

Epístola General de Santiago, 2,19

Qué ridículo y qué extraño es aquel que se
asombra de lo que ocurre en la vida.

MARCO AURELIO,
Meditaciones

Otra parte de nuestra misma creencia sostiene que muchas criaturas se condenarán; por ejemplo los ángeles que cayeron en desgracia debido al orgullo y que se convirtieron en demonios; y los hombres de la tierra que mueren alejados de la fe de la santa Iglesia, concretamente los paganos; y también aquellos que están bautizados pero llevan una vida impía, y mueren sin amor; todos ellos se abrasarán en las llamas eternas del infierno, como nos enseña la santa Iglesia. Por consiguiente, me pareció imposible que todo saliera bien, tal como nuestro Señor me estaba demostrando ahora. Yo no tenía una respuesta a esta revelación, salvo ésta: «Lo que a ti te parece imposible, para mí no lo es. Cumpliré mi palabra a rajatabla, y haré que todo salga bien.» Eso fue lo que me reveló la gracia de Dios...

JULIAN DE NORWICH,
Revelaciones del amor divino

1

No han pasado veinte minutos desde que me dejaste aquí, en el café, desde que respondí «no» a tu petición; jamás escribiría para ti la historia de mi vida mortal, jamás te contaría cómo me había convertido en un vampiro, cómo había conocido a Marius pocos años después de que él hubiera perdido su vida mortal.

Ahora estoy aquí con tu libreta abierta ante mí, utilizando una de las plumas afiladas y eternamente cargadas de tinta que me dejaste, deleitándome con la sensual sensación que me produce contemplar cómo la tinta negra se fija sobre el costoso papel inmaculadamente blanco.

Nada más natural, David, que me dejaras algo elegante, una hoja que invita a ser escrita. Esta libreta encuadernada en cuero negro y acharolado, adornada con suntuosas rosas, sin espinas pero provista de hojas, un diseño que en última instancia significa sólo diseño pero que demuestra una autoridad. Lo que esté escrito debajo de esta recia y bella encuadernación contará, afirma esta cubierta.

Las gruesas hojas tienen unas rayas azul pálido; eres muy práctico, muy meticuloso, y probablemente sabes que ya casi nunca tomo la pluma para escribir.

Hasta el sonido de la pluma posee su encanto, ese sonido rasposo como el de las mejores plumas de ave en la antigua

Roma que utilizaba para escribir en un pergamino una carta a mi padre, cuando anotaba en un diario mis lamentaciones... Ah, ese sonido. Lo único que falta aquí es el olor de la tinta, pero tenemos una estupenda pluma de plástico que no se secará hasta dentro de varios volúmenes, con la que trazaré una marca negra tan hermosa y profunda como quiera.

Estoy pensando en tu petición de que escriba mi historia. Creo que acabarás por conseguirlo. Presiento que comienzo a ceder a tus deseos, casi como cuando una de nuestras víctimas humanas se doblega ante nosotros, comprobando, mientras fuera sigue lloviendo, mientras persiste la ruidosa cháchara en el café, que quizás esto no resulte tan traumático como había supuesto —el hecho de remontarme dos mil años—, sino casi un placer, como el beber sangre.

En estos momentos persigo una víctima que no me resultará fácil de vencer: mi pasado. Es posible que esta víctima huya de mí a una velocidad equiparable a la mía. Sea como fuere, busco una víctima a la que jamás me he enfrentado. Existe en ello la emoción de la caza, lo que el mundo moderno llama investigación.

¿Cómo se explica si no el que contemple estos tiempos con tanta nitidez? Tú no me has administrado una poción mágica para estimular mis pensamientos. Para nosotros sólo existe una poción: la sangre.

«Lo recordarás todo», dijiste en cierto momento cuando nos dirigíamos hacia el café.

Tú, que eres tan joven entre nosotros pero que eras tan viejo como mortal, y tan erudito. Quizá sea natural que te hayas empeñado en recopilar nuestras historias.

Pero ¿por qué tratar de explicar aquí esta curiosidad que te devora, este valor frente a la verdad manchada de sangre?

¿Cómo has logrado convencerme de que acceda a remontarme dos mil años exactamente, para referir mis días mortales en la tierra, en Roma, y cómo me uní a Marius, y las escasas probabilidades que tenía de vencer contra la Suerte?

¿Cómo es posible que unos orígenes que han permanecido enterrados durante tanto tiempo, y que siempre me he negado a reconocer, afloren de golpe en mi mente? Se abre una puerta. Brilla una luz. Pasa.

Me reclino en la silla del café.

Me pongo a escribir, pero me detengo y echo un vistazo a mi alrededor para observar a las personas de este café de París. Veo los monótonos tejidos unisex de esta época, la lozana joven americana con sus prendas militares verde oliva, con todas sus pertenencias en una mochila que lleva colgada al hombro; veo al viejo francés que acude aquí desde hace décadas con el simple afán de contemplar las piernas y los brazos desnudos de las jóvenes, para alimentarse de sus gestos como si fuera un vampiro, para esperar el exótico y mágico momento en que una mujer se reclina en la silla y rompe a reír, cigarrillo en mano, y el tejido de su blusa de fibra sintética se tensa sobre sus pechos y se le marcan los pezones.

Ah, los viejos. Es un hombre de pelo canoso y lleva un abrigo caro. No representa una amenaza para nadie. Vive sumido por completo en su mundo. Esta noche regresará a su modesto pero elegante apartamento, que mantiene desde la última gran guerra mundial, y se entretendrá mirando viejas películas de la joven belleza Brigitte Bardot. Vive en sus ojos. No ha tocado a una mujer desde hace diez años.

No desvarío, David. Arrojaré el ancla aquí. No estoy dispuesta a que mi historia surja a borbotones como de un oráculo ebrio.

Veo a estos mortales bajo una luz más atenta. Estos mortales me parecen tan frescos, tan exóticos y apetitosos... Tienen el aspecto que debían de tener las aves tropicales cuando yo era niña; tan pletóricas de vida aleteante y rebelde que deseaba agarrarlas, sentir sus alas agitarse en mis manos, capturar su vuelo y poseerlo y compartirlo. Ah, ese terrible momento que se produce en la infancia cuando estrujas a un pájaro rojo y lo matas accidentalmente.

Pero algunos de estos mortales tienen un aspecto siniestro vestidos con esas ropas oscuras: el inevitable traficante de cocaína —están por doquier, son nuestra mejor presa—, que espera a su contacto en la mesa del rincón, con el largo abrigo de cuero diseñado por un renombrado modisto italiano, con el pelo rapado en las sienes y tupido en la parte superior de la cabeza para ostentar el aire típico de esos individuos, cosa que consigue, aunque no es necesario, pues basta con mirar sus enormes pupilas negras y la dureza de lo que la naturaleza pretendía que fuera una boca generosa. El hombre hace unos gestos bruscos, de impaciencia, con el encendedor sobre el velador de mármol, la señal del adicto; se vuelve a un lado y a otro, no cesa de moverse, se siente incómodo. No sabe que jamás volverá a sentirse cómodo en su vida. Desea marcharse para esnifar la cocaína que ansía ardientemente pero tiene que esperar a su contacto. Sus zapatos están demasiado lustrosos, y sus manos largas y delgadas nunca envejecerán.

Creo que ese hombre morirá esta noche. Siento que se apodera lentamente de mí el deseo de matarlo. Ha suministrado mucho veneno a mucha gente. Lo perseguiría, lo estrecharía entre mis brazos, ni siquiera tendría que envolverlo con visiones. Le dejaría ver que la muerte ha aparecido en forma de una mujer demasiado pálida para ser humana, demasiado alisada por los siglos para ser otra cosa que una estatua que ha cobrado vida. Pero aquellos a quienes espera se proponen matarlo. ¿Por qué iba a intervenir yo?

¿Cómo me ven estas personas? Como una mujer con el pelo castaño, largo, limpio y ondulado que me cubre como el manto de una monja, un rostro tan blanco que parece obra del maquillaje, y unos ojos insólitamente brillantes, incluso semiocultos tras unas gafas doradas.

Ah, es muy de agradecer que en nuestros días existan tantos modelos de gafas, pues si yo me quitara las mías tendría que mantener la cabeza agachada para no asustar a la gente con el mero juego de destellos amarillos, pardos y dorados que emiten mis ojos, que con los siglos han adquirido el aspecto de unas gemas, de forma que parezco una mujer ciega con unos topacios por pupilas, o mejor dicho, unos exquisitos globos oculares formados por topacios, zafiros e incluso aguamarinas.

Mira, he llenado muchas hojas, y lo único que digo es sí, te contaré cómo empezó mi historia.

Sí, te contaré la historia de mi vida mortal en la antigua Roma, cómo llegué a amar a Marius y cómo llegamos a unirnos y a separarnos.

Qué transformación se ha operado en mí, al haber tomado esta decisión.

Qué poderosa me siento mientras sostengo esta pluma, y qué ansiosa de situarnos en una perspectiva nítida y precisa antes de empezar a satisfacer tu deseo.

Esto es París, en tiempos de paz. Está lloviendo. Unos edificios altos y majestuosos con ventanas de doble hoja y balcones de hierro forjado bordean este bulevar. Unos ruidosos automóviles, diminutos y peligrosos, circulan a gran velocidad por las calles. Los cafés como éste se hallan atestados de turistas de todos los países. Antiguas iglesias se agolpan junto a edificios de apartamentos, palacios convertidos en museos en cuyas salas paso horas contemplando objetos procedentes de Egipto o Sumer, más viejos incluso que yo. Por todas partes prolifera la arquitectura romana, réplicas idénticas de templos de mi época que hacen las veces de bancos. Las palabras de mi latín nativo invaden la lengua inglesa. Ovidio, mi amado Ovidio, el poeta que predijo que su poesía perduraría más allá del Imperio Romano, tenía razón.

Si entras en cualquier librería lo encontrarás en pequeños libros de bolsillo, diseñados para llamar la atención de los estudiantes.

La influencia romana se fecunda a sí misma, mostrando imponentes robles entre el bosque moderno de ordenadores, discos digitales, microvirus y satélites espaciales.

Es fácil hallar aquí —como siempre— un mal digno de abrazar, una desesperación digna de ser satisfecha con ternura.

En mi caso debo sentir siempre cierto amor hacia la víctima, cierta misericordia, cierto autoengaño que me haga creer que la muerte que provoco no desgarra el gran sudario de lo inevitable, tejido con árboles, tierra, estrellas y acontecimientos humanos, que merodea siempre en torno a nosotros, a punto de abatirse sobre todo lo creado, todo lo que conocemos.

Anoche, cuando diste conmigo, ¿qué te parecí? Estaba sola en el puente sobre el Sena, caminando a través de la última y peligrosa oscuridad anterior al amanecer.

Me viste antes de que detectara tu presencia. Llevaba puesta la capucha y dejé que mis ojos gozaran de un breve momento de gloria bajo la tenue luz del puente. Mi víctima se hallaba junto al pretil. No era más que una niña, pero estaba siendo asaltada y maltratada por un centenar de hombres. Deseaba morir en el agua. No sé si el Sena es lo bastante profundo para que alguien pueda ahogarse en él. Tan cerca de la Île St. Louis. Tan cerca de Notre Dame. Quizá lo sea, si uno puede resistirse a un último esfuerzo por aferrarse a la vida.

Pero yo sentí que el alma de esta víctima semejaba un montón de cenizas, como si su espíritu hubiera sido incinerado y sólo quedara su cuerpo, un cascarón roto, enfermo. La rodeé con un brazo, y cuando vi reflejarse el miedo en sus ojillos negros, cuando comprendí que iba a hacerme la pregunta, la envolví con imágenes. El hollín que cubría mi piel no logró impedir que yo pareciera la Virgen María, y ella sucumbió a los himnos y a su devoción, incluso vio mis velos en los colores que había visto en las iglesias de su infancia, al tiempo que se doblegaba ante mí, y yo —sabiendo que no necesitaba beber, pero ansiando beber su sangre, ansiando saborear la angustia que emanaría en sus momentos postreros, ansiando degustar el exquisito líquido rojo que llenaría mi boca y haría que me sintiera humana por un instante en mi monstruosidad— cedí a sus visiones, le doblé el cuello hacia atrás, deslicé mis dedos sobre su piel suave y lacerada, y fue entonces, en el instante en que clavé mis dientes en ella, en que bebí su sangre, cuando me di cuenta de que estabas ahí, observando.

Lo supe, y lo sentí, y vi la imagen de nosotras en tus ojos, lo cual me distrajo momentáneamente mientras experimentaba un torrente de placer que me hacía creer que estaba viva, conectada de alguna forma a los campos de tréboles o a los árboles que hunden en la tierra unas raíces más largas que las ramas que se alzan hacia el firmamento.

Al principio te odié. Me viste mientras gozaba bebiendo la sangre de mi víctima. Me viste cuando cedí a la tentación. No sabías nada de mis largos meses de abstinencia, en los que, conteniéndome, vagaba como alma en pena. Sólo viste la repentina liberación de mi impuro deseo de succionarle el alma, de alzar su corazón en su carne dentro de ella, de arrancar de sus venas cada preciosa partícula de su ser que anhelaba seguir viviendo.

Porque ella deseaba vivir. Envuelta en santos, soñando de golpe con pechos que la amamantaban, su joven cuerpo se debatió, revolviéndose contra mí, contra mi forma dura como una estatua, mis pezones sin leche incrustados en mármol, sin poder ofrecerle consuelo. Deja que vea a su madre, muerta, desaparecida y aguardándola. Deja que yo vea a través de sus ojos moribundos la luz mediante la cual ella se dirigió hacia esta incierta salvación.

Entonces me olvidé de ti. No estaba dispuesta a dejar que me robaras este instante. Empecé a beber más despacio, dejando que ella suspirara, que sus pulmones se llenaran con fría agua del río, al tiempo que su madre se aproximaba cada vez más, de forma que la muerte se convirtió para ella en un lugar tan seguro como el útero materno. Le chupé hasta la última gota de sangre.

Sostuve su cuerpo inerte como si lo hubiera rescatado, como si hubiera ayudado a una joven borracha, débil y enferma a bajar del puente. Introduje la mano dentro de su cuerpo, destrozando su carne con gran facilidad pese a tener los dedos tan finos, le agarré el corazón, lo acerqué a mis labios y lo succioné, con la cabeza sepultada junto a su rostro, lo succioné como si fuera una fruta, hasta no dejar una gota de sangre en ninguna fibra ni ventrículo. Y entonces, lentamente —tal vez en un gesto dirigido a ti— la levanté y la arrojé al agua que tanto había ansiado.

Ella ya no lucharía mientras sus pulmones se llenaban de agua del río. Ya no se debatiría desesperadamente en el agua. Le chupé el corazón por última vez, hasta arrancarle incluso el color, y lo arrojé tras su cadáver —como unas uvas estrujadas—, pobre niña, hija de un centenar de hombres.

Luego me volví hacia ti, para que supieras que yo me había dado cuenta de que me estabas observando desde el paseo. Creo que traté de atemorizarte. Furiosa, te hice saber lo débil que eras, que toda la sangre que te había dado Lestat no te serviría de nada si yo decidía despedazarte, prender un fuego mortal en ti e inmolarte, o tan sólo castigarte con una profunda cicatriz, sencillamente por haberme espiado.

En realidad, jamás he hecho nada semejante a un vampiro más joven. Me compadezco de ellos cuando se echan a temblar, aterrorizados, al ver a uno de nosotros, los viejos. Pero, conociéndome como me conozco, debí de huir tan rápidamente que no pudiste seguirme en la oscuridad.

Había algo en ti que me cautivó, la forma en que te dirigiste a mí en el puente, tu joven cuerpo de piel tostada, típicamente angloindia, dotado por tu auténtica edad mortal de una gracia extraordinariamente seductora. Tu misma postura parecía inquirir, sin humillación: «¿Podemos hablar, Pandora?»

Quedé desconcertada. Quizá te percataras de ello. No recuerdo si te aparté de mis pensamientos, y sé que no tienes grandes dotes telepáticas. El caso es que de golpe quedé desconcertada, quizá para no pensar en mí misma, quizás ante el temor de que me interrogaras. Traté de pensar en todas las cosas que podía decirte, tan distintas de las historias de Lestat, y de las de Marius relatadas a través de Lestat, y quise prevenirte, prevenirte sobre los antiguos vampiros del Lejano Oriente que no dudarían en matarte si penetrabas en su territorio, sencillamente por encontrarte allí.

Quería asegurarme de que comprendías lo que todos debemos aceptar, que la fuente de nuestra avidez vampírica reside en dos seres, Mekare y Maharet, ambas tan ancianas que su aspecto es ahora más horrible que bello. Y si se destruyen a sí mismas, todos moriremos con ellas.

Quería hablarte sobre otros que no nos conocieron como una tribu ni conocieron nuestra historia, que sobrevivieron al terrible incendio que nuestra Madre Akasha hizo que se abatiera sobre sus hijos. Quería decirte que existen unos seres que vagan por la tierra y que se parecen a nosotros, aunque no pertenecen a nuestra especie ni a la humana. De pronto sentí el profundo deseo de protegerte.

Quizá se debiera a tus preguntas. Te observé plantado ante mí, el caballero inglés, luciendo tu decoro más airosamente y con más naturalidad que todos los hombres que yo había conocido. Tus elegantes ropas me maravillaron; me impresionó el que te hubieras concedido el capricho de ponerte una fina capa de estambre negra, que te hubieras permitido incluso el lujo de lucir una bufanda de seda roja, cosa que jamás habrías hecho al poco de convertirte en vampiro.

Compréndelo, yo no era consciente la noche en que Lestat te convirtió en vampiro. No sentí aquel momento.

No obstante, todo el mundo sobrenatural había comenzado a vibrar semanas antes al conocer la noticia de que un mortal se había apoderado del cuerpo de otro mortal; esas cosas las sabemos, como si nos las comunicaran las estrellas. Una mente sobrenatural capta las vibraciones de este corte incisivo en el tejido de lo ordinario, y luego otra mente recibe la imagen, y así sucesivamente.

David Talbot, el nombre que todos conocíamos por pertenecer a la venerable orden de detectives clarividentes, la orden de Talamasca, había logrado trasladar toda su alma y su cuerpo etéreo a los de otro hombre. Aquel cuerpo se hallaba en poder de un ladrón de cadáveres al cual se lo arrebataste. Y una vez que hubiste logrado introducirte en el joven cuerpo, con todos tus escrúpulos y valores, con todo el saber de tus setenta y cuatro años, permaneciste anclado en las jóvenes células.

Y así fue como pasaste a ser David el Reencarnado, con su exquisita belleza india y su recia y bien alimentada fortaleza de linaje británico, que Lestat había transformado en un vampiro, uniendo el cuerpo y el alma, mezclando el milagro con el Truco Diabólico, consiguiendo una vez más un pecado que debería dejar pasmados a sus coetáneos y a sus mayores.

¡Y eso te lo hizo tu mejor amigo!

Bienvenido a la oscuridad, David. Bienvenido a los dominios de la «inconstante luna» de Shakespeare.

Haciendo gala de tu valor, te dirigiste a través del puente hacia mí.

—Discúlpame, Pandora —dijiste suavemente. El impecable acento británico de la clase alta y la habitual cadencia británica que resulta tan seductora que parece decir: «Nosotros salvaremos el mundo.»

Mantuviste una cortés distancia entre nosotros, como si yo fuera una doncella virgen del siglo pasado y no quisieras alarmarme ni herir mi tierna sensibilidad. Sonreí.

Entonces me permití el lujo de examinarte detenidamente, de tomar la medida a este vampiro neófito que Lestat —desoyendo las órdenes de Marius— se había atrevido a crear. Vi tus componentes como hombre: un alma humana inmensa, valerosa, pero que se sentía irremediablemente atraída por la desesperación, y un cuerpo que Lestat había tratado de hacer increíblemente poderoso, incluso a costa de lastimarse a sí mismo. Te había dado más sangre de la que suministrarte fácilmente durante tu transformación. Había tratado de transmitirte su coraje, su inteligencia, su astucia; había tratado de dotarte de un arsenal a través de la sangre.

Había hecho un excelente trabajo. Tu fuerza era compleja y obvia. La sangre de Akasha, nuestra Reina Madre, estaba mezclada con la de Lestat. Marius, mi antiguo amante, también le había proporcionado sangre. Lestat, ah, ¿qué es lo que dicen ahora? Dicen que incluso es probable que haya bebido la sangre de Cristo.

Fue el primer tema que comenté contigo, dejándome llevar por mi curiosidad, pues recorrer el mundo en busca de conocimientos a menudo supone provocar tales tragedias que me resulta odioso.

—Dime la verdad —dije—. Esta historia de *Memnoch el Diablo*... Lestat afirma que visitó el cielo y el infierno. Que trajo consigo el velo de la Verónica, ¡sobre el que aparecía marcada la faz de Cristo! Que ese velo convirtió a miles de personas a la fe cristiana, que curaba la locura y aliviaba el desconsuelo. Que hizo que los otros Hijos de las Tinieblas alzaran los brazos hacia la siniestra luz matutina, como si el sol fuera el fuego de Dios.

—Sí, todo eso ocurrió tal como yo lo relaté —contestaste, agachando la cabeza con exagerada modestia—. Y algunos de nosotros perecimos en este fervor, mientras la prensa y los científicos recogían nuestras cenizas para examinarlas.

No pude por menos que admirar tu sereno talante. Una sensibilidad del siglo XX. Una mente regida por una incalculable riqueza de información, una gran facilidad de palabra y un intelecto consagrado a la agilidad, la síntesis, las probabilidades, y todo ello contra el telón de fondo de unas experiencias horrendas, guerras, matanzas, lo peor que ha presenciado el mundo.

—Todo eso ocurrió —insististe—. Es cierto que hablé con las ancianas Mekare y Maharet y, no temas, sé muy bien lo frágil que es la raíz. Te agradezco tu interés en protegerme.

Me cautivó tu encanto.

—¿Qué opinas de este Velo Sagrado? —pregunté.

—Nuestra Señora de Fátima —respondiste suavemente—.

El sudario de Turín, un lisiado que se levanta de su silla de ruedas curado por las aguas milagrosas de Lourdes. Debe de ser un gran consuelo aceptar esto sin reservas.

—Pero ¿tú no lo aceptas?

Negaste con la cabeza.

—Ni tampoco Lestat. Fue Dora, la chica mortal, quien le arrebató el Velo y lo paseó por el mundo. Pero es un objeto muy singular, hecho con una minuciosidad increíble, más digno del término «reliquia» que ningún otro objeto de los que he visto.

De pronto añadiste con tristeza:

—Quienquiera que lo confeccionara, puso mucho empeño en ello.

—Y el vampiro Armand, el delicado y juvenil Armand, ¿creyó él en ese Velo? —pregunté—. Armand lo miró y vio el rostro de Cristo —añadí, buscando tu confirmación.

—Lo suficiente para morir por él —respondiste en tono solemne—. Lo suficiente para abrir sus brazos al sol matutino.

Luego volviste la cara y cerraste los ojos. Era un sencillo y escueto ruego para que no te obligara a hablar de Armand y de cómo se había arrojado a aquel fuego matutino.

Yo suspiré, sorprendida y gratamente fascinada al comprobar que eras un ser muy inteligente, escéptico, aunque claramente conectado a los otros.

—Armand —proseguiste con voz entrecortada, sin volverte hacia mí—. Qué réquiem. ¿Sabe ahora si Memnoch era real, si Dios Encarnado, que tentó a Lestat, era en verdad el Hijo de Dios Todopoderoso? ¿Quién puede saberlo?

Tu franqueza, tu pasión me conmovieron. No estabas amargado ni eras un cínico. Tus sentimientos hacia esos hechos y seres, las preguntas que planteabas transmitían una gran inmediatez.

—Encerraron el Velo bajo llave —dijiste—. Está en el Vaticano. Se produjeron dos semanas de locura en la Quinta Avenida, en la catedral de San Patricio, cuando la gente acudió a mirar a los ojos a Nuestro Señor, y luego se lo llevaron y lo encerraron en una cámara acorazada. Dudo de que exista una nación en la tierra que tenga el poder de echarle siquiera un breve vistazo.

—¿Y Lestat? —pregunté—. ¿Dónde se encuentra ahora?

—Paralizado, silencioso —contestaste—. Lestat yace postrado en el suelo de una capilla de Nueva Orleans. No se mueve. No dice nada. Su Madre ha ido a reunirse con él. Se llama Gabrielle, tú la conociste. Lestat la convirtió en vampiro.

—Sí, la recuerdo.

—Ni siquiera ella consigue hacer que Lestat reaccione. Viera lo que viese en su viaje al cielo y al infierno, no conoce la verdad ni de uno ni de otro; él mismo trató de decirle esto a Dora. Y después de que hube escrito toda la historia para él, al cabo de unas noches se sumió en ese estado.

»Tiene la mirada fija en el infinito y el cuerpo relajado. Él y Gabrielle forman una curiosa Piedad en ese convento y capilla abandonados. La mente de Lestat está cerrada, o peor aún, vacía.

Tu forma de expresarte me complació enormemente. De hecho, me dejó atónita.

—Dejé a Lestat porque era incapaz de ayudarle, no podía hacer nada por él —proseguiste—, y debo averiguar si algunos de los vampiros más ancianos desean acabar conmigo; debo realizar mis peregrinajes y mis progresos para conocer los peligros de este mundo en el que he penetrado.

—Admiro tu sinceridad. No te andas con tapujos.

—Al contrario. Procuro ocultarte mis cualidades más valiosas. —Esbozaste una sonrisa cortés—. Tu belleza me confunde. ¿Estás acostumbrada a esto?

—Sí —repuse—, y desconfío de ello. Pero hablemos de otra cosa. Permite que te advierta que existen unos ancianos a quienes nadie conoce ni es capaz de explicar. Corren rumores de que has estado con Maharet y Mekare, que actualmente constituyen la Mayor y la Fuente de la que todos procedemos.

Es evidente que han decidido apartarse de nosotros, de todo el mundo, retirándose a un lugar secreto, y que rechazan toda autoridad.

—Tienes razón —dijiste—. Mi audiencia con ellas fue maravillosa, aunque breve. No quieren gobernar sobre nadie. Maharet se niega rotundamente; mientras perdure la historia del mundo y sus descendientes físicos se encuentren en él (sus miles de descendientes humanos procedentes de tiempos tan remotos que nadie los ha datado), Maharet jamás se destruirá a sí misma ni destruirá a su hermana, acabando de paso con todos nosotros.

—Sí —repuse—, cree absolutamente en eso, en la Gran Familia, en las generaciones cuya trayectoria ha seguido durante miles de años. La vi cuando nos reunimos todos. Ella no nos considera unos seres malignos (a ti, a Lestat, a mí), cree que somos naturales, como los volcanes o los incendios que arrasan los bosques, o los relámpagos que se abaten sobre un hombre y lo matan.

—Precisamente —apostillaste—. Ya no existe la Reina de los Malditos. Sólo temo a otro ser inmortal, a tu amante, Marius. Porque fue él quien antes de abandonar a los otros les prohibió terminantemente que se siguieran creando seres bebedores de sangre. Según Marius, yo soy un bastardo. Es decir, si Marius fuera inglés, ése es el término que emplearía.

Yo sacudí la cabeza.

—No creo que Marius te lastimara. ¿No fue a ver a Lestat? ¿No fue a ver el Velo con sus propios ojos?

Tú respondiste que no a ambas preguntas.

—Te voy a dar un consejo —dije—: cada vez que intuyas su presencia, háblale. Háblale como lo has hecho conmigo. Inicia una conversación que no sea capaz de interrumpir.

Tú sonreíste de nuevo.

—Es una forma muy hábil de expresarlo —dijiste.

—Pero no creo que debas temerle. Si Marius hubiera querido eliminarte, ya lo habría hecho. Lo que debemos temer es.

lo mismo que temen los humanos: la existencia de otros seres de nuestra especie, dotados de diversos poderes y creencias. Nunca podemos estar seguros de quiénes son ni qué hacen. Éste es el consejo que te doy.

—Eres muy amable al dedicarme tanto tiempo —respondiste.

Sentí deseos de llorar.

—Al contrario. No conoces el silencio y la soledad que me rodean, y espero que nunca los conozcas; me has procurado calor sin muerte, alimento sin sangre. Me alegro de que hayas venido.

Tú alzaste la vista al cielo, como suelen hacer los jóvenes.

—Lo sé, debemos despedirnos.

Te volviste hacia mí súbitamente.

—Veámonos mañana por la noche —me rogaste—, para seguir conversando. Me reuniré contigo en el café al que acudes todas las noches para reflexionar. Quiero seguir charlando contigo.

—De modo que me has visto allí.

—Oh, sí, muchas veces —contestaste. Luego apartaste de nuevo el rostro, imagino que para ocultar tus sentimientos. Al cabo de unos instantes volviste a clavar tus ojos negros en mí y preguntaste—: El mundo es nuestro, ¿no es cierto, Pandora?

—No lo sé, David. Pero me reuniré contigo mañana por la noche. ¿Por qué no fuiste a verme al café? Es un lugar cálido y bien iluminado.

—Me parecía una intromisión intolerable invadir tu sacrosanta intimidad en un local atestado de gente. Las personas acuden a esos lugares para estar solas, ¿no es así? Consideré que sería más correcto abordarte aquí. No pretendía espiarte. Al igual que muchos neófitos, tengo que alimentarme de sangre todas las noches. Fue una casualidad el que nos encontráramos en aquel momento.

—Esto es delicioso, David —repuse—. Hace mucho que

nadie me cautiva como lo haces tú. Nos veremos allí... mañana por la noche.

Entonces se apoderó de mí un deseo perverso. Me acerqué a ti y te abracé, sabiendo que la dureza y la frialdad de mi viejo cuerpo te inspirarían un profundo terror, ya que eras tan joven y pasabas tan fácilmente por un mortal.

Pero tú no te apartaste, y cuando te besé en la mejilla tú me besaste en la mía.

Ahora, mientras estoy sentada en este café, escribiendo, tratando de darte con estas palabras más de lo que quizá me hayas pedido... me pregunto qué habría hecho si no me hubieras besado, si hubieras retrocedido impulsado por el temor que suelen sentir los jóvenes.

David, eres un enigma para mí.

Como verás, no he comenzado a relatar mi vida en estas páginas, sino lo que ha ocurrido entre tú y yo estas dos noches.

Permíteme, David, hablar de ti y de mí, y luego quizá consiga recuperar mi vida perdida.

Cuando esta noche entraste en el café, no le di importancia a las libretas. Llevabas dos. Muy gruesas.

El cuero de las libretas emanaba un olor agradable, a viejo, y cuando las depositaste sobre la mesa detecté un destello en tu disciplinada y controlada mente que me indicó que tenían que ver conmigo.

Yo había elegido esta mesa en el concurrido centro de la sala, como si deseara sentarme en medio de la algarabía de aromas y actividad mortales. Tú parecías satisfecho, seguro de ti, a gusto.

Lucías otro magnífico traje de corte moderno con una capa de estambre, muy elegante, muy Viejo Mundo, y con tu piel dorada y tus radiantes ojos, hiciste que todas las mujeres que había en el café, y algunos hombres también, se volvieran para mirarte.

Sonreíste. Yo debía de parecerte un caracol, cubierta como iba con mi capa y capucha, buena parte del rostro oculto tras mis gafas doradas, y en los labios un suave toque de carmín rosa violáceo que me recordaba un moratón. Al contemplarme en el espejo de la tienda me vi muy atractiva; me complacía el no tener que ocultar mi boca. Mis labios son casi incoloros. Pintados de ese color podía sonreír.

Llevaba estos guantes de encaje negro con las puntas cortadas para que mis dedos sintieran el tacto de las cosas, y me había dado un poco de hollín en las uñas para que no relucieran como el cristal dentro del café. Te tendí la mano y la besaste.

Tú mostrabas la prestancia y el decoro de siempre. Luego me dirigiste una sonrisa cálida, una sonrisa en la que creo que dominaba tu antigua fisiología, porque parecías demasiado sabio para alguien tan joven y fuerte. Me maravilló la perfección de la imagen que te habías creado.

—No sabes cuánto me alegra que hayas acudido —dijiste—, que me hayas permitido reunirme contigo en esta mesa.

—Hiciste que deseara hacerlo —respondí, alzando las manos y observando que parecías deslumbrado por el brillo de mis uñas, pese a que me había aplicado hollín sobre ellas.

Extendí las manos hacia ti, imaginando que te apartarías para evitar el contacto, pero dejaste que mis pálidos y fríos dedos aferraran tu mano cálida y tostada.

—¿Te parezco un ser vivo? —te pregunté.

—Oh, sí, desde luego, un ser radiante y absolutamente vivo.

Pedimos los cafés, tal como esperan de nosotros los mortales, y gozamos con el calor y el aroma mucho más de lo que éstos pueden llegar a imaginar, removiendo el contenido de nuestras tazas con las cucharillas. Yo tenía ante mí un postre de color rojo. El postre sigue ahí, por supuesto. Lo pedí sencillamente porque era rojo —fresas con almíbar— y emanaba un aroma dulce que habría atraído a las abejas.

Tus halagos me hacían sonreír, me complacían.

Jugué un poco contigo, aunque sin mala fe. Dejé caer la capucha hacia atrás y sacudí la cabeza para que mi espesa cabellera castaño oscuro resplandeciera bajo las luces del café.

Por supuesto, eso no constituye ningún signo para los mortales, ni tampoco el pelo rubio de Marius o el de Lestat. Pero reconozco que mi cabello me encanta, me encanta cuando me cae sobre los hombros como un velo, y me encantó la expresión que vi en tus ojos.

—Dentro de mí hay una mujer —dije.

El escribir ahora sobre esto —en esta libreta, mientras me encuentro sola en este café— proporciona una arquitectura a un momento banal, y parece tratarse de una penosa confesión.

A medida que escribo, David, a medida que me siento atraída por el concepto de la narración, más firmemente creo en el peso de una coherencia que es posible sobre una hoja pero no en la vida.

Sin embargo, no me propuse tomar esta pluma tuya. Estábamos conversando.

—Pandora, si alguien no reconoce que eres una mujer, es que es imbécil —dijiste.

—Cómo se enojaría Marius conmigo por sentirme halagada por estas palabras —repuse—. O no. Es probable que lo considerara un punto a favor de su postura. Yo le abandoné, le dejé sin una palabra, la última vez que estuvimos juntos, antes de que Lestat emprendiera su pequeña aventura y mucho antes de que se encontrara con Memnoch el Diablo. Dejé a Marius, y de golpe sentí deseos de localizarlo. Deseé hablar con él como tú y yo lo estamos haciendo ahora.

Me miraste preocupado, y con razón. Debiste de intuir que durante estos últimos, largos y tristes años nada había despertado en mí entusiasmo alguno.

—¿Querrás escribir tu historia para mí, Pandora? —me preguntaste de sopetón.

Tus palabras me sorprendieron.

—¿La escribirás en estas libretas? —insististe—. Escribe sobre la época en que estabas viva, la época en que te uniste a Marius, escribe lo que quieras sobre él. Pero lo que deseo ante todo es conocer tu historia.

Me quedé atónita.

—¿A qué viene esta petición?

No respondiste.

—No habrás regresado a esa orden de seres humanos, la Talamasca, ¿verdad?; saben demasiado...

Alzaste la mano.

—No, y jamás regresaré a ella; si alguna vez tuve alguna duda acerca de esa orden, los archivos de Maharet se encargaron de despejarla.

—¿Ella dejó que examinaras sus archivos, los libros que ha conservado a lo largo del tiempo?

—Sí, fue extraordinario... un verdadero almacén repleto de tablillas de arcilla, rollos de pergaminos, libros y poemas de otras culturas cuya existencia el mundo desconoce. Libros redactados en tiempos inmemoriales. Como es lógico, Maharet me prohibió que revelara los datos que pudiera encontrar o que hablara detalladamente sobre nuestro encuentro. Dijo que era arriesgado jugar con esas cosas, y confirmó tu temor de que yo hubiera regresado a la Talamasca, a mis viejos amigos mortales con dotes de clarividencia. Pero no lo he hecho ni lo haré nunca. No me cuesta el menor esfuerzo mantener esta promesa.

—¿Y eso?

—Cuando vi esos antiguos escritos, Pandora, comprendí que ya no era humano. Que la historia que yacía ante mí, aguardando ser recogida por alguien, ya no era la mía. ¡No soy uno de esos seres! —exclamaste recorriendo la habitación con la vista—. Supongo que habrás oído estas palabras mil veces de boca de un vampiro neófito. Pero yo creía fervientemente que la filosofía y la razón constituirían un puente entre ambos mundos que me permitiría trasladarme de uno a otro sin mayores problemas. Sin embargo, ese puente no existe. Ha desaparecido.

Tu tristeza refulgía alrededor de ti, brillaba en tus juveniles ojos y en la suavidad de tu carne nueva.

—De modo que lo sabes —dije. No me había propuesto pronunciar esas palabras. Brotaron espontáneamente—. Lo sabes —repetí, soltando una leve pero amarga carcajada.

—Sí. Lo supe cuando examiné los documentos de tu época, gran cantidad de ellos, de la Roma imperial, y otros vetustos fragmentos de piedras inscritas con unos garabatos que ni siquiera logré identificar. Lo supe, sí. ¡Pero esos documentos no me importan, Pandora! Me importa lo que somos en estos momentos.

—Qué extraordinario —dije—. No sabes cuánto te admiro y cuán atractiva me parece tu actitud.

—Me alegra saberlo —respondiste. Luego te inclinaste hacia mí y añadiste—: No digo que no llevemos nuestra alma humana, nuestra historia, dentro de nosotros; es evidente que sí.

»Recuerdo que en cierta ocasión, hace mucho tiempo, Armand me contó que al preguntar a Lestat: "¿Qué puedo hacer para comprender a la raza humana?", Lestat contestó: "Lee o ve a ver todas las obras de Shakespeare y averiguarás cuanto precisas saber sobre la raza humana." Armand siguió su consejo. Devoró los poemas, asistió a la representación de sus obras teatrales, vio las nuevas y espléndidas películas protagonizadas por Laurence Fishbourne, Kenneth Branagh y Leonardo DiCaprio. Y cuando Armand y yo hablamos por última vez, me dijo lo siguiente sobre su educación: "Lestat tenía razón. No me procuró libros sino el medio de comprender a la raza humana. Ese hombre Shakespeare escribe (y cito a Armand y a Shakespeare tal como lo expresó Armand, y yo te lo repetiré) como si brotara de mi corazón:

Mañana, y al otro, y al otro,
los días transcurren a un monótono ritmo,
hasta la última sílaba del tiempo recogido en la Historia;
y todos nuestros ayeres han indicado a los necios
el camino hacia la polvorienta muerte.

Apágate, apágate breve candela.
La vida no es sino una sombra errante;
un pobre actor que se mueve y agita durante horas sobre el
escenario, y luego desaparece para siempre;
es una historia relatada por un idiota,
repleto de sonido y furia, que no significa nada.

»"Este hombre escribió eso —prosiguió Armand—, y todos sabemos que es la pura verdad y que todas las revelaciones han sucumbido más pronto o más tarde ante ella, y sin embargo nos encanta la forma en que lo expresó Shakespeare, deseamos oírlo una y otra vez. Deseamos recordarlo. Deseamos no olvidar una sola palabra de lo que escribió."

Ambos guardamos silencio durante unos instantes. Tú bajaste la mirada y apoyaste la barbilla sobre el puño. Yo sabía que todo el peso de la aventura que había emprendido Armand hacia el sol reposaba sobre ti, y me había encantado el modo en que habías recitado esas palabras, y las palabras en sí mismas.

Por fin dije:

—Y me produce placer, piensa en ello, placer, el que me recites esas palabras.

Sonreíste.

—Deseo saber qué podemos averiguar —dijiste—. Deseo conocer cuanto podamos ver. De modo que acudo a ti, un vampiro hembra. Hija del Milenio, un vampiro que ha bebido de la misma reina Akasha, que ha sobrevivido dos mil años, y te pido, Pandora, que escribas para mí, que escribas tu historia, que la escribas como quieras.

Permanecí en silencio por unos instantes.

Luego dije ásperamente que no podía hacerlo. Pero unos recuerdos habían despertado en mí. Vi y oí unas discusiones y peleas que se habían producido hacía siglos, vi brillar la luz del poeta sobre unas eras que había conocido íntimamente a través del amor. Otras eras no las he conocido, pues yo era un pobre espíritu errante, sumido en la ignorancia.

Sí, ciertamente, existía una historia que debía ser escrita; pero en esos momentos me negué a reconocerlo.

Tú te mostrabas muy afligido tras haber pensado en Armand, tras haber recordado cómo se había dirigido hacia el sol matutino. Añorabas a Armand.

—¿Existía algún vínculo entre vosotros? —me preguntaste—. Disculpa mi atrevimiento, pero me refiero a si existía algún vínculo entre vosotros cuando Armand y tú os conocisteis, puesto que Marius os había dado a ambos el Don Oscuro. Sé que no sientes celos, me consta. No habría mencionado el nombre de Armand si hubiera detectado cierto resentimiento en ti, pero todo lo demás es una ausencia, un silencio. ¿No existía un vínculo entre vosotros?

—El único vínculo era el dolor. Él se dirigió hacia el sol, y el dolor es sin duda alguna el vínculo más sencillo y seguro.

Soltaste una risita.

—¿Cómo puedo convencerte de que accedas a mis deseos? Compadécete de mí, graciosa dama, confíame tu canción.

Esbocé una sonrisa indulgente, pero pensé que eso era imposible.

—Es demasiado disonante, querido —repuse—. Demasiado... —Cerré los ojos. Deseaba decir que mi canción era demasiado dolorosa para cantarla.

De pronto alzaste la mirada. Tu rostro mudó de expresión. Parecía como si quisieras hacerme creer que habías caído en trance. Sacudiste la cabeza, señalaste algo, y luego dejaste caer la mano sobre la mesa.

—¿Qué ocurre, David? —pregunté—. ¿Qué ves?

—Espíritus, Pandora, fantasmas.

—Pero eso es inaudito —contesté. Sabía, no obstante, que David decía la verdad—. El Don Oscuro nos arrebata ese poder. Incluso las antiguas brujas, Maharet y Mekare, nos aseguraron que una vez que la sangre de Akasha penetró en ellas y se convirtieron en vampiros hembras, no volvieron a oír ni ver a los espíritus. Tú has hablado con ellas recientemente. ¿Les contaste que tenías ese poder?

David asintió. Era evidente que la lealtad le obligaba a no decir que ellas no lo poseían. Pero yo lo sabía. Lo vi en la mente de David, y lo comprobé personalmente cuando me entrevisté con las ancianas gemelas que habían exterminado a la Reina de los Malditos.

—Veo unos espíritus, Pandora —dijiste en tono de preocupación—. Si me esfuerzo puedo verlos por doquier, y en algunos lugares muy específicos cuando ellos lo desean. Lestat vio el fantasma de Roger, su víctima en *Memnoch el Diablo*.

—Pero eso fue una excepción propiciada por un arrebato de amor que experimentó el alma de ese hombre, un arrebato que desafió a la muerte, o que en todo caso demoró el fin del alma, algo que nosotros no alcanzamos a comprender.

—Veo espíritus, pero no he venido para agobiarte ni atemorizarte.

—Cuéntame más detalles —le rogué—. ¿Qué viste hace unos segundos?

—Un espíritu débil, incapaz de herir a nadie. Es uno de esos tristes humanos que no saben que están muertos. Constituyen una atmósfera en torno al planeta. Los llaman «espíritus errantes». Pero yo tengo más dentro de mí mismo para explorar.

Tras una breve pausa, continuaste:

—Al parecer, cada siglo produce un nuevo tipo de vampiro. Digamos que el curso de nuestro desarrollo no se establece desde el principio, como tampoco el de los seres humanos. Tal vez una noche te cuente todo lo que veo (esos espíritus que nunca logré ver claramente cuando era mortal). Te contaré algo que me confesó Armand sobre los colores que veía cuando se apoderaba de una vida, cuando el alma abandonaba el cuerpo envuelta en unas ondas que irradiaban colores.

—¡Jamás había oído semejante cosa!

—Yo también veo eso —dijiste.

Observé que casi te dolía hablar de Armand.

—Pero ¿cómo es posible que Armand creyera en el Velo? —pregunté, asombrada de mi vehemencia—. ¿Por qué se dirigió hacia el sol? ¿Cómo es posible que eso consiguiera aniquilar la razón y la voluntad de Lestat? ¡La Verónica! ¿No sabían que ese nombre significa Vera icon, que jamás existió tal persona, que un hombre que regresó al antiguo Jerusalén el día en que Cristo recorrió las calles cargado con su cruz no logró hallarla? La inventaron los sacerdotes. ¿Acaso no lo sabían?

Creo que yo había tomado ya la dos libretas, pues al bajar la vista advertí que las sostenía en la mano. Es más, las estreché contra mi pecho y examiné una de las plumas.

—La razón —murmuré—. ¡La preciosa razón! ¡La conciencia psíquica dentro de un vacío! —Meneé la cabeza y te sonreí amablemente—. ¡Y vampiros que hablan con los espíritus! Seres humanos capaces de desplazarse de un cuerpo a otro... —Con un ímpetu que hasta a mí me pareció insólito, añadí—: El alegre y moderno culto a los ángeles, tan de moda hoy en día, la profunda devoción que se observa en todas partes. Y las personas que se levantan de la mesa de operaciones para referir su experiencia de vida después de la muerte, un túnel, un amor que las abraza. ¡Oh, sí, Lestat te creó en una época propicia! Francamente, no me explico esos fenómenos.

Era evidente que mis palabras, o mejor dicho la forma en que una mano invisible me había hecho exponer mi punto de vista, te habían impresionado, tanto como a mí.

—No he hecho más que empezar —dijiste—, y ya me codeo con brillantes Hijos del Milenio y adivinos callejeros que leen el futuro en las cartas del Tarot. Estoy ansioso por examinar bolas de cristal y espejos oscurecidos. Buscaré entre aquellos a quienes los demás consideran locos, o entre nosotros mismos, entre seres como tú que han contemplado algo que creen que no deben compartir con nadie. ¿No es cierto? Pero yo te pido que lo compartas. Estoy harto del alma humana. Estoy harto de la ciencia y la psicología, de los microscopios e incluso de los telescopios orientados hacia las estrellas.

Yo estaba fascinada. ¡Con qué convicción te expresabas! Noté que me ardían las mejillas debido a los sentimientos que inspirabas en mí. Hasta creo que te miré boquiabierta.

—Yo mismo soy un milagro —añadiste—. Soy inmortal, y deseo recabar más información sobre nosotros. Tú tienes una historia que contar, eres muy vieja, y estás acabada. Siento amor por ti y valoro que las cosas sean como son y, nada más.

—¡Qué frase tan extraña!

«El amor.» Te encogiste de hombros. Alzaste la vista al techo y luego la clavaste en mí para conferir mayor énfasis a tus palabras.

—Y llovió y llovió durante millones de años, y los volcanes hirvieron y los mares se enfriaron, ¿y luego se produjo el amor? —Te encogiste nuevamente de hombros, burlándote de ese concepto tan absurdo.

No pude por menos que reírme de tu pequeño gesto. «Demasiado perfecto», pensé; pero de pronto me sentí rota y hundida.

—Esto es muy inesperado —comenté—, porque aunque yo tenga una historia, una pequeña historia...

—¿Sí?

—Bien, mi historia, suponiendo que la tenga, está precisamente relacionada con los puntos que has destacado. —De golpe me ocurrió algo muy extraño. Volví a soltar una breve risita y dije—: ¡Te comprendo! No, no el que veas espíritus, pues éste es un tema demasiado trascendente, pero ahora comprendo el origen de tu fuerza. Has vivido toda una vida humana. A diferencia de Marius, a diferencia de mí, no se apoderaron de ti en la plenitud de tu existencia, sino casi en el mismo momento en que se produjo tu muerte natural. Es por ello por lo que no quieres saber nada de las aventuras, y los defectos de los espíritus que vagan errantes por la tierra. Estás decidido a seguir adelante con el coraje de un hombre que ha fallecido en su vejez y comprueba que se ha alzado de la tumba. Has propinado una patada a las coronas fúnebres. Estás preparado para el Olimpo, ¿no es así?

—O para Osiris, que habita en el más profundo de los abismos —respondiste—. O para los fantasmas de Hades. Ciertamente, estoy preparado para los espíritus, para los vampiros, para aquellos que ven el futuro y afirman conocer el pasado, para ti, que posees una inteligencia extraordinaria dentro de un envoltorio muy bello, que ha perdurado un sinfín de años, una inteligencia que quizás ha destruido todo en ti salvo tu corazón.

Te miré estupefacta.

—Perdóname. Ha sido una grosería por mi parte —dijiste.

—No, explícate.

—Siempre les arrebatas el corazón a tus víctimas, ¿no es cierto? Deseas su corazón.

—Tal vez. No esperes que pronuncie unas frases tan sabias como haría Marius, o las ancianas gemelas.

—Me siento atraído por ti —dijiste.

—¿Por qué?

—Porque llevas una historia dentro de ti; detrás de tu silencio y tu dolor yace una historia, perfectamente articulada, que espera ser escrita.

—Eres demasiado romántico, amigo mío —repuse.

Aguardaste con infinita paciencia. Creo que sentiste el tumulto que se agitaba en mi interior, el modo en que mi alma se estremecía ante tantas emociones nuevas.

—Es una historia insignificante —dije. Vi unas imágenes, unos recuerdos, unos instantes, los elementos que incitan a las almas a la acción y la creación. Vislumbré una minúscula posibilidad de recuperar la fe.

Creo que ya conocías la respuesta.

Tú sabías lo que yo iba a hacer, antes que yo misma.

Sonreíste con discreción, pero estabas impaciente, sobre ascuas.

Mientras te miraba, pensé en el esfuerzo de narrar toda la historia...

—Quieres que me vaya, ¿no es cierto? —dijiste. A continuación te levantaste, tomaste tu abrigo, un tanto húmedo debido a la lluvia, y te inclinaste elegantemente para besarme la mano.

Yo seguía sosteniendo las libretas.

—No —contesté—. No puedo hacerlo.

Te abstuviste de hacer ningún comentario.

—Vuelve dentro de dos noches —dije—. Prometo devolverte las libretas, aunque sus páginas estén en blanco o sólo contengan una explicación más satisfactoria sobre el motivo que me impide recuperar mi vida perdida. No te decepcionaré. Acudiré a la cita y te entregaré estas libretas, pero no esperes nada más.

—Dentro de dos noches —apostillaste— volveremos a encontrarnos aquí.

Te observé en silencio mientras abandonabas el café.

Como ves, David, ya ha comenzado.

Y como ves, también, he utilizado nuestro encuentro como introducción a la historia que me has pedido que narre.

2

LA HISTORIA DE PANDORA

Nací en Roma, durante el reinado de César Augusto, en el año que según vuestros cálculos debió de ser el 15 a.C., o quince años «antes de Cristo».

Todos los datos históricos romanos y nombres romanos que cito aquí son rigurosamente ciertos. No los he falseado, no he inventado historias ni acontecimientos políticos falsos. Todo ello incidió de forma decisiva sobre mi suerte y la suerte de Marius. No he incluido nada por amor al pasado.

He omitido el nombre de mi familia. Lo he hecho porque tiene una historia y no deseo vincular su antigua reputación, obras y epitafios a este relato. Por otra parte, cuando Marius le confió su historia a Lestat, no le reveló el apellido de su familia romana. Yo respeto esa decisión y tampoco la revelaré aquí.

Hacía más de diez años que Augusto había sido coronado emperador, y era una época fantástica para ser una mujer educada en Roma, pues las mujeres gozábamos de total libertad. Yo tenía un padre que era un rico senador y cinco hermanos prósperos. Me crié huérfana de madre, pero querida y mimada por una legión de institutrices y tutores romanos que me concedían cuanto deseaba.

Si realmente quisiera ponértelo difícil, David, escribiría

esta historia en latín clásico. Pero no lo haré. Y debo decirte que, a diferencia de ti, adquirí mi educación en inglés de forma casual; desde luego, no lo aprendí en las obras de Shakespeare.

He pasado por muchos estadios de la lengua inglesa durante mis viajes y mis lecturas, pero buena parte de mis conocimientos del inglés los adquirí en el siglo presente, y escribiré para ti en un inglés coloquial.

Existe otro motivo para ello, que sin duda comprenderás si has leído la traducción moderna del *Satiricón*, de Petronio, o las sátiras de Juvenal. El inglés más moderno en realidad equivale al latín de mis tiempos.

Las cartas oficiales de la Roma imperial no te dirán esto, pero las inscripciones garabateadas sobre los muros de Pompeya lo confirmarán. Poseíamos una lengua sofisticada, un sinfín de hábiles atajos verbales y expresiones comunes.

Por consiguiente, voy a escribir en el inglés que considero equivalente a mi antigua lengua, y natural para mí.

Déjame añadir —mientras la acción se halla suspendida— que yo nunca fui, como dijo Marius, una cortesana griega. Yo vivía como tal cuando Marius me dio el Don Oscuro, y quizás él me describió así por respeto a viejos secretos mortales. O quizá lo hiciera por despecho. No lo sé.

Pero Marius conocía todos los detalles sobre mi familia romana, que era una familia senatorial, tan aristocrática y privilegiada como su propia familia mortal, y que mi linaje se remontaba a los tiempos de Rómulo y Remo, al igual que el linaje mortal de Marius. Marius no sucumbió a mí porque yo poseyera «unos brazos hermosos», según le indicó a Lestat. Esta trivialización seguramente fue una provocación.

No les reprocho nada, ni a Marius ni a Lestat. Ignoro si el primero erró al describir los hechos o si el segundo los interpretó mal.

Mis sentimientos hacia mi padre han sido tan fuertes hasta esta misma noche, mientras estoy sentada en este café, escribiendo mi historia para ti, David, que me asombra el poder de la escritura, de trazar unas palabras en un papel y evocar con tal intensidad el amable rostro de mi padre.

Mi padre tuvo una muerte atroz. No merecía ese fin. Pero algunos de nuestros parientes sobrevivieron y posteriormente restituyeron el buen nombre de nuestra familia.

Mi padre era rico, uno de los auténticos millonarios de aquella época, con capital en numerosos negocios. Ejerció de soldado en más ocasiones de las que le fueron requeridas, era senador, un hombre inteligente y de temperamento apacible. Y después de los horrores de la guerra civil se convirtió en un acérrimo partidario de César Augusto, y el emperador le tenía en gran estima.

Por supuesto que mi padre soñaba con la restauración de la República romana; todos soñábamos con ello. Pero Augusto había aportado paz y unidad al Imperio.

Durante mi juventud me encontré con Augusto en muchas ocasiones, siempre en algún concurrido e intrascendente acto social. Tenía el aspecto que mostraba en sus retratos; un hombre delgado con la nariz larga y afilada, el pelo corto, un rostro corriente. Era una persona racional y pragmática por naturaleza, desprovista de una crueldad anormal, y para nada vanidosa.

El pobre tuvo la suerte de no ser capaz de adivinar el futuro, de no intuir siquiera todos los horrores y la locura que se desencadenarían con Tiberio, su sucesor, y que persistirían durante tanto tiempo bajo otros miembros de su familia.

Yo no comprendí hasta más tarde la singularidad y los logros del largo reinado de Augusto. ¿Fueron cuarenta y cuatro años de paz en todas las ciudades de Europa?

Ah, nacer en aquella época significaba hacerlo en una época de creatividad y prosperidad, cuando Roma ostentaba el título de *caput mundi*, de capital del mundo. Cuando vuelvo la vista atrás, soy consciente de la poderosa combinación que representaba poseer una tradición e ingentes cantidades de dinero, valores antiguos y un poder nuevo. Nuestra familia era conservadora, estricta, incluso un tanto anticuada, pero gozábamos de todos los lujos imaginables. Con los años mi padre se convirtió en un anciano aún más tranquilo y conservador. Disfrutaba con la compañía de sus nietos, que nacieron cuando él era todavía un hombre vigoroso y activo.

Aunque mi padre había combatido sobre todo en las campañas del norte libradas junto al Rin, estuvo destinado en Siria durante un tiempo. Había estudiado en Atenas. Había prestado tantos servicios y con tanta eficacia al Imperio que le permitieron jubilarse anticipadamente —mientras yo me hacía mujer—, una temprana retirada de la vida social que bullía en torno al palacio imperial, aunque en aquel entonces yo no fuera consciente de ello.

Mis cinco hermanos eran mayores que yo, de modo que no se produjo un «duelo romano ritual» cuando vine al mundo, como se dice que ocurría en las familias romanas cuando nacía una hembra. Todo lo contrario.

Mi padre se había situado en cinco ocasiones en el atrio —el patio interior principal, o peristilo, de nuestra casa, con sus pilares y escalinatas y suntuosos mármoles—, ante toda la familia que se había reunido allí, sosteniendo en brazos a un hijo recién nacido y, tras examinarlo, había declarado que era un bebé perfecto y digno de criarse en su hogar, de acuerdo con su prerrogativa. Como sin duda sabes, a partir de aquel momento mi padre tenía el poder de decidir sobre la vida y la muerte de sus vástagos.

Si mi padre no hubiera deseado esos hijos varones por el motivo que fuere, los habría abandonado en la calle para que murieran de hambre. La ley prohibía robar esos niños y convertirlos en esclavos.

Dado que ya tenía cinco hijos, algunos supusieron que se apresuraría a desembarazarse de mí. ¿Quién necesitaba a una niña? Pero jamás abandonó ni rechazó a ninguno de los hijos de mi madre. Cuando nací, mi padre, según me han contado, lloró de alegría.

«¡Loados sean los dioses! ¡Una preciosa niña!» He oído esa anécdota *ad nauseam* de boca de mis hermanos, quienes cada vez que me portaba mal —cuando cometía alguna travesura o me mostraba rebelde y respondona— decían en tono burlón: «¡Loados sean los dioses, una preciosa niña!» Esa frase se convirtió en un delicioso acicate.

Mi madre falleció cuando yo tenía dos años, y lo único que recuerdo de ella es su bondad y su dulzura. Había perdido tantos hijos como había parido, y la muerte precoz era muy corriente en aquella época. Mi padre escribió un maravilloso epitafio para ella, y su memoria fue honrada durante toda mi vida. Mi padre no trajo a ninguna otra mujer a nuestra casa. Se acostaba con algunas de las esclavas, pero eso no era inusual. Mis hermanos también lo hacían. Era una práctica común en las casas romanas. De modo, pues, que mi padre no trajo a una nueva mujer perteneciente a otra familia para que me educara.

No siento ningún dolor por haber perdido a mi madre, porque yo era demasiado niña cuando ella murió, y si alguna vez lloré su ausencia, no lo recuerdo.

Lo que sí recuerdo es que podía corretear a mis anchas por una antigua, enorme y suntuosa casa romana, de planta rectangular —con numerosas habitaciones rectangulares que daban al rectángulo principal y que se comunicaban entre sí—, rodeada por un gigantesco jardín sobre la colina Palatina. La casa tenía los suelos de mármol y unos muros bellamente pintados. El jardín serpenteaba y rodeaba cada estancia de la vivienda.

Yo era la niña de los ojos de mi padre. Recuerdo que me encantaba ver practicar a mis hermanos en el jardín con sus espadas cortas de dos filos, o escuchar a sus tutores cuando les impartían clase; yo tenía también unos excelentes maestros que me enseñaron a leer la *Eneida*, de Virgilio, antes de que hubiera cumplido los cinco años.

Las palabras me fascinaban. Me gustaba cantarlas y decirlas, y debo reconocer que incluso ahora gozo escribiéndolas.

No habría podido confesarte eso hace unas noches, David. Tú me has devuelto algo y es justo que lo reconozca. Voy a procurar no escribir demasiado rápidamente en este café mortal, no sea que los seres humanos se percaten de ello.

Pero sigamos con el tema que nos ocupa.

A mi padre le parecía muy divertido que yo supiera recitar versos de Virgilio a tan temprana edad, y nada le complacía tanto como exhibirme en los banquetes a los que convidaba a sus amigos senadores, tan conservadores y anticuados como él, y a veces al mismo César Augusto. César Augusto era un hombre afable. Sin embargo, no creo que a mi padre le gustara recibirlo en nuestra casa. Pero imagino que de vez en cuando no tenía más remedio que agasajar al emperador con exquisitas viandas y buenos vinos.

Yo solía aparecer con mi niñera para ofrecer un recital que suscitaba los aplausos de los comensales, y seguidamente me retiraba de nuevo a mi habitación, desde la que no podía contemplar a los orgullosos senadores romanos devorando sesos de pavo real y *garum*. Supongo que sabes lo que es. Se trata de una salsa espantosa con que los romanos aderezaban todos los platos, semejante al catsup de nuestros días. Esa salsa anulaba el sabor de las anguilas o los calamares que tuvieras en el plato, o los sesos de avestruz, o el cordero lechal, u otras absurdas exquisiteces que contenían las gigantescas bandejas.

Quiero destacar que los romanos, como sabes, albergaban en su corazón una pasión especial por la glotonería, y esos banquetes se convertían inevitablemente en un espectáculo repugnante. Los comensales se retiraban al vomitorio de la casa para arrojar los primeros cinco platos del festín y así poder devorar los siguientes. Yo me divertía desde mi cama, oyéndoles vomitar y reír estruendosamente.

A continuación se producía la violación de todos los esclavos encargados de preparar y servir el banquete, ya fueran chicos o chicas, o una mezcla de ambos sexos.

Las comidas familiares eran muy distintas. En esas ocasiones nos comportábamos como miembros de una antigua familia romana. Todos ocupaban su lugar a la mesa; mi padre era el jefe indiscutible de la casa y no toleraba la menor crítica contra César Augusto, quien era sobrino de Julio César, como ya sabes, y en realidad no gobernaba como emperador de acuerdo con la ley. «Cuando llegue el momento oportuno, César Augusto abdicará —decía mi padre—. Sabe que ahora no puede hacerlo. Es más prudente y sabio que ambicioso. ¿Quién desea otra guerra civil?» En efecto, los tiempos eran demasiado prósperos para que los prohombres del Imperio organizaran una revuelta.

Augusto mantenía la paz. Sentía un profundo respeto por el Senado romano. Mandó reconstruir los viejos templos porque creía que la gente necesitaba la piedad religiosa que había conocido bajo la República.

Nadie pasaba hambre en Roma, e incluso se regalaba a Egipto maíz para los pobres. El emperador mantenía vigentes una impresionante cantidad de festivales, juegos y espectáculos tradicionales, suficientes para que uno se hartara, pero nosotros, como romanos patriotas que éramos, teníamos la obligación de asistir a ellos con frecuencia.

No puede negarse que presenciábamos escenas muy crueles en la arena. Se llevaban a cabo ejecuciones salvajes, y la crueldad contra los esclavos era permanente.

Pero lo que hoy en día no comprende la gente es que junto con esto coexistía en Roma, por parte incluso del individuo más pobre, una gran sensación de libertad personal.

Los tribunales se tomaban el tiempo necesario para llevar a cabo sus deliberaciones. Consultaban leyes antiguas. Observaban las pautas de la lógica y las normas. La gente podía expresar su opinión libremente.

Me interesa resaltar esto porque en esta historia constituye un elemento clave, el que tanto Marius como yo naciéramos en una época en que las leyes romanas, según decía Marius, se basaban en la razón, en contraposición a la revelación divina.

Somos completamente distintos de esos vampiros que habitan en las tinieblas en las tierras de la Magia y el Misterio.

No sólo confiábamos en Augusto cuando vivíamos, sino que creíamos en el poder tangible del Senado. Creíamos en la virtud pública y en la firmeza de carácter; obervábamos un estilo de vida que no comportaba rituales, oraciones ni magia, salvo de un modo superficial. La virtud formaba parte del carácter. Ése era el legado de la República romana, que Marius y yo compartimos.

Por supuesto, nuestra casa estaba repleta de esclavos. Había griegos brillantes y obreros que no paraban de quejarse, y una legión de mujeres que limpiaban las estatuas y los vasos; toda la ciudad estaba atestada de esclavos manumitidos —hombres libres—, algunos de los cuales eran muy ricos.

Todos ellos eran nuestros sirvientes, nuestros esclavos.

Mi padre y yo permanecimos toda la noche en vela cuando mi profesor griego agonizaba. Le sostuvimos las manos hasta que el cadáver se enfrió. Nadie era azotado en nuestra mansión romana, a menos que mi padre diera personalmente la orden. Los esclavos que trabajaban en nuestra propiedad rural correteaban bajo los árboles frutales. Nuestros administradores eran ricos, y exhibían su riqueza en las ropas que lucían.

Recuerdo que durante una época había siempre tantos viejos esclavos griegos en el jardín que yo me entretenía oyéndoles discutir. No tenían otra cosa que hacer. Aprendí mucho de ellos.

Yo me sentía más que feliz. Si crees que exagero cuando digo que recibí una educación completísima, consulta las cartas de Plinio u otras memorias y correspondencia de aquella época. Las jóvenes de buena familia eran cultas y educadas; la mayoría de las romanas modernas llevaban a cabo toda clase de actividades sin que los hombres se interfirieran en sus asuntos. Gozábamos de la vida en la misma medida que los varones.

Por ejemplo, yo apenas había cumplido ocho años cuando

me llevaron por primera vez al circo, junto con las esposas de mis hermanos, para gozar del dudoso placer de ver a unos animales exóticos, como las jirafas, correr despavoridas por la arena antes de sucumbir bajo una lluvia de flechas. A este espectáculo le siguió el de un reducido grupo de gladiadores cuya misión consistía en matar a hachazos a otros gladiadores, y después presenciamos cómo un nutrido grupo de reos se convertía en pasto de hambrientos leones.

Aún me parece oír los rugidos de aquellos leones, David. Nada se interpone entre mí y el momento en que, sentada en un banco de madera, en la segunda o tercera fila —los asientos más caros— contemplé cómo esas fieras devoraban a unos seres humanos, tal como se suponía que debía hacer, expresando un deleite destinado a testimoniar mi fortaleza de carácter, mi entereza ante la muerte, en lugar de mostrarme horrorizada.

El público gritaba y reía mientras los hombres y las mujeres corrían en un vano intento por escapar de las fieras. Algunas víctimas no daban a los espectadores esa satisfacción. Se limitaban a permanecer inmóviles ante el león que se disponía a atacarlas; las que eran devoradas vivas parecían presas del más absoluto estupor, como si sus almas hubiesen abandonado ya sus cuerpos, aunque las fauces del león no hubieran alcanzado su cuello todavía. Recuerdo el olor de la multitud, pero sobre todo su estruendo.

Yo pasé la prueba de la fortaleza de carácter, pues era capaz de contemplar todos esos espectáculos. Presenciaba cómo el gladiador campeón moría finalmente, postrado en la arena ensangrentada, mientras la espada le atravesaba el pecho.

Pero también recuerdo con nitidez que mi padre comentaba en voz baja que aquello le repugnaba. De hecho, toda la gente que yo conocía compartía esa opinión. Al igual que otros, mi padre afirmaba que el hombre corriente necesitaba esa sangre. Nosotros, la clase alta, debíamos presidir esos espectáculos salvajes destinados al vulgo, que poseían una cualidad religiosa.

La organización de esas atrocidades se consideraba una especie de responsabilidad social.

En buena parte, la vida romana consistía también en actividades realizadas al aire libre, las cuales comportaban asistir a ceremonias y espectáculos, ser visto y compartir diversas aficiones.

Uno se unía con otras gentes de clase alta y clase baja que habitaban en la ciudad, formando una gigantesca multitud, para presenciar una procesión triunfal, una importante ofrenda sobre el altar de Augusto, una antigua ceremonia, unos juegos, una carrera de carros.

Ahora, en el siglo XX, cuando veo las incesantes intrigas y matanzas en las pantallas de cine y televisión de nuestro mundo occidental, me pregunto si la gente necesita realmente contemplar esas carnicerías, la muerte bajo todas sus formas. La televisión constituye a veces una interminable serie de combates de gladiadores y asesinatos en masa. No hay más que ver la cantidad de grabaciones en vídeo de guerras actuales que se emiten por televisión.

Los documentos bélicos se han convertido en arte y espectáculo.

El narrador habla suavemente mientras la cámara pasa sobre un montón de cadáveres, o unos niños esqueléticos que lloran junto a sus madres desnutridas. Pero es impactante. Uno puede deleitarse con todas estas guerras mientras menea la cabeza con asombro. Las veladas de televisión están consagradas a viejos documentales de hombres que mueren empuñando sus fusiles.

Creo que contemplamos esos espectáculos porque tenemos miedo. Pero en Roma uno tenía que contemplarlos para endurecerse, y eso afectaba tanto a las mujeres como a los hombres.

Lo que quiero destacar es que no permanecí encerrada en mi casa como una griega en su hogar de Atenas. No sufrí bajo las antiguas costumbres de la República romana.

Recuerdo con toda claridad la absoluta belleza de esa época y la ciega convicción de mi padre de que Augusto era un dios, y de que Roma jamás se había afanado tanto en complacer a sus deidades.

Deseo ofrecerte ahora un recuerdo muy importante. Permíteme antes que establezca el escenario. En primer lugar, hablemos de Virgilio y del poema que escribió, la *Eneida*, en el que ampliaba y glorificaba en grado sumo las aventuras del héroe Eneas, un troyano que huyó de los horrores de la derrota a manos de los griegos y salió del célebre caballo de madera para arrasar Troya, la ciudad de Elena.

Es una historia encantadora. Siempre me ha gustado mucho. Eneas deja Troya agonizando y regresa, tras desafiar toda clase de peligros, a la hermosa Italia, donde funda nuestra nación. Pero lo cierto es que Augusto amaba y apoyaba a Virgilio, y éste era un poeta respetado, decente y magnífico a quien todos se apresuraban a citar, un poeta patriótico aceptado por todos. Era perfectamente normal que te gustara Virgilio.

Virgilio murió antes de que yo naciera. Pero cuando cumplí los diez años ya había leído todo cuanto él había escrito, y también había leído a Horacio, a Lucrecio y buena parte de la obra de Cicerón, además de todos los manuscritos griegos que poseíamos, los cuales eran muy numerosos.

Mi padre no creó su biblioteca para exhibirla. Era un lugar donde los miembros de la familia pasábamos muchas horas. También era el lugar donde mi padre escribía sus cartas —lo que hacía continuamente—, dirigidas al Senado, al emperador, a los tribunales, a sus amigos, etcétera.

Pero volvamos a Virgilio. Yo había leído también a otro poeta romano, que aún vivía, que había provocado las iras de Augusto, el dios. Se trataba de nuestro poeta Ovidio, el autor de *Las metamorfosis* y docenas de otras obras salaces pero muy divertidas.

Cuando yo era demasiado joven para acordarme, Augusto la tomó con Ovidio, a quien también había admirado, y lo desterró a un lugar horrible junto al mar Negro. Quizá no fuera tan horrible, pero los cultos ciudadanos de Roma suponían que debía de serlo, alejado como estaba de la capital en una zona habitada por bárbaros.

Ovidio residió allí mucho tiempo, y sus libros estuvieron prohibidos en Roma. No se podían hallar en las librerías, en las bibliotecas públicas ni en los puestos de libros del mercado.

Como sabes, en esos tiempos existía una gran afición a la lectura; los libros proliferaban —en forma de rollos de pergamino o en códices, esto es, en páginas encuadernadas— y muchos libreros empleaban a equipos de esclavos que se pasaban el día haciendo copias manuscritas para venderlos al público.

Pero sigamos. Ovidio había caído en desgracia con Augusto, y había sido desterrado, aunque algunos hombres, como mi padre, no estaban dispuestos a quemar sus ejemplares de *Las metamorfosis* ni ninguna otra de sus obras, y lo único que les impedía suplicar al emperador que lo perdonara era el miedo.

Aquel escándalo tenía algo que ver con Julia, la hija de Augusto, una reconocida zorra. Ignoro qué circunstancias llevaron a Ovidio a verse implicado en las historias amorosas de Julia. Es posible que el emperador considerara que su obra *El arte de amar*, unos sensuales poemas que Ovidio había escrito de joven, constituían una influencia perniciosa. Por otra parte, durante el reinado de Augusto se hablaba mucho de la «reforma», de los valores antiguos.

No creo que nadie conozca realmente lo que ocurrió entre César Augusto y Ovidio, pero el caso es que éste fue desterrado durante el resto de su vida de la Roma imperial.

Yo había leído *El arte de amar* y *Las metamorfosis* en unos viejos y gastados tomos cuando sucedió el incidente que quiero relatar. A muchos amigos de mi padre les preocupaba la suerte de Ovidio.

Vayamos ahora al recuerdo que quiero narrarte. Yo había cumplido diez años. Un día, después de estar jugando en el jardín, entré en la gran sala de recepción de mi padre, cubierta de tierra de pies a cabeza, con el pelo alborotado y el vestido roto, y me senté a los pies del amplio diván para oír lo que decían, mientras mi padre se hallaba tumbado en él, ostentando toda la dignidad de un destacado romano, charlando con varios hombres que habían acudido a visitarlo.

Yo conocía a todos aquellos hombres excepto uno, un individuo rubio con los ojos azules, muy alto, que en el transcurso de la conversación —consistente en murmullos y gestos de asentimiento con la cabeza— se volvió y me guiñó un ojo.

Se trataba de Marius, con la piel ligeramente tostada debido a sus viajes y unos ojos luminosos y muy bellos. Tenía tres nombres, como todo el mundo. Pero insisto en que no deseo revelar el nombre de su familia. Porque yo lo sabía. Sabía que Marius era un «bala perdida» aunque profundamente intelectual, el «poeta» y el «haragán». Lo que nadie me había dicho era que fuera tan hermoso. Aquel primer encuentro entre nosotros, cuando Marius aún vivía, se produjo unos quince años antes de que se convirtiera en vampiro. Calculo que no debía de tener más de veinticinco años, aunque no estoy segura.

Pero continuemos. Los hombres no me prestaron la menor atención, y yo, curiosa como siempre, no tardé en comprender que habían ido a ver a mi padre para referirle noticias sobre Ovidio, y que el joven alto de extraordinarios ojos azules, a quien llamaban Marius, acababa de regresar de la costa báltica y había llevado a mi padre, como regalo, unos hermosos tomos de las obras de Ovidio, pasados y actuales.

Los hombres aseguraron a mi padre que aún era demasiado peligroso implorar a César Augusto que perdonara a Ovidio, y mi padre lo aceptó. Pero si no me equivoco, mi padre confió a Marius, el joven alto y rubio, un dinero para que éste se lo entregara al poeta.

Cuando los caballeros se disponían a marcharse, vi a Marius en el atrio, observé su gigantesca estatura, inusual en un romano, y solté una infantil expresión de asombro seguida de una carcajada. Marius volvió a guiñarme un ojo.

En aquel entonces Marius llevaba el pelo corto, al estilo militar romano, con unos pocos rizos sobre la frente; posteriormente, cuando se convirtió en vampiro, llevaba el pelo largo, al igual que ahora, aunque en aquella época lucía el típico corte militar romano. Pero era rubio, su cabello refulgía bajo el sol, y allí, de pie en el atrio, me pareció el hombre más maravilloso e imponente que jamás había visto. Marius me miró con una expresión llena de bondad.

—¿Cómo es que eres tan alto? —pregunté.

A mi padre le pareció una pregunta muy cómica, y no le importó lo que los demás pensaran de su hijita despeinada cubierta de tierra, colgada de sus brazos y hablando con aquel distinguido caballero.

—Bonita mía, soy alto porque soy un bárbaro —respondió, y se echó a reír, coqueteando conmigo como si yo fuera una damita, tratándome con una deferencia a la que no estaba acostumbrada.

De pronto abrió las manos como si fueran garras y se precipitó hacia mí como un oso.

Yo me enamoré de él de inmediato.

—¡No, en serio! —exclamé—. No puedes ser un bárbaro. Conozco a tu padre y a todas tus hermanas; viven un poco más abajo, en la colina. Mi familia siempre habla de ti en la mesa, y sólo dice cosas agradables, por supuesto.

—De eso estoy seguro —dijo, echándose a reír.

Advertí que mi padre empezaba a impacientarse.

Lo que yo no sabía era que una niña de diez años podía comprometerse en matrimonio.

Marius se irguió y dijo con su voz suave y hermosa, educada tanto para hablar en público como para pronunciar palabras de amor:

—A través de mi madre desciendo de celtas, mi pequeña beldad, mi pequeña musa, gentes altas y rubias del norte, de la Galia. Mi madre era allí una princesa, según me han dicho. ¿Sabes quiénes son esas gentes?

Respondí que lo sabía, por supuesto, y empecé a recitar de memoria el relato de Julio César sobre la conquista de la Galia, o tierra de los celtas: «La Galia se compone de tres partes...»

Marius estaba francamente impresionado, como los demás, así que continué:

—Los celtas están separados de Aquitania por el río Garona, y la tribu de los belgas por los ríos Marne y Sena...

Mi padre, un poco incómodo porque su hija había acaparado toda la atención, me interrumpió para asegurar a sus visitantes que yo era la alegría de su vida, que estaba muy consentida por todos y que no dieran importancia a ese incidente.

Y yo, que era muy osada y díscola por naturaleza, exclamé:

—¡Transmitid al gran Ovidio mi amor y decidle que yo también deseo que regrese a Roma!

Luego recité algunos pasajes atrevidos de *El arte de amar*:

Ella rió y le dio sus mejores y más apasionados besos,
capaces de arrancar el rayo de tres puntas de manos de Júpiter.
Era una tortura pensar que ese joven recibía unos besos tan
[ardientes.
¡Ojalá no lo hubieran sido tanto!

Todos se echaron a reír, excepto mi padre; Marius aplaudió, entusiasmado. Animada por su reacción, eché a correr hacia él como un oso, al igual que él lo había hecho hacia mí momentos antes, mientras seguía recitando las ardientes palabras de Ovidio:

Para colmo, esos besos eran mejores que los que yo le había
[dado a ella,
quien parecía complacida con esa nueva lección.
Extraordinariamente complacida..., ¡mala señal! Le besaba con
[la lengua,
y mi lengua también la besaba.

Mi padre me agarró del brazo y dijo:

—¡Basta, Lydia, es suficiente!

Eso provocó más carcajadas en los amigos de mi padre, quienes lo abrazaron, condescendientes, sin parar de reír.

Pero yo tenía que obtener una última victoria sobre aquella pandilla de adultos.

—Te lo ruego, padre, déjame terminar con unas sabias y patrióticas palabras de Ovidio: «Me congratulo de no haber llegado a este mundo hasta la época presente, que encaja con mis gustos.»

Marius parecía más asombrado que regocijado ante esa afirmación. Pero mi padre me agarró por los brazos y dijo con toda claridad:

—Lydia, Ovidio no diría eso ahora, y quiero que tú, que eres... una experta en literatura y filosofía, asegures a los estimados amigos de tu padre que sabes muy bien que Ovidio fue desterrado de Roma por Augusto por una causa justificada y que nunca podrá regresar.

Dicho de otro modo, mi padre me ordenó: «Deja de referirte a Ovidio.»

Pero Marius, sin dejarse arredrar, se arrodilló delante de mí, me tomó la mano, la besó y dijo:

—Yo transmitiré a Ovidio tu amor, pequeña Lydia. Pero tu padre está en lo cierto. Debemos aceptar la censura del emperador. A fin de cuentas, somos romanos. —A continuación hizo algo muy singular: me habló como si yo fuera una persona adulta—. César Augusto ha dado más a Roma de lo que jamás pudimos imaginar. Y también es poeta. Escribió un poema llamado *Ayax*, que él mismo quemó porque dijo que no valía nada.

Yo me lo estaba pasando en grande. En aquel momento me hubiera fugado con Marius, pero tuve que contentarme con bailar alrededor de él mientras salía del vestíbulo y se dirigía hacia el portal.

Me despedí de él con la mano.

Marius se detuvo por un instante.

—Adiós, pequeña Lydia —dijo.

Luego dijo unas palabras a mi padre en voz baja.

—¡Estás loco! —repuso mi padre.

Marius me miró sonriendo con tristeza y se marchó.

—¿Qué te ha dicho? ¿Qué ha pasado? —pregunté a mi padre—. ¿Qué ocurre?

—Escucha, Lydia —contestó mi padre—. ¿Te has tropezado alguna vez, en los libros que has leído, con la palabra «comprometida»?

—Sí, padre, por supuesto.

—Pues bien, ese aventurero y soñador pretende comprometerse en matrimonio con una niña de diez años porque ésta es demasiado joven para casarse y así él podría disfrutar de unos años más de libertad, sin la censura del emperador. Todos son iguales.

—No, no, padre —dije—. Nunca lo olvidaré.

Creo que lo olvidé al día siguiente.

No volví a ver a Marius hasta cinco años después.

Recuerdo que yo tenía a la sazón quince años; ya hubiera debido estar casada, pero no quería casarme. Me las había arreglado para eludir el matrimonio durante años, fingiendo estar enferma, padecer unos incontrolados ataques de locura. Pero el tiempo apremiaba. De hecho, las niñas alcanzaban la edad casadera a los doce años.

En aquellos momentos todos nos encontrábamos al pie de la colina Palatina, presenciando una sacrosanta ceremonia —la Lupercalia—, uno de los numerosos festivales tan comunes en Roma.

La Lupercalia era muy importante para nosotros, aunque es imposible equiparar su significado al concepto que tiene un cristiano de la religión. Demostrábamos nuestro fervor religioso deleitándonos con esa ceremonia, participando en ella como ciudadanos y como romanos ejemplares.

Además, proporcionaba un gran placer.

De modo que allí estaba yo, no lejos de la cueva del Lupercal, presenciando con otras muchachas cómo los dos hombres elegidos aquel año eran untados con sangre procedente del sacrificio de unas cabras y cubiertos con la pieles ensangrentados de éstas. Aunque no alcancé a ver esos preámbulos con nitidez, los había presenciado en numerosas ocasiones, y cuando hacía unos años dos de mis hermanos participaron en este festival, me abrí camino entre la multitud para colocarme en primera fila y contemplar el espectáculo.

En esta ocasión pude ver que cada uno de los jóvenes comenzaba a correr alrededor del pie de la colina Palatina. Me situé en primera fila porque tenía que hacerlo. Los jóvenes golpeaban levemente en el brazo a todas las muchachas con un pedazo de piel de cabra, para purificarnos y hacer que fuéramos fértiles.

Yo avancé un paso y recibí el golpe ceremonial, tras lo cual retrocedí de nuevo, deseando haber nacido varón para correr alrededor de la colina con los hombres, un deseo bastante frecuente en mí en aquella época de mi existencia mortal.

Yo tenía algunas ideas sarcásticas sobre esa forma de «purificarnos», pero para entonces había aprendido a comportarme en público y por nada del mundo habría humillado a mi padre y a mis hermanos.

Esos trozos de piel de cabra, como bien sabes, David, se llaman *februa*, y «febrero» proviene de esa palabra, lo cual no deja de ser interesante sobre el lenguaje y la magia que contiene. Sin duda la Lupercalia tiene algo que ver con Rómulo y Remo; quizás incluso se basaba en un antiguo sacrificio humano. A fin de cuentas, untaban la cabeza de los jóvenes con sangre de cabra. Al pensar en ello no puedo evitar estremecerme, pues en los tiempos etruscos, mucho antes de que yo naciese, ésta pudo haber sido una ceremonia mucho más cruel.

Quizá fuera en esta ocasión cuando Marius contempló mis brazos, porque yo los llevaba desnudos para recibir el azote ceremonial, y ya me había convertido, como habrás comprobado, en una joven a quien le gustaba llamar la atención, riendo con los otros mientras los hombres seguían corriendo.

Vi a Marius entre la multitud. Él me miró y siguió con su libro. Qué extraño, estaba apoyado contra un árbol, sosteniendo un libro en una mano y escribiendo con la otra. Junto a él había un esclavo que aguantaba un tintero.

Reparé en el cabello de Marius; era largo, rebelde, precioso.

—Mira, ahí está nuestro amigo, el bárbaro Marius —le dije a mi padre—, ése tan alto, y está escribiendo.

Mi padre sonrió.

—Marius siempre está escribiendo. Cuando menos hay que reconocer que eso lo hace bien. Vuélvete, Lydia, y estáte quieta.

—Pero me ha mirado, padre. Quiero hablar con él.

—¡Te lo prohíbo, Lydia! ¡No permitiré que le sonrías siquiera!

De regreso a casa le pregunté:

—Si vas a casarme con alguien, puesto que no hay nada que yo pueda hacer para evitar ese horrible trago salvo suicidarme, ¿por qué no me casas con Marius? No lo comprendo. Soy rica. Él es rico. Sé que su madre era una princesa celta salvaje, pero su padre lo ha adoptado.

Mi padre me miró atónito.

—¿Dónde has averiguado esto? —preguntó deteniéndose en seco, lo cual siempre era una mala señal.

Los espectadores que había cerca de nosotros comenzaron a dispersarse.

—No sé, todo el mundo lo sabe. —Al volverme vi a Marius a escasa distancia, observándome fijamente—. ¡Deja que hable con él, padre! —le rogué.

Mi padre se arrodilló en el suelo. Casi todo el mundo había emprendido el camino de vuelta a sus casas.

—Lydia, sé que esto es terrible para ti. He cedido ante todos los reparos que has puesto a los jóvenes que te cortejaban;

pero créeme, el emperador no aprobaría que te casaras con un historiador aventurero como Marius. No ha servido en el ejército, no puede poner los pies en el Senado; es imposible. Cuando te cases, lo harás con un hombre digno de ti.

Mientras nos alejábamos, me volví de nuevo con el único fin de divisar a Marius entre la multitud, pero comprobé, sorprendida, que permanecía inmóvil, mirándome. Con su larga cabellera, guardaba un gran parecido con el vampiro Lestat. Es más alto que Lestat y tan esbelto como él; también tiene los ojos azules, y una gran fuerza muscular y un rostro que casi se podría considerar hermoso.

Me solté de la mano de mi padre y eché a correr hacia Marius.

—Quiero casarme contigo —dije—, pero mi padre no lo consiente.

Jamás olvidaré la expresión de su rostro. Pero antes de que él pudiera decir algo, mi padre me agarró de la mano y entabló con él una conversación en términos respetuosos pero tajantes.

—¿Cómo estás, Marius, y cómo le va a tu hermano en el ejército? ¿Y cómo van tus trabajos de historia? Tengo entendido que has escrito trece volúmenes.

Mi padre dio media vuelta y echó a andar, arrastrándome de la mano. Marius no se movió ni dijo nada. Unos instantes después mi padre y yo nos unimos a la gente que subía a toda prisa por la colina.

Aquel momento cambió el curso de nuestras vidas, aunque ni Marius ni yo podíamos adivinarlo, claro está.

Habían de transcurrir veinte años antes de que nos encontráramos de nuevo.

Yo tenía entonces treinta y cinco años. Puedo decir que nos encontramos en unos dominios tenebrosos en más de un aspecto.

Pero deja que te cuente lo que había ocurrido antes de nuestro encuentro.

Debido a las presiones de la Casa Imperial, yo me había casado, y no una vez, sino dos. Augusto deseaba que todos tuviéramos hijos. Pero yo no tuve ninguno. No obstante, mis maridos implantaron su semilla en numerosas jóvenes esclavas. Así pues, me divorcié legalmente y me liberé de mis maridos en dos ocasiones, decidida a retirarme de la vida social para que el emperador Tiberio, que había ascendido al trono imperial a los cincuenta años, me dejara en paz, pues tenía unas ideas más puritanas que Augusto y era un dictador doméstico más irritable que éste. Si me quedaba en mi casa, si me abstenía de asistir a banquetes y a fiestas y frecuentaba la compañía de la emperatriz Livia, esposa de Augusto y madre de Tiberio, quizá consiguiese que no me obligaran a convertirme en una madrastra. De modo que decidí quedarme en casa y atender a mi padre tal como merecía, pues aunque gozaba de excelente salud era muy anciano.

Con todo respeto hacia mis maridos, cuyos nombres constituyen algo más que una simple nota a pie de página en las crónicas romanas, fui una esposa lamentable.

Tenía mucho dinero, que me había dado mi padre. No hacía caso de nadie, y accedía a mantener relaciones sexuales sólo bajo mis condiciones, cosa que lograba siempre, pues estaba dotada de la suficiente belleza como para que los hombres sufriesen por mí. Me hice miembro del culto de Isis para fastidiar a mis maridos y sacudírmelos de encima. Acudía con frecuencia al templo de Isis, donde conversaba largamente con otras mujeres interesantes, algunas más osadas y con menos prejuicios que yo. Las rameras me fascinaban. Esas mujeres brillantes y liberadas que habían conquistado una barrera que yo, la dulce hija de mi padre, jamás conquistaría.

Acudía periódicamente al templo. Al poco tiempo me inicié en el culto a una ceremonia secreta y participé en todas las procesiones de Isis que se celebraban en Roma.

Mis maridos detestaban eso. Quizá por ello, cuando hube regresado a la casa de mi padre dejé de asistir al templo de Isis. En cualquier caso, creo que fue una decisión acertada, aunque apenas incidió en el curso de los acontecimientos.

Isis era una diosa importada de Egipto, y los antiguos romanos recelaban tanto de ella como de la terrible Cibeles, la Gran Madre del Lejano Oriente, quien inducía a sus adeptos masculinos a castrarse. Toda la ciudad estaba repleta de esos «cultos orientales», y la población conservadora los consideraba siniestros.

El típico romano conservador era demasiado práctico para dejarse seducir por esas tonterías. Si a los cinco años no sabías que los dioses eran unas criaturas ficticias y los mitos meras fábulas, es que eras imbécil.

Pero Isis poseía una curiosa característica, algo que la distinguía de la cruel Cibeles. Isis era una madre devota de sus hijos y una diosa que perdonaba todo a sus fieles. Era más antigua que la Creación. Era paciente y sabia.

Por este motivo hasta la mujer más vil podía orar en el templo, y nadie se atrevía a expulsarla de allí.

Al igual que la Virgen María, una figura muy conocida hoy en día en todo Oriente y Occidente, la reina Isis había concebido su divino hijo por medios divinos. A través de su poder había obtenido de Osiris, muerto y castrado, una semilla viva. Con frecuencia Isis aparecía pintada o esculpida sosteniendo a su divino hijo, Horus, en su regazo, con el pecho cándidamente desnudo para amamantar al joven dios.

Osiris gobernaba en la tierra de los muertos, y de su falo, perdido para siempre en las aguas del Nilo, manaba incesantemente el semen que fertilizaba los extraordinarios campos de Egipto todos los años cuando el Nilo se desbordaba.

La música de nuestro templo era divina. Utilizábamos el sistro, un pequeño instrumento rígido de metal parecido a una lira, así como flautas y panderetas. Bailábamos y cantábamos juntos. La poesía que contenían las letanías de Isis era muy bella y arrebatada.

Isis era la Reina de la Navegación, como posteriormente la Virgen María ostentaría el título de Nuestra Señora del Mar.

Cada año, cuando transportaban su imagen hasta la playa,

se formaba una multitudinaria procesión. Todo Roma salía a la calle a contemplar a los dioses egipcios con sus cabezas de animales, la enorme cantidad de flores y la estatua de la Reina Madre. En el aire vibraban las notas de los himnos. Los sacerdotes y las sacerdotisas lucían unas túnicas de lino blanco. La figura de Isis, hecha de mármol, sostenida en alto y portando entre las manos su sagrado sistro, iba majestuosamente vestida y peinada al estilo griego.

Ésa era mi Isis. Me alejé de ella después de mi último divorcio. A mi padre no le gustaba ese culto, y yo había empezado a cansarme de él. En cuanto me convertí en una mujer libre, dejaron de seducirme las prostitutas. Mi situación era infinitamente más satisfactoria. Me ocupaba de la intendencia de la casa de mi padre, el cual era lo bastante anciano, pese a que conservaba su negra cabellera y una vista extraordinariamente aguda, para que el emperador me dejara tranquila.

No puedo decir que me acordara o pensara en Marius. Nadie lo había mencionado desde hacía años. Había desaparecido de mi mente después de la Lupercalia. No existía fuerza en la tierra capaz de interponerse entre mi padre y yo.

Todos mis hermanos habían tenido suerte. Habían hecho unos buenos casamientos, habían tenido hijos y habían regresado a casa después de las duras guerras en las que habían participado para mantener las fronteras del Imperio.

Mi hermano menor, Lucius, no me caía muy bien; siempre estaba nervioso y era aficionado a la bebida y al juego, lo cual contrariaba profundamente a su esposa. Yo la quería mucho, al igual que a todas mis cuñadas, sobrinas y sobrinos. Disfrutaba cuando los niños invadían nuestra casa, chillando y correteando como locos con «el permiso de la tía Lydia», lo cual no les estaba permitido hacer en su casa.

Antonio, mi hermano mayor, hubiera podido ser un hombre importante. La suerte le había privado de alcanzar la grandeza, aunque estaba preparado para ella, pues era un hombre culto, formado y muy inteligente.

La única insensatez que me dijo en cierta ocasión sin andarse por las ramas fue que Livia, la esposa de Augusto, había envenenado a éste para que su hijo Tiberio pudiera reinar. Mi padre, que también se hallaba en la habitación, le reprendió severamente.

—¡No vuelvas a decir esto jamás, Antonio! Ni aquí ni en ningún sitio. —Se levantó y, sin proponérselo, resumió perfectamente el estilo de vida que llevábamos él y yo—. Manténte alejado del palacio imperial, manténte alejado de las familias imperiales, siéntate en la primera fila cuando asistas a los juegos y nunca dejes de acudir al Senado, pero no te metas en sus disputas e intrigas.

Antonio se puso furioso, pero no por lo que le había dicho mi padre.

—Sólo se lo he dicho a las únicas dos personas a quienes puedo decírselo: tú y Lydia. Detesto sentarme a cenar junto a una mujer que ha envenenado a su marido. Augusto debería haber restaurado la República. Sabía que la muerte le rondaba.

—En efecto, y sabía que no podía restaurarla. Eso era imposible. El Imperio se había expandido hasta Britania en el norte, más allá de Esparta en el este; cubre todo el norte de África. Si quieres ser un buen romano, Antonio, ten el valor de expresar tus opiniones en el Senado. Tiberio te invita a hacerlo.

—Qué engañado estás, padre —replicó Antonio.

Mi padre puso fin a la discusión.

Pero ambos llevábamos exactamente la clase de vida que él había descrito.

Tiberio no tardó en granjearse la antipatía de los bullangueros romanos. Era demasiado viejo, demasiado seco, demasiado rígido, demasiado puritano y déspota al mismo tiempo.

Sin embargo, poseía una cualidad. Aparte de su gran pasión por la filosofía, había sido un buen soldado. Y ésa era la característica más importante que debía tener un emperador.

Las tropas le respetaban.

Tiberio había reforzado la guardia pretoriana en torno al palacio y había contratado a un hombre llamado Sejano para que se ocupara de ella. Pero no trajo a las legiones a Roma, y tenía una gran facilidad de palabra a la hora de hablar sobre los derechos personales y la libertad, si uno lograba permanecer despierto para escucharle, claro. A mí me parecía un hombre triste y solitario.

El Senado perdía la paciencia cuando Tiberio se negaba a tomar una decisión. No querían ser ellos quienes la tomaran. Pero todo eso parecía relativamente inocuo.

Entonces ocurrió un terrible incidente que me hizo detestar al emperador con toda mi alma y perder la fe en el hombre y su capacidad de gobernar.

El incidente estaba relacionado con el templo de Isis. Un hombre astuto y perverso, que afirmaba ser Anubis, el dios egipcio, había atraído al templo a una distinguida dama devota de la diosa y se había acostado con ella, engañándola vilmente, aunque yo no me explico cómo lo había conseguido.

Aún hoy la recuerdo como la mujer más estúpida de Roma. Pero probablemente había otros aspectos en esta historia.

Sea como fuere, ocurrió en el templo.

Más tarde ese individuo, ese falso Anubis, se presentó ante la distinguida dama y le dijo sin rodeos que la había engañado. Ella acudió llorando a su marido y se lo confesó todo. Fue un escándalo sonado.

Hacía un año que yo había acudido al templo por última vez, de lo cual me alegré.

Pero la reacción del emperador fue más terrible de lo que hubiera podido imaginar.

El templo fue destruido hasta sus cimientos. Todos los adeptos de Isis fueron desterrados de Roma, y algunos de ellos ejecutados. Nuestros sacerdotes y sacerdotisas fueron crucificados, o colgados del árbol, según la antigua expresión romana, para que murieran lentamente y se pudrieran delante de todo el mundo.

Mi padre entró en mi habitación. Se dirigió al pequeño altar de Isis, agarró la estatua y la estrelló contra el suelo de mármol. Luego tomó los trozos grandes y los hizo añicos.

Yo asentí con la cabeza.

Supuse que mi padre me censuraría por mis viejas costumbres. Me sentía muy triste y conmocionada por cuanto había ocurrido. Nuestros cultos orientales eran perseguidos. El emperador había decidido arrebatar el derecho de santuario a varios templos erigidos en todo el Imperio.

—Ese hombre no desea ser emperador de Roma —dijo mi padre—. Está cansado de tanta crueldad y tantas muertes. Es un hombre rígido, aburrido y tiene miedo de que lo maten. En estos tiempos, un hombre que no desea ser emperador, no debe serlo.

—Quizás abdique —repuse con tristeza—. Ha adoptado al joven general Germánico Julio César. Eso significa que Germánico será su heredero, ¿no es así?

—¿De qué les sirvió a los antiguos herederos de Augusto el haber sido adoptados? —inquirió mi padre.

—¿A qué te refieres? —pregunté.

—Utiliza la cabeza —respondió mi padre—. No podemos seguir fingiendo que somos una república. Debemos definir las funciones del emperador y los límites de su poder. Debemos establecer una forma de sucesión que no sea el asesinato.

Yo traté de calmarlo.

—Marchémonos de Roma, padre. Vayamos a nuestra casa en la Toscana. Es un lugar muy hermoso.

—No podemos hacerlo, Lydia —repuso—. Debo permanecer aquí. Tengo que ser leal a mi emperador. He de hacerlo por toda la familia. Debo ocupar mi puesto en el Senado.

Al cabo de unos meses, Tiberio envió a su joven y apuesto sobrino Germánico Julio César a Oriente, para alejarlo de la adulación del pueblo de Roma. Como te he dicho, la gente no temía decir lo que pensaba.

Germánico era el legítimo heredero de Tiberio, pero éste estaba demasiado reconcomido por los celos para escuchar a la multitud que alababa a voz en grito las virtudes de Germánico por sus victorias en el campo de batalla. Deseaba alejarlo de Roma.

De modo que el joven, encantador y seductor general fue enviado a Oriente, a Siria; desapareció de la vista de los romanos que lo adoraban, del rincón del Imperio donde la multitud ciudadana podía decidir la suerte del mundo.

Todos supusimos que más tarde o más temprano se libraría otra campaña en el norte. Germánico había atacado duramente a las tribus germanas.

Mis hermanos me describieron la batalla con todo lujo de detalles mientras cenábamos.

Me dijeron que habían regresado para vengarse de la salvaje matanza del general Varo y sus tropas en el bosque de Teutoburgo. Ellos acabarían con el enemigo, si volvían a llamarlos, y mis hermanos no dudarían en ir, por algo eran patricios de la vieja guardia.

Entretanto, comenzaron a circular rumores de que los Delatores, los conocidos espías de la guardia pretoriana, se embolsaban un tercio de los bienes de aquellos contra quienes informaban. A mí me pareció horrible.

—Eso comenzó durante el reinado de Augusto —observó mi padre, meneando la cabeza.

—Sí, padre, pero en esos tiempos la traición era juzgada por lo que uno hacía, no por lo que decía —señalé.

—Razón de más para no decir nada —replicó con amargura—. Canta para mí, Lydia. Ve a buscar tu lira. Invéntate una de tus cómicas epopeyas. Hace mucho que no te oigo cantar.

—Soy demasiado mayor para eso —repuse, pensando en las absurdas y atrevidas sátiras sobre Homero que solía inventarme de forma tan rápida y espontánea que todo el mundo se quedaba asombrado. No obstante, la idea me atraía. Recuerdo esa noche tan vivamente que no puedo dejar de relatar esta historia, aunque sé el dolor que me causará confesar ciertos aspectos de la misma.

¿Qué significa escribir? Comprobarás que repito esta pregunta en varias ocasiones, David, porque con cada hoja mi comprensión aumenta, veo los esquemas que antes me eludían y me llevaban a soñar en lugar de vivir.

Aquella noche me inventé una epopeya muy divertida. Mi padre rió de buena gana. Al cabo de un rato se quedó dormido en el diván. Y entonces, como si se hallara en un trance, dijo:

—Lydia, no vivas sola por mí. ¡Cásate por amor! ¡No renuncies a él!

Cuando me volví, mi padre seguía respirando profundamente.

Dos semanas más tarde, o quizá fuera un mes, ocurrió un acontecimiento imprevisto que puso fin a nuestra apacible existencia.

Un día, al llegar a casa, la hallé completamente vacía a excepción de dos aterrorizados y viejos esclavos —unos hombres que formaban parte de la servidumbre de mi hermano Antonio—, quienes después de franquearme la entrada cerraron la puerta a cal y canto.

Crucé el enorme vestíbulo y el peristilo y me dirigí hacia el comedor. Al entrar en él contemplé un espectáculo asombroso.

Mi padre estaba ataviado con su uniforme de combate, armado con su espada y su puñal; sólo le faltaba el escudo. Incluso llevaba puesto su manto rojo. Su peto relucía.

Tenía la vista fija en el suelo, y con razón, pues había sido levantado. El viejo hogar, construido hacía muchas generaciones, había sido excavado. Aquélla había sido la primera habitación de la casa en las épocas remotas de Roma, y la familia solía reunirse en torno al hogar para rezar y comer.

Yo nunca lo había visto. Teníamos unos altares en nuestra casa, pero jamás había contemplado aquel gigantesco círculo de piedras renegridas. El orificio, que aparecía cubierto de cenizas, presentaba a la vez un aspecto siniestro y sagrado.

—¡Por todos los dioses! ¿Qué ha ocurrido? —pregunté—. ¿Dónde está todo el mundo?

—Se han marchado —respondió mi padre—. He liberado a los esclavos, he dejado que se marcharan. Te estaba esperando. Debes partir de inmediato.

—¡No me iré sin ti!

—¡Obedéceme, Lydia! —Jamás había visto una expresión tan implorante y sin embargo tan digna en el rostro de mi padre—. Te está aguardando un carro junto a la puerta trasera de la casa. Te conducirá a la costa y un mercader judío, mi amigo más leal, te sacará en barco de Italia. Quiero que vayas. Ya han cargado tu dinero en el barco, y tu ropa, todas tus pertenencias. Confío plenamente en esos hombres. No obstante, llévate esto. —Tomó un puñal que había sobre una mesa y me lo dio—. Has observado a tus hermanos lo suficiente para saber utilizarlo —señaló—, y toma esto —añadió, entregándome una bolsa—. Es oro, una moneda aceptada en todo el mundo. Tómalo y vete.

Yo siempre llevaba un puñal, en un estuche pegado a mi antebrazo, pero no quise revelárselo a mi padre para no impresionarlo, de modo que me guardé el puñal y tomé la bolsa.

—Padre, no temo permanecer a tu lado. ¿Quién quiere nuestro mal? Eres un senador romano. Si te han acusado de algún delito, tienes derecho a ser juzgado ante el Senado.

—¡Ay, mi preciosa e inteligente hija! ¿Crees que el perverso Sejano y sus Delatores acusan a los ciudadanos abiertamente? Sus Especuladores han atacado por sorpresa a tus hermanos y a sus esposas e hijos. Estos hombres son esclavos de Antonio. Él los envió para prevenirme mientras peleaba, antes de morir. Vio cómo aplastaban a su hijo contra la pared. Vete, Lydia.

Lógicamente, yo sabía que asesinar a toda la familia del condenado era una costumbre romana. Incluso estaba permitido por la ley hacerlo. Y en esos casos, cuando circulaba el rumor de que el emperador le había vuelto la espalda a un hombre, cualquiera de los enemigos de éste podía adelantarse a los asesinos.

—Ven conmigo —dije—. ¿Por qué te empeñas en quedarte aquí?

—Moriré como un romano, en mi casa —respondió mi padre—. Si me quieres debes marcharte, mi poetisa, mi cantante, mi pensadora, mi Lydia. ¡Vete! No consiento que me desobedezcas. He dedicado la última hora de mi vida a disponer tu salvación. Dame un beso y obedece.

Yo corrí hacia él, le besé en los labios, y los esclavos me condujeron a toda prisa a través del jardín.

Conocía bien a mi padre. En estos momentos no podía rebelarme contra él, desobedecer su último deseo. Yo sabía que, según la antigua costumbre romana, mi padre probablemente se suicidaría antes de que los Especuladores derribaran la puerta de la casa.

Cuando alcancé el portal, cuando vi a los mercaderes judíos y su carro, no pude marcharme.

Esto es lo que vi.

Mi padre se había cortado las venas de las muñecas y caminaba alrededor del hogar, dejando que la sangre cayera sobre el suelo. Se había hecho unos cortes muy profundos. Estaba cada vez más pálido. Sólo más tarde comprendí la expresión que vi en sus ojos.

De pronto oí un violento estruendo. Los soldados golpeaban la puerta, tratando de derribarla. Mi padre se detuvo. Entonces entraron dos guardias pretorianos, que se dirigieron hacia él y le dijeron en tono burlón:

—¿Por qué no te matas de una vez, Máximo, y nos ahorras el trabajo de hacerlo?

—¿Os sentís orgullosos? —inquirió mi padre—. ¡Cobardes! ¿Os complace asesinar a familias enteras? ¿Cuánto dinero os pagan por hacerlo? ¿Habéis peleado alguna vez en una auténtica batalla? ¡Moriréis conmigo!

Desenfundó su espada y su puñal y consiguió abatir a los

dos soldados cuando éstos se arrojaron sobre él. Los remató de varias puñaladas.

Luego avanzó dando traspiés, como si estuviera a punto de desmayarse. La sangre seguía manando de sus muñecas. De pronto puso los ojos en blanco.

En aquel momento se me ocurrió un arriesgado plan. Teníamos que subir a mi padre al carro, pero era todo un romano, y jamás lo consentiría.

De pronto los hebreos, uno joven y el otro anciano, me sujetaron por los brazos y me sacaron de la casa.

—Juré que te salvaría —dijo el anciano—. No permitiré que me dejes por embustero delante de mi amigo.

—Soltadme —murmuré—. Quiero estar con mi padre.

Aprovechando la educada timidez de mis captores, logré soltarme, y al volverme vi el cuerpo de mi padre tendido junto al hogar. Se había rematado con su puñal.

Cerré los ojos y me llevé la mano a la boca para sofocar los sollozos. Los hebreos me arrojaron en el carro. Caí sobre unos cojines mullidos y unos rollos de tejido mientras el carro comenzó a avanzar lentamente por la serpenteante carretera de la colina Palatina.

Unos soldados nos gritaron para que nos apartáramos.

—Estoy muy sordo, señor —dijo el hebreo más anciano—, ¿qué habéis dicho?

El ardid dio resultado. Los soldados siguieron su camino.

El hebreo sabía muy bien lo que hacía. Siguió conduciendo el carro muy despacio mientras la gente pasaba apresuradamente por nuestro lado.

El más joven se trasladó a la parte trasera del carro y me dijo:

—Me llamo Jacob. Toma, cúbrete con estos velos blancos. Así parecerás una mujer oriental. Si te interrogan a las puertas de la ciudad, alza el velo y haz como que no comprendes lo que dicen.

Atravesamos las puertas de Roma con pasmosa facilidad.

—Salve, David y Jacob —dijeron los guardias—. ¿Habéis tenido buen viaje?

Me ayudaron a subir a un enorme barco mercante provisto de remos y velas, lo que no era extraordinario, y me condujeron hasta un pequeño y destartalado camarote.

—Esto es cuanto podemos ofrecerte —dijo Jacob—. Zarparemos de inmediato. —Tenía el pelo castaño, largo y ondulado, y llevaba barba. Vestía una túnica a rayas que lo cubría hasta los pies.

—¿En la oscuridad? —pregunté—. ¿Vamos a zarpar en la oscuridad?

Eso no era infrecuente.

Pero al salir del puerto, cuando los marineros comenzaron a manejar los remos y el barco se encontró a la distancia adecuada y puso rumbo al sur, vi hacia dónde nos dirigíamos.

Toda la maravillosa costa suroccidental de Italia aparecía profusamente iluminada por centenares de villas suntuosas. Sobre las rocas divisé unos faros.

—Jamás volveremos a ver la República —comentó Jacob con nostalgia, como si se tratara de un ciudadano romano, y probablemente lo fuese—. Pero el último deseo de tu padre se ha cumplido. Estamos a salvo.

El anciano se acercó a mí, me dijo que se llamaba David y se disculpó por no disponer de unas sirvientas para atenderme. Yo era la única mujer a bordo.

—¡Os ruego que no os preocupéis por esos detalles! ¿Por qué habéis aceptado correr estos riesgos?

—Hace tiempo que tenemos negocios con tu padre —respondió David—. Años atrás, cuando unos piratas hundieron nuestros barcos, tu padre se hizo cargo de la deuda. Confió de nuevo en nosotros, y le devolvimos la cantidad que nos prestó multiplicada por cinco. Nos entregó una cuantiosa suma de dinero para ti. El dinero está oculto entre el cargamento, como si no tuviera el menor valor.

Yo me dirigí a mi camarote y me tendí en el estrecho camastro. Al cabo de unos momentos entró el anciano, tapándose decorosamente los ojos, y me entregó una manta.

De pronto caí en la cuenta de una cosa. Había dado por supuesto que aquellos hombres me traicionarían.

No tenía palabras. No tenía gestos ni sentimientos dentro de mí. Volví la cara hacia la pared.

—Procura dormir, señora —dijo el anciano.

Tuve una pesadilla, un sueño que jamás había tenido. Me encontraba junto a un río. Sentía deseos de beber sangre. Aguardé entre la alta hierba para atrapar a un aldeano, y cuando logré capturarlo sujeté al desdichado por los hombros y le clavé los colmillos en el cuello. La boca se me llenó de su deliciosa sangre. Era tan dulce y potente que no puedo describirla, e incluso en sueños lo sabía. Pero debía huir de allí. El hombre estaba agonizando. Lo solté y cayó al suelo. Otros hombres, más peligrosos, me perseguían. Pero había otra amenaza que ponía en peligro mi vida.

Llegué a las ruinas de un templo, lejos del río. Me hallaba en el desierto; en un abrir y cerrar de ojos había pasado de un terreno húmedo a otro completamente árido. Estaba asustada. Pronto amanecería. Tenía que ocultarme. Además, me perseguían unos hombres. Digerí la deliciosa sangre y entré en el templo. Horrorizada, descubrí que no había donde ocultarse. Me apoyé contra los fríos muros, que estaban cubiertos de grabados. ¡Pero no había un solo lugar, por pequeño que fuese, que pudiera servirme de escondrijo!

Debía alcanzar las colinas antes del amanecer, lo que era imposible. ¡Me dirigía directamente hacia el sol!

De pronto apareció sobre las colinas una intensa y mortífera luz. Sentí que los ojos me escocían. La luz los abrasaba. «¡Mis ojos —grité, tratando de tapármelos con las manos. El fuego me cubría—. ¡Amón Re, yo te maldigo!», exclamé. Grité otro nombre. Sabía que significaba Isis, pero no era ese nombre sino otro título de la diosa el que brotó de mis labios.

Entonces desperté. Me incorporé en el lecho, temblando.

El sueño había sido tan nítido como una visión. Lo recordaba muy bien. ¿Había vivido yo otra vida?

Subí a cubierta. Todo estaba en orden. Desde el barco, que seguía navegando, se distinguía con relativa claridad la costa y los faros. Contemplé el mar, y sentí deseos de beber sangre.

«Esto es imposible. Se trata de un perverso y retorcido augurio», me dije. Sentí el fuego. No podía olvidar el sabor de la sangre. Qué natural me había parecido, qué exquisita, qué perfecta para calmar mi sed. Vi el cadáver del aldeano, tendido junto al río como si se tratara de un pelele.

Aquello era un horror; no podía escapar de lo que acababa de presenciar. Estaba muy alterada, febril.

Jacob, el hebreo joven y alto, se acercó a mí. Iba acompañado de un joven romano. El muchacho se había afeitado su barba incipiente, pero por lo demás parecía un niño de rostro rubicundo y lustroso.

Me pregunté con tristeza si yo era tan vieja a mis treinta y cinco años que todo el mundo me parecía hermoso.

—¡Mi familia también ha sido traicionada! —exclamó el muchacho sollozando—. ¡Mi madre me obligó a marcharme!

—¿A quién debemos esta catástrofe? —pregunté.

Le acaricié las húmedas mejillas. Su boca parecía la de un bebé, pero su incipiente barba era áspera al tacto. Tenía unas espaldas anchas y fuertes, e iba vestido con una ligera y sencilla túnica. ¿No tendría frío en la cubierta del barco? Quizá sí.

El muchacho meneó la cabeza. Poseía una belleza infantil, y con el tiempo se convertiría en un hombre apuesto. Tenía el cabello negro y ondulado. No temía llorar en mi presencia, ni se disculpó por ello.

—Mi madre no murió hasta que me hubo contado lo ocurrido. Al llegar a casa la encontré postrada en el suelo, agonizando. Cuando los Delatores acusaron a mi padre de haber conspirado contra el emperador, mi padre se echó a reír, en sus propias narices. Entonces le acusaron de estar confabulado con Germánico. Mi madre no quiso morir hasta habérmelo contado. Dijo que de lo único que habían acusado a mi padre había sido de hablar con otros hombres sobre la forma en que serviría de nuevo al Imperio bajo Germánico si volvían a enviarlos al norte.

Yo asentí con la cabeza, con profunda tristeza.

—Comprendo. Mis hermanos probablemente dijeron lo mismo. Germánico es el heredero del emperador e *Imperium Maius* de Oriente. Sin embargo, consideran una traición hablar de servir a Roma bajo un excelente general.

Me volví para marcharme. La comprensión no es un consuelo.

—Os conducimos a ciudades distintas —dijo Jacob—, para dejaros al cuidado de diversos amigos. Es preferible que no os revelemos más detalles.

—No me dejes —suplicó el muchacho—. Esta noche no.

—De acuerdo —contesté. Lo conduje a mi camarote y cerré la puerta, tras despedirme con un educado gesto de Jacob, quien nos observaba con el celo de un guardián.

—¿Qué quieres? —pregunté.

El joven me miró y meneó la cabeza. Alzó las manos en un gesto de desesperación. Luego se volvió, me estrechó entre sus brazos y me besó. Nos besamos con frenesí.

Me quitó la camisa y nos tendimos sobre el camastro. Pese a su rostro infantil, era todo un hombre.

Y cuando llegó el momento de éxtasis, lo que ocurrió muy pronto, dada la tremenda energía del joven, noté el sabor a sangre. Me había convertido en el vampiro del sueño. Mi cuerpo se tensó, pero no importaba. Él disponía de cuanto precisaba para concluir sus ritos de la forma satisfactoria.

—Eres una diosa —dijo, incorporándose.

—No —musité. El sueño cobraba vida. Percibí el sonido del viento sobre la arena. El olor del río—. Soy un dios... un dios que bebe sangre.

Realizamos los ritos amatorios hasta que quedamos extenuados.

—Muéstrate discreto y cortés con nuestros anfitriones hebreos —le dije—. Son incapaces de comprender esta clase de cosas.

Él asintió con la cabeza.

—Te adoro —musitó.

—No es necesario. ¿Cómo te llamas?

—Marcellus.

—Bien, Marcellus, vete a dormir.

Marcellus y yo convertimos cada noche en una orgía de placer hasta que al fin vimos el faro de Pharos y comprendimos que habíamos llegado a Egipto.

Era obvio que Marcellus iba a quedarse en Alejandría. Me explicó que su abuela materna, que era griega, como todo el clan, aún vivía.

—No me cuentes tantas cosas, vete —lo insté—. Sé prudente y cuídate.

Marcellus me rogó que lo acompañara. Dijo que se había enamorado de mí, que deseaba casarse conmigo. No le importaba que no pudiera darle hijos. No le importaba que yo hubiera cumplido treinta y cinco años. Yo me reí compasivamente.

Jacob asistió a esta escena con la vista fija en el suelo, y David volvió púdicamente el rostro.

Marcellus desembarcó en Alejandría con un gran número de baúles.

—Ahora —dije a Jacob—, ¿quieres decirme adónde me lleváis? Me gustaría expresar mi opinión al respecto, aunque dudo que pueda mejorar los planes de mi padre.

Me pregunté si aquellos hombres serían honrados conmigo. ¿Seguirían tratándome con respeto después de haberme visto comportar como una puta con el muchacho? Eran unos hombres religiosos.

—Te llevaremos a una gran ciudad —respondió Jacob—. No existe un lugar más hermoso. Tu padre tiene amigos griegos allí.

—Es imposible que sea más bella que Alejandría —protesté.

—Oh, es mucho más hermosa —dijo Jacob—. Pero deja que hable con mi padre antes de seguir conversando contigo.

Nos hallábamos en alta mar. El horizonte se alejaba. Egipto. Comenzaba a oscurecer.

—No temas —dijo Jacob—. Pareces aterrorizada.

—No tengo miedo —contesté—. Es que dispongo de mucho tiempo para yacer en mi cama, pensar, recordar y soñar. —Lo miré a los ojos y él apartó el rostro tímidamente—. Estreché al muchacho contra mi pecho, como una madre, noche tras noche. —Era la mentira más grande que he contado en mi vida—. Lo abracé como si fuera un niño. —¡Menudo niño!—. Y ahora temo sufrir pesadillas. Dime... ¿cuál es nuestro destino? ¿Cuál es nuestra suerte?

3

—Antioquía —dijo Jacob—. Antioquía junto al Orontes. Te esperan unos amigos griegos de tu padre. También son amigos de Germánico. Puede que al cabo de un tiempo... pero se mostrarán leales. Vas a casarte con un griego de alcurnia y fortuna.

¡Casarme! ¿Con un griego provinciano? ¡Un griego en Asia! Reprimí una carcajada y contuve las lágrimas. Era imposible que eso me ocurriera a mí. ¡Pobre hombre! Si era realmente un griego provinciano, tendría que experimentar de nuevo la conquista de Roma.

Seguimos navegando, de puerto en puerto. Medité sobre mi situación.

Eran esas nauseabundas trivialidades las que me protegían del tremendo dolor y de la conmoción que sufría por lo que había sucedido. Comprueba si llevas bien ceñido el vestido. No mires el cadáver de tu padre junto al hogar, con su propio puñal hundido en el pecho.

En cuanto a Antioquía, yo había estado demasiado inmersa en la vida romana para enterarme de las características de aquella ciudad. Si Tiberio había enviado allí a Germánico, su «heredero», para alejarlo de la popularidad que gozaba en Roma, Antioquía debía de ser el fin del mundo civilizado.

Me pregunté por qué, en nombre de todos los dioses, no

había huido en Alejandría. Alejandría era la ciudad más grande del Imperio, después de Roma. Era una ciudad joven, construida por Alejandro, de ahí su nombre, pero también un puerto maravilloso. En Alejandría nadie se atrevería nunca a destruir el templo de Isis. Ésta era una diosa egipcia, esposa del poderoso Osiris.

Pero ¿qué tenía eso que ver con mi situación? Supongo que ya había empezado a urdir un plan, aunque no permití que éste se abriera paso hasta la conciencia y mancillara mi exquisita moralidad romana.

Di las gracias a mis guardianes hebreos por aquella información, que habían ocultado incluso al joven Marcellus, el otro romano al que habían rescatado de manos de los asesinos del emperador, y les rogué que respondieran con franqueza a unas preguntas sobre mis hermanos.

—Todos fueron atacados por sorpresa —repuso Jacob—. Los Delatores, esos espías de la guardia pretoriana, son muy rápidos. Y tu padre tenía muchos hijos. Fueron los esclavos de tu hermano mayor quienes saltaron la tapia a instancias de su amo y corrieron a avisar a tu padre.

Antonio. Espero que los mataras. Sé que luchaste hasta el fin. Y mi sobrina Flora, ¿habría huido despavorida de sus atacantes, o la habrían matado de forma misericordiosa? ¡La guardia pretoriana nunca hacía nada de forma misericordiosa! Qué estúpida por pensar siquiera en ello.

No dije nada. Me limité a suspirar.

A fin de cuentas, al mirarme, los dos mercaderes judíos contemplaban el cuerpo y el rostro de una mujer; mis protectores sin duda debían de pensar que había una mujer dentro de mí. La disparidad entre las apariencias externas y el talante interno siempre me había turbado. ¿Por qué contrariar a Jacob y a David? Iría a Antioquía.

Pero no tenía la menor intención de vivir con una familia griega chapada a la antigua, si es que existían familias de ese tipo en la ciudad griega de Antioquía, familias en las que las mujeres vivían separadas de los hombres, sin participar activamente en la vida.

Mis institutrices me habían enseñado todas las virtudes femeninas, y yo era tan hábil con el hilo, la hebra y la lanzadera como la que más, pero conocía las «viejas costumbres griegas» y recordaba vagamente a mi abuela paterna, que había muerto cuando yo era una niña. Era una virtuosa matrona romana que se pasaba el día hilando lana. Su epitafio, y también el de mi madre, rezaba: «Administraba la casa. Hilaba lana.»

Eso habían dicho de mi madre. ¡Las mismas palabras insulsas!

Pues bien, nadie escribiría nada semejante en mi epitafio. (Qué cómico pensar ahora, miles de años más tarde, que no tengo epitafio.)

Lo que no se me ocurrió en aquellos momentos, sin duda debido a la tristeza que me embargaba, era que el mundo romano era enorme y que la parte oriental de éste difería mucho de las tierras bárbaras del norte, donde habían peleado mis hermanos.

Hacía cientos de años que toda Asia Menor, en dirección a la cual ahora nos dirigíamos, había sido conquistada por Alejandro de Macedonia. Como bien sabes, Alejandro, que había sido alumno de Aristóteles, deseaba difundir la cultura griega por todas partes. Y en Asia Menor las ideas y los estilos griegos hallaron no unas simples poblaciones rurales llenas de campesinos sino unas culturas antiguas, como el Imperio de Siria, dispuestas a recibir las nuevas ideas, la gracia y la belleza de la ilustración griega y a aportar, en consonancia con aquéllos, sus propios siglos de literatura, religión, estilos de vida y vestimenta.

Antioquía había sido construida por un general de Alejandro Magno que pretendía que rivalizara con la belleza de otras ciudades helénicas, con sus espléndidos templos, sus edificios administrativos, sus bibliotecas que contenían libros escritos en griego y sus escuelas donde impartían clase los filósofos.

Aunque se estableció un gobierno helénico, relativamente ilustrado en comparación con el antiguo despotismo oriental, debajo de todo ello subyacía la ciencia, las tradiciones y posiblemente la sabiduría del místico Oriente.

Los romanos habían conquistado Antioquía porque constituía un enorme centro comercial. En este sentido era única, tal como me mostró Jacob, trazando un tosco mapa con un dedo húmedo sobre la mesa de madera. Antioquía era un puerto del gran Mediterráneo porque se hallaba emplazada a tan sólo treinta kilómetros aguas arriba, junto al Orontes.

Sin embargo, por el lado oriental se abría al desierto: todas las antiguas rutas de caravanas llegaban a Antioquía; los mercaderes traían en sus camellos desde tierras fabulosas —India y China—, fantásticas mercancías como sedas, alfombras y joyas que nunca llegaban a los mercados romanos.

Otros muchos mercaderes pasaban por Antioquía. Unas carreteras excelentes comunicaban en el este con el Éufrates y el imperio de Partia, en el sur llegaban a Damasco y Judea, y en el norte con todas las ciudades construidas por Alejandro, que habían prosperado bajo el dominio romano.

A los soldados romanos les encantaba estar allí, ya que llevaban una vida cómoda e interesante, y Antioquía apreciaba a los romanos porque protegían las rutas comerciales y las caravanas, y mantenían la paz en el puerto.

—Hallarás muchos lugares abiertos, arcadas, templos, todo cuanto busques, y unos mercados increíbles. Verás romanos por doquier. Confío en que el Altísimo impida que te reconozca alguien de tu propia clase. Ése es un peligro que tu padre no tuvo tiempo de prever.

Yo resté importancia a su comentario.

—¿Hay maestros y mercados de libros?

—Procedentes de todas partes. Hallarás libros que nadie es capaz de leer. Y allí todo el mundo habla el griego. Sólo los campesinos no lo conocen. El latín también lo habla mucha gente.

»Los filósofos discuten continuamente sobre Platón y Pitágoras, unos nombres que apenas significan nada para mí; hablan sobre la magia caldea de Babilonia. Naturalmente, existen templos dedicados a todos los dioses imaginables. —Jacob hizo una pausa y prosiguió con aire pensativo—: En cuanto a los hebreos, creo que son excesivamente mundanos, les gusta lucir túnicas cortas y codearse con los griegos y acudir a los baños públicos. Se sienten fascinados por la filosofía griega. El pensamiento griego lo invade todo. No es buena cosa. Pero una ciudad griega es un mundo muy tentador.

Jacob alzó la vista. Su padre nos estaba observando, y nosotros nos hallábamos sentados demasiado cerca, ante una mesa en la cubierta del barco.

Jacob se apresuró a informarme de otros pormenores: a Germánico Julio César, heredero de la corona imperial, el hijo adoptado oficialmente por Tiberio, le había sido otorgado el *Imperium Maius* en Antioquía, lo que significaba que controlaba todo aquel territorio. Y Cayo Calpurnio Pisón era el gobernador de Siria.

Le aseguré que no hablaría a nadie de mí ni de mi ilustre familia, ni de mi apacible y antigua casa en la colina Palatina, rodeada de muchas otras suntuosas mansiones.

—En Antioquía impera el estilo romano —se quejó Jacob—. Ya lo verás. Llegarás cargada de dinero. Y disculpa, pero sigues siendo muy hermosa a pesar de tu edad. Tienes una piel tersa y te mueves con la agilidad de una jovencita.

Lancé un suspiro y le di las gracias. Había llegado el momento de dar por terminada nuestra charla si no queríamos que su padre se encargara de hacerlo personalmente.

Contemplé las gigantescas olas azules.

En el fondo me alegraba de que nuestra familia hubiera dejado de acudir a fiestas y banquetes en el palacio imperial, pero por otro lado sabía que nuestra vida retirada había sido la culpable de nuestra desgracia.

Yo había visto a Germánico durante su procesión triunfal

a través de Roma, un joven extraordinariamente bello, mucho más que Alejandro, y sabía por mi padre y mis hermanos que Tiberio, temeroso de la popularidad de su heredero, le había enviado a Oriente para alejarlo de las masas romanas.

¿El gobernador Pisón? Jamás lo había visto. Se decía que lo habían enviado a Oriente para fastidiar a Germánico. ¡Qué pérdida de talento!

Jacob regresó a mi lado.

—Llegarás como una persona anónima y desconocida a esta gran ciudad —dijo—. Cuentas con unos protectores muy influyentes que gozan de las simpatías de Germánico. Él es joven e impone un tono de vitalidad y alegría a la ciudad.

—¿Y Pisón? —pregunté.

—Todo el mundo lo detesta, sobre todo los soldados, y ya sabes lo que eso significa en una provincia romana.

Uno puede contemplar eternamente el agitado oleaje desde la cubierta de un barco, o durante un determinado espacio de tiempo.

Aquella noche tuve mi segundo sueño referente a la sangre. Era muy parecido al primero.

Yo estaba sedienta de sangre. Me perseguían unos enemigos que sabían que yo era un demonio al que debían destruir. Yo no cesaba de correr. Mi familia me había abandonado, me había arrojado sin protección a las supersticiones de la gente. Entonces vi el desierto y comprendí que moriría; me desperté, incorporándome en la cama y gritando, pero me apresuré a taparme la boca para que nadie oyera mis gritos.

Lo que me inquietaba profundamente era mi sed de sangre. Despierta me parecía inimaginable, pero en esos sueños yo era un monstruo que los romanos llamaban Lamia. O eso me pareció. La sangre era dulce, la sangre lo era todo. ¿Tenía razón el viejo Pitágoras? ¿Emigran las almas de cuerpo en cuerpo? Pero mi alma en esa vida pasada había pertenecido a un monstruo.

Durante el día, de vez en cuando cerraba los ojos y me

deslizaba peligrosamente hasta el borde del sueño, como si mi mente fuera una trampa dispuesta a engullir mi conciencia. Pero por las noches esos sueños acudían con fuerza y nitidez. «¡Tú me has servido antes!» ¿Qué significaba eso? «Ven a mí.»

Sed de sangre. Cerré los ojos, me incorporé en la cama y recé:

—Madre Isis, purifica mi mente de esta loca avidez de sangre.

Entonces se me ocurrió recurrir al simple y eficaz erotismo. ¡Acuéstate con Jacob! Pero no había manera. Yo no sabía que los hebreos habían sido y seguirían siendo los hombres más difíciles de seducir.

Jacob me lo dio a entender con gran tacto y delicadeza.

Pensé en los esclavos. Pero eso era imposible. En primer lugar eran galeotes, y entre ellos no se hallaba encadenado el gran Ben Hur esperando que yo lo rescatara. No eran sino la escoria de los reos pobres, sujetos al estilo romano, de forma que si el barco se hundía se ahogarían irremisiblemente, y además estaban medio muertos por culpa del esfuerzo y el látigo. No era un espectáculo agradable bajar a la bodega y ver a aquellos hombres doblar la espalda.

Pero mis ojos eran tan fríos como los de un americano contemplando por la televisión en color imágenes de niños que mueren de hambre en África, unos pequeños esqueletos negros con la cabeza desproporcionadamente grande pidiendo agua a gritos. Interrupción de las noticias para dar paso a los anuncios publicitarios, la CNN muestra ahora unas imágenes de Palestina: la multitud arroja piedras, las fuerzas de seguridad disparan balas de goma. La sangre servida en televisión.

El resto de la tripulación estaba formado por unos aburridos marineros y los dos píos mercaderes que me miraban como si fuera una puta, o algo peor, y volvían la cabeza cada vez que yo aparecía en cubierta con mi larga túnica y mi larga cabellera agitadas por la brisa.

Debía de parecerles una desvergonzada. Pero qué estúpida fui, viviendo como en un trance, sin gozar de la agradable travesía, pues el dolor y la rabia aún no se habían apoderado de mí. Los hechos habían ocurrido demasiado precipitadamente.

Gozaba evocando la imagen de mi padre liquidando a los soldados de Tiberio, aquellos asesinos miserables enviados por un emperador débil y cobarde. Y el resto lo desterraba de mi mente, adoptando la actitud del típico romano.

Yeats, un poeta irlandés moderno, ha descrito como nadie la actitud romana oficial hacia el fracaso y la tragedia.

> *Observad con frialdad la vida, la muerte.*
> *¡Pasad de largo, soldados de caballería!*

Cualquier romano se mostraría de acuerdo con eso.

Ésta era mi posición, la única sobreviviente de una gran casa, cuyo padre le había ordenado que «viviera». No me atrevía a pensar en la suerte de mis hermanos, de sus bellas esposas y sus hijitos. Era incapaz de imaginar la matanza de aquellas criaturas, unos niños traspasados por unas espadas de doble filo, o bebés aplastados contra la pared. Oh, Roma, tú y tu vieja y sangrienta sabiduría. Aseguraos de que no quede ningún hijo vivo. ¡Matad a toda la familia!

Por las noches, cuando yacía en mi cama, me sumía en otras angustiosas y sangrientas pesadillas. Parecían fragmentos de una vida y una tierra perdidas. Unos profundos y vibrantes tonos musicales dominaban esos sueños, como si alguien golpeara un gong, y otros junto a él hacían sonar solemnemente unos tambores cubiertos de un suave material. Vislumbré vagamente un mundo de cuadros rígidos, planos y extraños que colgaban en las paredes. Estaba rodeada de ojos pintarrajeados. ¡Bebí sangre! Chupé la sangre de un pequeño y tembloroso ser humano, arrodillado ante mí como si yo fuera la Madre Isis.

Me desperté para beber agua de una gran jarra que había

junto a mi lecho. Bebí agua para desafiar y saciar la sed que experimentaba en mis pesadillas. Bebí agua hasta hartarme.

Me devané los sesos tratando de recordar si de niña había sufrido alguna vez pesadillas como aquéllas.

No. Esos sueños contenían el calor abrasador del recuerdo. De mi iniciación en el fatídico templo de Isis, cuando ese culto estaba en boga. Ebria y empapada en la sangre de un toro, había bailado alocadamente en círculos. Tenía la cabeza llena de las letanías de Isis. ¡Nos habían prometido la reencarnación! «Jamás se lo cuentes a nadie, jamás, jamás...» ¿Cómo podía un iniciado hablar de esos ritos, cuando estaba tan borracho que apenas lo recordaba?

Isis me hizo evocar recuerdos de una hermosa música de liras, flautas, panderetas, del agudo y mágico sonido de las cuerdas metálicas del sistro, que la Madre sostenía en la mano. Recordaba sólo unos retazos de la danza de sangre que había ejecutado desnuda, de la noche alzándose hacia las estrellas, de contemplar el alcance de la vida en sus ciclos, de aceptar durante unos breves momentos que la luna cambiaba continuamente, y que el sol se ponía al igual que salía todos los días. Abrazos de otras mujeres. El tacto de mejillas suaves y besos y cuerpos meciéndose al mismo tiempo. «La vida, la muerte, la reencarnación, no se trata de unos milagros —decía la sacerdotisa—. El comprenderlo y aceptarlo, ése es el milagro. El milagro debe producirse en vuestro corazón.»

¡Me negaba a creer que hubiéramos bebido sangre! Y el toro... era un sacrificio reservado a la ceremonia de iniciación. No sacrificábamos animales indefensos sobre los altares cubiertos de flores de Isis, no, nuestra Madre Bendita no nos pedía que hiciéramos eso.

Ahora, en alta mar, sola, yacía despierta para evitar esos sueños de sangre.

Cuando el cansancio se apoderaba de mí y caía dormida, la pesadilla se producía automáticamente, como si hubiera estado aguardando a que se me cerraran los ojos.

Yo yacía en una habitación dorada. Bebía sangre, una sangre que brotaba del cuello de un dios, o eso me parecía, mientras unos coros cantaban y entonaban himnos, un sonido monótono y reiterativo indigno de ser calificado como música, y después de haber saciado mi sed de sangre, ese dios o quienquiera que fuere, ese ser orgulloso, con una piel suave como la seda, me alzaba en brazos y me depositaba sobre un altar.

Sentí con toda nitidez el frío mármol sobre el que yacía. Comprendí que estaba desnuda. Pero no sentí ningún pudor. En alguna parte, a lo lejos, resonando a través de esas salas, oí sollozar a una mujer. Yo estaba llena de sangre. Los que cantaban se acercaron a mí con unas lamparitas de aceite hechas de arcilla. Estaba rodeada por unos rostros lo suficientemente oscuros como para proceder de la lejana Etiopía o de India. O Egipto. Mirad. ¡Unos ojos pintados! Me observé las manos y los brazos. Eran oscuros. Pero yo era la persona que yacía sobre el altar, y digo persona porque en el transcurso del sueño comprendí con meridiana claridad que la persona que yacía sobre el altar, o sea yo, era un hombre. Sentí un dolor lacerante. El dios dijo: «Es tan sólo el rito iniciático. Ahora beberás un poco de sangre de cada uno de nosotros.»

Cuando me despertaba, esa breve transición al género masculino me dejaba tan perpleja como todo lo demás. Me sentía imbuida de una profunda sensación de arte egipcio, de misterio egipcio, tal como lo había contemplado en las estatuas doradas en el mercado, o cuando las bailarinas egipcias lo ejecutaban durante un banquete, como unas esculturas andantes con sus ojos pintados de negro, y unas pelucas negras trenzadas, murmurando en esa extraña lengua. ¿Qué opinaban de nuestra Isis, ataviada al estilo romano?

Me atormentaba un misterio, algo que me atacaba la razón. Me sentía embargada por aquello que los emperadores romanos tanto temían en los cultos egipcios y los cultos orientales: un misterio y una emoción superiores a la razón y la ley.

En realidad, mi Isis había sido una diosa romana, una diosa universal, la Madre de todos nosotros; su culto se había extendido por un mundo griego y romano mucho antes de llegar a la propia Roma. Nuestros sacerdotes eran griegos y romanos, pobres hombres, y también lo éramos todos los adeptos.

En mi mente oía una persistente voz que decía: «Recuerda.» Era una vocecilla desesperada dentro de mi cerebro que me exhortaba a «recordar» por mi propio bien.

Pero recordar sólo conducía a unos pensamientos confusos y desordenados. De golpe caía un velo entre la realidad de mi camarote y el movimiento del mar, entre eso y un terrorífico mundo apenas entrevisto, lleno de templos cubiertos con palabras que producían magia. De rostros alargados y exquisitamente bronceados. Una voz susurró: «Desconfía de los sacerdotes de Re; mienten.» Me estremecí. Cerré los ojos. Vi a la Reina Madre maniatada y encadenada a su trono. ¡Estaba llorando! Eran sus sollozos los que había oído. Increíble. «Ha olvidado cómo gobernar. Obedécenos.»

Me desperté sobresaltada. Deseaba saber y al mismo tiempo no saber. La Reina lloraba bajo sus monstruosos grilletes. Yo no podía verla con claridad. Todo aparecía distorsionado, confuso. «El Rey está con Osiris. Observa, tiene la mirada como perdida en el infinito; todo aquel a quien le chupes la sangre, se lo entregas a Osiris; todos ellos se convertirán en Osiris.»

«Pero ¿por qué gritó la Reina?»

No, esto era una locura. Yo no podía dejar que esta confusión me abrumara. No podía deslizarse deliberadamente de la razón hacia esas fantasías o recuerdos, aun suponiendo que tuvieran una raíz verídica.

No eran más que estupideces, unas imágenes distorsionadas del dolor y el remordimiento, el remordimiento por no haberme precipitado hacia el hogar junto al que yacía mi padre, y haber hundido el puñal en mi pecho.

Traté de recordar la sosegada voz de mi padre, cuando en

cierta ocasión me explicaba que la sangre de los gladiadores saciaban la sed de los muertos, los manes.

—Algunos afirman que los muertos beben sangre —me había explicado un día mi padre, hacía muchos años, mientras cenábamos—. Por eso nos mostramos temerosos esos días fatídicos, cuando dicen que los muertos vagan por la tierra. Yo creo que son pamplinas. Debemos reverenciar a nuestros antepasados...

—¿Dónde están los muertos, padre? —preguntó mi hermano Lucius.

¿Quién había terciado desde el otro extremo de la mesa, para citar a Lucrecio con una débil vocecilla femenina que sin embargo logró imponer silencio sobre los hombres? Lydia:

Lo que pertenece a la tierra regresa a la tierra,
pero toda partícula que cae del cielo, asciende de nuevo,
reclamada por los elevados templos celestiales.
La muerte no destruye los elementos de la materia,
sólo rompe las combinaciones.

—No —contestó mi padre suavemente, dirigiéndose a mí—. Es mejor que cites a Ovidio: «Los fantasmas piden poco; valoran la piedad más que un regalo caro.» —Tras beber un trago de vino, agregó—: Los fantasmas se hallan en el infierno, donde no pueden lastimarnos.

—Los muertos no están en ninguna parte y no son nada —dijo Antonio, mi hermano mayor.

Mi padre alzó su copa.

—A Roma —dijo, y esta vez fue él quien citó a Lucrecio—: «Con demasiada frecuencia, la religión engendra crímenes y maldad.»

Todos suspiramos y nos encogimos de hombros. La actitud romana. Incluso los sacerdotes y las sacerdotisas de Isis se habrían hecho eco de las palabras de Lucrecio cuando escribió:

Nuestros terrores y nuestras tinieblas mentales
serán disipados, no por los rayos del sol,
no por esas resplandecientes flechas de luz,
sino por la atenta observación de la naturaleza
y un plan de contemplación sistemático.

¿Ebria? ¿Drogada? ¿Sangre de toro? ¿Sistemático? En fin, todo se reducía a lo mismo. ¡Compréndelo! Dale las vueltas que quieras a la poesía. Y el falo de Osiris vive eternamente en el Nilo, y el agua del Nilo insemina eternamente a la Madre Egipto, la muerte engendra vida con la bendición de la Madre Isis. Simplemente un esquema particular y un método sistemático de contemplación.

El barco continuó navegando.

Yo languidecí otros ocho días en este tormento, a menudo yaciendo despierta en la oscuridad, durmiendo sólo de día para evitar las pesadillas.

De pronto, una mañana, Jacob llamó insistentemente a la puerta de mi camarote.

Estábamos navegando aguas arriba por el Orontes y pronto estaríamos en Antioquía.

Faltaban unos treinta kilómetros para llegar a la ciudad. Me peiné con esmero (nunca lo había hecho sin ayuda de una esclava), recogiéndome el cabello en un moño, oculté mis ropas romanas bajo una amplia capa negra y me dispuse a desembarcar; parecía una mujer oriental, con el rostro cubierto, protegida por unos hebreos.

Cuando divisamos la ciudad, cuando el enorme puerto nos acogió y abrazó con todos sus mástiles y su fragor y sus olores y sus gritos, subí apresuradamente a la cubierta del barco y contemplé la espléndida ciudad.

—Ahí la tienes —dijo Jacob.

Me sacaron del barco en una litera y me transportaron a toda prisa a través de los mercados del puerto hasta llegar a una gran plaza, atestada de gente. Por doquier veía templos, pórticos, vendedores de libros, incluso los elevados muros de un anfiteatro; todo cuanto hubiera visto en Roma. No, ésta no era una ciudad provinciana.

Los muchachos se congregaban frente a las barberías para someterse al afeitado de rigor y a los inevitables rizos sobre la frente, que Tiberio había puesto de moda. Había un sinfín de vinaterías. Vi las entradas a las calles dedicadas a diversos oficios: la calle de los fabricantes de tiendas de campaña, la calle de los plateros...

Y allí, en todo su esplendor, en el mismo centro de Antioquía, se alzaba el templo de Isis...

Mi diosa, Isis, cuyos adoradores no cesaban de entrar y salir del templo, tranquilamente, y en gran número. Junto a la puerta había unos sacerdotes de aspecto respetable vestidos con túnicas de lino. El templo estaba atestado de gente.

«En este lugar puedo escapar de cualquier marido», pensé.

Poco después advertí que en el foro, el centro de la ciudad, se había producido un gran tumulto. Jacob ordenó a los hombres que abandonaran de inmediato la amplia calle del mercado y se metieran en unas callejuelas laterales. Los hombres que transportaban mi litera echaron a correr. Jacob cerró las cortinas para que yo no pudiera ver lo que ocurría a mi alrededor.

La noticia estaba siendo proclamada en latín, griego y caldeo: asesinato, veneno, traición.

Asomé la cabeza por entre las cortinas de la litera.

La gente lloraba y maldecía al romano Cayo Calpurnio Pisón, y también a la esposa de éste, Placina. ¿Por qué? Yo no sentía simpatías hacia ninguno de los dos, pero ¿a qué venía tanto alboroto?

Jacob ordenó de nuevo a los porteadores de mi litera que se dieran prisa.

Cruzamos precipitadamente la verja y el vestíbulo de una espaciosa casa, cuyo aspecto y colorido me recordó mi casa en Roma, aunque mucho más reducida. Observé los mismos detalles refinados, el distante peristilo, los grupos de esclavos que sollozaban.

Los sirvientes depositaron rápidamente la litera en el suelo. Me bajé de ella, molesta porque no me habían detenido a la puerta para lavarme los pies, como era la costumbre. Se me había soltado el cabello, que me caía por la espalda en bucles.

Pero nadie reparó en mí. Miré alrededor, asombrada al contemplar las cortinas orientales que colgaban sobre las puertas, los pájaros enjaulados que cantaban en sus pequeñas prisiones, las alfombras tejidas que cubrían todo el suelo.

Dos damas, obviamente las señoras de la casa, se acercaron.

—¿Qué ocurre? —pregunté.

Iban vestidas tan elegantemente como cualquier romana rica, cargadas de pulseras y luciendo unos vestidos ribeteados de oro.

—Te lo suplico —dijo una de las mujeres—, por tu propio bien, vete. ¡Sube de nuevo a la litera!

Intentaron meterme en aquella celda rodeada de cortinas que constituía mi litera, pero me negué a marcharme. Me puse furiosa.

—No sé dónde me encuentro —dije—. Y no sé quiénes sois. ¡No me empujéis!

El dueño de la casa, o alguien que parecía serlo, se dirigió corriendo hacia mí; por sus mejillas rodaban unos gruesos lagrimones, y su pelo corto y canoso presentaba un aspecto lamentable, como si se hubiera arrancado unos mechones en un arrebato de dolor. Su larga túnica estaba desgarrada. Tenía el rostro manchado de tierra. Era un anciano con la espalda encorvada y una cabeza exageradamente grande, cargado de piel y arrugas.

—Tu padre era mi joven colega —me dijo en latín, agarrándome por los brazos—. Comí varias veces en tu casa cuando eras una criatura que apenas gateaba.

—Qué cariñoso —me apresuré a decir.

—Tu padre y yo estudiamos en Atenas, dormíamos bajo el

mismo techo. —Las mujeres se quedaron inmóviles, aterrorizadas, tapándose la boca con la mano.

»Tu padre y yo peleamos con Tiberio durante su primera campaña contra esos repugnantes bárbaros.

—Qué valientes —repuse.

Mi capa negra cayó al suelo, mostrando mi larga y alborotada cabellera y mi sencillo vestido. Pero nadie pareció darle importancia.

—¡Germánico comió en esta casa porque tu padre le habló de mí!

—Ah, comprendo —dije.

Una de las mujeres me indicó con impaciencia que subiera a la litera. ¿Dónde se había metido Jacob? El anciano se negaba a soltarme.

—Yo estaba con tu padre y con Augusto cuando llegó la noticia de que nuestras tropas habían sido masacradas en el bosque de Teutoburgo, de que el general Varo y todos sus hombres habían sido asesinados. Mis hijos lucharon con tus hermanos en las legiones de Germánico cuando éste decidió castigar a las tribus del norte. ¡Dios!

—Sí, sí, es maravilloso —dije con expresión grave.

—Sube a la litera y vete —dijo una de las mujeres.

El anciano no me soltaba.

—¡Luchamos contra ese loco, el rey Arminio! —dijo—. ¡Hubiéramos podido ganar! Tu hermano Antonio no era partidario de capitular y regresar, ¿verdad?

—Yo... no...

—¡Lleváosla de aquí! —gritó un joven patricio, que también había estado llorando. Se acercó y empezó a empujarme hacia la litera.

—¡Apártate, imbécil! —protesté, asestándole un bofetón.

A todo esto, Jacob había estado hablando con los sirvientes, tratando de informarse de lo ocurrido.

Jacob apareció junto a mí, mientras el griego de pelo canoso seguía sollozando y me besaba en las mejillas.

Jacob me condujo hasta la litera.

—Germánico ha sido asesinado —me susurró Jacob al oído—. Todos los que le son leales están convencidos de que el emperador Tiberio ordenó al gobernador Pisón que lo asesinara. Lo han envenenado. La noticia se ha propagado como el fuego por toda la ciudad.

—¡Qué idiota eres, Tiberio! —murmuré, alzando los ojos al techo—. ¡Un paso de cobarde tras otro!

Me sumí de nuevo en la oscuridad. Los sirvientes alzaron la litera.

—Cayo Calpurnio Pisón tiene muchos aliados aquí, como es natural —siguió diciendo Jacob—. Todo el mundo se pelea entre sí. Un ajuste de cuentas. Violencia. Esta familia griega viajó a Egipto con Germánico. Se han producido numerosos tumultos. ¡Debemos partir!

—Adiós, amigo —dije al anciano griego mientras me sacaban de la casa en la litera, aunque creo que no me oyó. Se había postrado de rodillas. Maldecía a Tiberio. Amenazaba con suicidarse y gritaba pidiendo el puñal.

Nos hallábamos de nuevo en el exterior, avanzando rápidamente a través de las calles.

Yo me tendí oblicuamente en la litera, tratando de organizar mis pensamientos en la oscuridad. Germánico estaba muerto. ¡Envenenado por Tiberio!

Yo sabía que este reciente viaje de Germánico a Egipto había enfurecido a Tiberio. Egipto no se parecía a ninguna provincia romana. Roma dependía de su grano, y por eso los senadores no podían ir allí. Pero Germánico había ido «para contemplar las reliquias antiguas», habían dicho sus amigos en las calles de Roma.

«¡Una mera excusa! —pensé desesperada—. ¿Dónde está el juicio? ¿Y la sentencia? ¡Envenenado!»

Los sirvientes que portaban mi litera avanzaban apresuradamente. La gente no cesaba de gritar y sollozar alrededor de nosotros.

—¡Germánico, Germánico! ¡Devolvednos a nuestro hermoso Germánico!

Antioquía había perdido la razón.

Por fin llegamos a una calle estrecha, poco más que una callejuela, ya sabes cómo son pues hace poco descubrieron un laberinto de callejuelas como ésa en Pompeya. Percibí el hedor a orina masculina que contenían los jarros en la esquina. Percibí el olor a comida que exhalaban las altas chimeneas. Mis porteadores seguían corriendo y tropezando con los adoquines.

En cierta ocasión nos arrojaron a la cuneta cuando un carro pasó a toda velocidad junto a nosotros por la angosta callejuela; sus ruedas hallaron sin duda los baches destinados a ellas en la piedra.

Me di un golpe en la cabeza. Estaba furiosa y asustada. Jacob me tranquilizó:

—Estamos contigo, Lydia.

Me tapé por completo con la capa, de forma que sólo un ojo me permitía ver los rayos de luz que se filtraban a través de las cortinas de la litera. Apoyé la mano en el puñal.

Los sirvientes depositaron la litera en el suelo. Nos encontrábamos en un espacio interior y fresco. David, el padre de Jacob, discutía con alguien. Yo no conocía el hebreo; ni siquiera estaba segura de que hablara en hebreo.

Jacob terció por fin en el asunto. Como hablaba en griego comprendí que los hebreos trataban de comprar una casa para mí equipada con toda clase de comodidades, incluyendo unos elegantes muebles, que había dejado recientemente una rica viuda que había vivido allí sola, pero lamentablemente había vendido los esclavos. No había esclavos. Se trataba de una operación rápida en dinero contante y sonante.

Al cabo de unos minutos oí decir a Jacob en griego:

—Espero por tu propio bien que no me hayas mentido.

Cuando los hombres alzaron de nuevo la litera indiqué a Jacob que se acercara.

—Estoy en deuda contigo porque me has salvado la vida en dos ocasiones. ¿Qué será de esos griegos que iban a alojarme en su casa? ¿Corren peligro?

—Naturalmente —respondió Jacob—. Cuando se producen disturbios, ¿qué importa lo que ocurra? Acompañaron a Germánico a Egipto. Los hombres de Pisón lo saben. Cualquiera puede atacar, asesinar y robar a otro con la excusa más nimia. ¡Mirad, un incendio! —exclamó Jacob, ordenando a los hombres que se apresuraran.

—Bueno —dije—, no vuelvas a pronunciar mi verdadero nombre. A partir de ahora debes llamarme por otro nombre. Me llamo Pandora. Soy una griega recién llegada de Roma. Te he pagado para traerme hasta aquí.

—Hay que reconocer que tienes agallas, querida Pandora —repuso Jacob—. Eres una mujer fuerte. La escritura de tu nueva casa contiene un nombre falso menos encantador, pero verifica que eres ciudadana romana, viuda y emancipada. La obtendremos cuando paguemos el oro, cosa que no haremos hasta que entremos en la casa. Y si el hombre no me entrega la escritura con todos los requisitos necesarios para protegerte, lo estrangularé.

—Eres muy listo, Jacob —dije con tristeza.

El tenebroso y agitado viaje continuó hasta que la litera se detuvo por fin. Oí girar una llave metálica en la cerradura de la verja y penetramos en el largo vestíbulo de la casa.

Debí aguardar por respeto a mis guardianes, pero me bajé precipitadamente de aquella odiosa y pequeña prisión rodeada por unos velos negros, arrojé la capa y respiré hondo.

Nos hallábamos en el amplio vestíbulo de una hermosa mansión, llena de encanto y cuya decoración revelaba no poco ingenio.

Pese a que me sentía confusa, vi la fuente con la cabeza de león junto a la verja que habíamos cruzado, y me lavé los pies en el agua fresca.

La sala de recibimiento, o atrio, era enorme, y más allá vi

los suntuosos divanes del comedor en un extremo de un amplio jardín cerrado, el peristilo.

No era mi gigantesca, opulenta y antigua mansión de la colina Palatina, a la que a lo largo de muchas generaciones habían añadido nuevos corredores y habitaciones que penetraban en sus espaciosos jardines.

Se trataba de una casa demasiado deslumbrante, pero elegante. Todas las paredes estaban recién pintadas, creo que con un estilo oriental, con espirales y líneas sinuosas. ¿Cómo podía yo juzgarlo? Estuve a punto de desmayarme de gozo. ¿Lograría allí que la gente me dejara tranquila?

El escritorio estaba en el atrio, y cerca de él había libros. Junto a los pórticos que flanqueaban el jardín vi numerosas puertas; alcé los ojos y observé que las ventanas del segundo piso se cerraban sobre los porches. Esplendor. Seguridad.

Los suelos de mosaico eran antiguos; yo conocía el estilo, las figuras festivas de la Saturnalia desfilando por las calles. Sin duda habían sido traídos desde Italia.

Un poco de mármol auténtico, columnas de yeso, pero un gran número de murales de excelente factura en los que aparecían las imprescindibles ninfas alegres.

Salí al húmedo y mullido césped del peristilo y alcé la vista hacia el límpido cielo azul.

Sólo quería aspirar una bocanada de aire fresco, pero entonces se produjo el momento de la verdad con respecto a mis pertenencias. Me sentía demasiado desconcertada para preguntar qué era mío, pero no fue necesario.

Jacob y David hicieron ante todo el inventario de los muebles y demás objetos que habían adquirido para mí, mientras yo los miraba incrédula por la paciencia que habían derrochado ocupándose de todos los detalles.

Y cuando hubieron dado su aprobación a cada habitación, y a un dormitorio situado en el extremo del pasillo, a la derecha, y a un pequeño jardín abierto a la izquierda, más allá de la cocina, subieron al segundo piso, y después de comprobar que todo estaba en orden descargaron mis pertenencias. Baúl tras baúl.

Luego, ante mi estupefacción, David, el padre de Jacob, sacó un pergamino y se puso a hacer el inventario de todo cuanto me pertenecía, desde las horquillas hasta la tinta y el oro.

Entretanto, Jacob fue a hacer un recado.

Vi la apresurada letra de mi padre en el inventario que David leyó en voz baja.

—Artículos de tocador —dijo David resumiendo una parte del inventario—. Ropa, uno, dos, tres baúles, llevadlo todo al dormitorio más grande. Los cubiertos a la cocina. ¿Los libros aquí?

—Sí, por favor. —Yo me sentía tan pasmada por su honestidad y meticulosidad que apenas podía hablar.

—¡Ah, cuántos libros!

—No los cuentes —dije.

—No puedo, verás, estos frágiles...

—Sí, lo sé. Continúa.

—¿Quieres que coloquemos tus hermosas baldas de marfil y ébano aquí, en el salón delantero?

—Magnífico.

Me senté en el suelo, pero dos eficientes esclavos asiáticos me alzaron en volandas y me acomodaron en una silla romana de tijera. Me dieron una taza de agua fresca que olía a limpia. Bebí con avidez, pensando en la sangre. Cerré los ojos.

—¿Tinta y objetos de escribir sobre el escritorio? —preguntó el anciano.

—Sí, por favor —contesté, suspirando.

—Todo el mundo fuera —dijo el anciano, repartiendo monedas rápida y generosamente entre los esclavos asiáticos, quienes hicieron una profunda reverencia y se retiraron de la habitación, casi tropezando los unos con los otros.

Yo traté de articular unas frases coherentes de gratitud cuando apareció una nueva hornada de esclavos —quienes a punto estuvieron de chocar con los que acababan de salir—

portando unas cestas que contenían todos los productos comestibles que vendían en un mercado, incluyendo nueve clases de pan, varias jarras de aceite, melones, verduras y un gran surtido de productos ahumados que durarían varios días: pescado, carne y exóticas criaturas marinas que una vez desecadas ofrecían el aspecto de pergamino.

—Llevad inmediatamente todo a la cocina y traed un plato de aceitunas, queso y pan para la señora, ponedlo en esa mesa, a su izquierda. Traedle también un poco de vino, del que le ha enviado su padre.

Qué increíble. El vino de mi padre.

Luego David ordenó de nuevo a todos que se retiraran entregándoles una generosa cantidad de monedas, y volvió a sus inventarios.

—Acércate, Jacob. Cuenta este oro mientras yo te leo la lista. Cubiertos, monedas, más monedas, joyas de un valor excepcional. Monedas, lingotes de oro. Sí...

Ambos continuaron con el inventario, apresurándose para terminar cuanto antes.

No lograba imaginar dónde había ocultado mi padre aquella ingente cantidad de oro.

¿Qué iba a hacer yo con él? ¿Permitirían aquellos dos hebreos que me lo quedara? Eran unos hombres honrados, pero todo aquel oro representaba una fortuna.

—Espera hasta que todo el mundo se haya marchado —dijo David—, y entonces oculta el oro en diversos lugares de la casa. Hay muchos escondrijos. Nosotros no podemos hacerlo, porque entonces sabríamos dónde está. En cuanto a las joyas, será mejor que las ocultes, son demasiado valiosas para que las exhibas entre el populacho durante los primeros días de tu estancia aquí. —Abrió un cofre lleno de joyas—. ¿Ves este rubí? Es soberbio. Fíjate en su tamaño. Podrá darte de comer por el resto de tu vida si lo vendes por lo que vale a un hombre honrado. Todas las joyas de este cofre son excepcionales, de primera calidad. Yo entiendo en esto. ¿Ves esas perlas? Son perfectas. —Volvió a guardar el rubí y las perlas en el cofre y lo cerró.

—Sí —dije débilmente.

—Perlas, más oro, plata, cubiertos... —murmuró David—. ¡Todo está aquí! Deberíamos tener más cuidado pero...

—Oh, no, habéis hecho maravillas —repuse.

Contemplé el pan y la copa de vino. El vino de mi padre. Las ánforas, también de mi padre, estaban distribuidas por la habitación.

—Pandora —dijo Jacob con expresión seria—. Aquí tienes la escritura de la casa. Y este otro documento que describe tu entrada oficial en el puerto bajo tu nuevo nombre, Julia y tal. Ahora tenemos que despedirnos, Pandora.

El anciano meneó la cabeza y se mordió el labio inferior.

—Hemos de partir para Egipto, hija mía —dijo—. Me avergüenza dejarte, pero no tardarán en bloquear el puerto.

—Han prendido fuego a varios barcos en el puerto —intervino Jacob—. Han destruido la estatua de Tiberio en el foro.

—El trato está cerrado —señaló el anciano—. El hombre que nos vendió la casa nunca te ha visto y no conoce tu verdadero nombre, del que no existen pruebas. Los hombres que te trajeron aquí no eran esclavos suyos.

—Te agradezco cuanto has hecho por mí —contesté.

—A partir de ahora deberás valerte por ti misma, mi querida princesa romana —me dijo Jacob—. Me duele en el alma abandonarte.

—No nos queda otro remedio —apuntó el anciano.

—Absténte de salir durante tres días —me recomendó Jacob, acercándose a mí tanto como pudo, como si se dispusiera a romper las reglas y besarme en la mejilla—. Aquí hay suficientes legiones para sofocar esta sublevación, pero prefieren dejar que se extinga por sí sola antes que matar a ciudadanos romanos. Olvida a esos amigos griegos. Han prendido fuego a su casa.

Los dos hombres dieron media vuelta, dispuestos a marcharse.

—¿Os pagó mi padre por estos servicios? —pregunté—. Si no es así, llevaos una parte del oro.

—No pienses en eso —contestó el anciano—; pero para tu tranquilidad, te recuerdo que tu padre me prestó dinero en dos ocasiones cuando los piratas capturaron mis barcos en el Adriático. Tu padre se asoció conmigo y yo gané mucho dinero, que nos repartimos entre los dos. Los griegos debían dinero a tu padre. No te preocupes más por esas cosas. ¡Tenemos que irnos!

—Que Dios te proteja, Pandora —dijo Jacob.

Las joyas. ¿Dónde estaban las joyas? Me levanté de un salto y abrí el cofre. Había centenares de joyas, perfectas, refulgentes y exquisitamente pulidas. Reparé en su valor, en su transparencia y en el esmero con que habían sido trabajadas. Tomé el enorme rubí en forma de huevo que David me había mostrado y otro parecido y se los ofrecí a los hebreos.

Padre e hijo alzaron las manos para rechazarlos.

—Debéis aceptarlos —dije—. Para complacerme. Para confirmar que soy una romana libre y que viviré como mi padre me pidió que hiciera. ¡Esto me dará valor! Aceptad estas joyas.

David meneó enérgicamente la cabeza, pero Jacob tomó el rubí.

—Aquí tienes las llaves, Pandora. Síguenos, y luego cierra la verja y las puertas que dan al vestíbulo. No temas. Hay muchas lámparas en la casa. Dispones de aceite suficiente...

—Marchaos —dije cuando cruzaron el umbral. Cerré la verja y me apoyé en los barrotes, mientras los observaba alejarse—. Si no podéis salir, si me necesitáis, no dudéis en venir —dije.

—Aquí tenemos a gente de la nuestra —me tranquilizó Jacob—. Te agradezco de todo corazón el magnífico rubí que nos has dado, Pandora. Sobrevivirás. Entra en la casa y cierra las puertas.

Me acerqué a una silla pero no me senté en ella, sino que me dejé caer en el suelo y recé:

—Lares familiares... espíritus de la casa, ayudadme a hallar vuestro altar. Acogedme aquí, os lo ruego, no pretendo hacer mal a nadie. Cubriré vuestro altar con flores y encenderé vuestro fuego. Concededme el don de la paciencia. Dejadme descansar.

Permanecí sentada en el suelo durante horas, conmocionada, con los brazos fláccidos, mientras la luz del día se iba apagando y las sombras penetraban en aquella pequeña y extraña casa.

Entonces empecé a tener un sueño de sangre, pero lo rechacé. No quería saber nada de aquel extraño templo ni del altar. ¡No! No más sangre. Lo desterré de mi mente e imaginé que estaba en mi morada.

Yo era una niña. «Sueña con eso —me dije—, sueña que escuchas a tu hermano Antonio mientras te relata anécdotas sobre la guerra en el norte, cuando obligaron a los feroces germanos a retroceder hacia el mar.» Antonio, al igual que mis otros hermanos, sentía gran estima por Germánico. Lucius, el menor, tenía un carácter débil. Me partía el corazón pensar que había gritado pidiendo clemencia a los soldados que se disponían a matarlo.

El Imperio era el mundo. Más allá estaba el caos, la desgracia, las luchas y peleas. Yo era un soldado. Era capaz de pelear. Soñé que me ponía la armadura. Mi hermano dijo: «Me alegra comprobar que eres un hombre, siempre lo sospeché.»

No me desperté hasta la mañana siguiente.

Entonces sentí un dolor y una desesperación como jamás había experimentado.

Toma nota de esto. Porque en aquellos momentos comprendí, más profundamente de lo que le es dado a un ser humano, lo absurdo que es la Suerte y la Fortuna y la Naturaleza. Quizá la descripción de estos instantes, aunque breve, sirva de consuelo a otro. Lo peor tarda en aparecer y en desaparecer.

Lo cierto es que no puedes preparar a nadie para esto, ni hacerle comprender a través del lenguaje la magnitud de ese tormento. Es preciso vivirlo. Y no se lo deseo a nadie en el mundo.

Yo estaba sola. Recorrí todas las habitaciones de la pequeña casa, golpeando las paredes con los puños y gritando entre dientes, dando vueltas y más vueltas. Pero la Madre Isis no estaba allí.

No había dioses. ¡Los filósofos eran unos imbéciles! Los poetas cantaban mentiras.

Sollocé y me mesé el cabello; me desgarré el vestido con tanta naturalidad como si se tratara de una nueva costumbre. Derribé sillas y mesas.

En ocasiones sentí una enorme euforia, una liberación de todas las falsedades y prejuicios, todos los medios a través de los cuales un alma o un cuerpo se convierten en rehenes.

Y entonces la tremenda naturaleza de esa liberación se extendió en torno a mí como si la casa no existiera, como si la oscuridad no conociera muros.

Pasé tres noches y tres días sumida en aquel tormento.

Me olvidé de comer. Me olvidé de beber agua.

No encendí ninguna lámpara. La luna, casi llena, proporcionaba suficiente luz a este absurdo laberinto de pequeñas estancias pintadas.

El sueño me había abandonado para siempre.

Mi corazón latía con violencia. Los músculos de mis extremidades se tensaban, se relajaban, volvían a tensarse.

A veces me tumbaba sobre la húmeda y grata tierra del jardín, por mi padre, porque nadie había depositado su cadáver sobre la húmeda y grata tierra, como deberían haber hecho después de su muerte y antes de cualquier funeral.

De pronto comprendí por qué esa falta, su cuerpo cosido a puñaladas y sin que nadie le hubiera dado sepultura, era tan importante. Comprendí la gravedad de esa omisión como pocos han comprendido jamás el significado de algo. ¡Era muy importante porque no lo era en absoluto!

«Vive, Lydia.»

Contemplé los pequeños y frondosos árboles del jardín y experimenté una curiosa gratitud por haber abierto mis ojos humanos en la oscuridad de la tierra el tiempo suficiente para ver esas cosas.

—¿Lo que proviene del cielo asciende al cielo? —me pregunté, pensando en Lucrecio.

¡Qué locura!

¡Ay de mí! Como ya he dicho, vagué, me arrastré, lloré y grité durante tres noches y tres días.

4

Por fin, una mañana en que el sol penetraba a raudales a través del techo abierto, miré los objetos que había en la habitación y comprendí que no sabía lo que eran ni por qué habían sido creados. No sabía sus nombres. Ignoraba su definición. Ni siquiera conocía aquel lugar.

Me incorporé y me di cuenta de que estaba contemplando el *lararium*, el santuario de los dioses domésticos.

Aquél era el comedor, por supuesto, y aquéllos eran los divanes, y allí se hallaba el glorioso tálamo conyugal.

El *lararium* consistía en un altar rodeado por tres elevados tabiques, un pequeño templo con tres frontones, en cuyo interior se encontraban las figuras de los dioses domésticos. Nadie en esta profana ciudad se los había llevado con la difunta.

Las flores se habían marchitado. El fuego se había extinguido. Nadie lo había apagado con vino, como habría debido hacerse.

Me arrastré de rodillas, con el vestido rasgado, por el patio del peristilo, recogiendo flores para aquellos dioses. Encontré un poco de leña y encendí un fuego sagrado.

Los contemplé fijamente, durante horas. Tuve la impresión de que jamás volvería a moverme.

Al rato anocheció.

—No te duermas —susurré—. Debes velar toda la noche.

Esos egipcios te acechan entre las sombras. Fíjate en la luna, dentro de un par de noches será luna llena.

Pero lo peor de mi tormento había pasado y estaba agotada. El sueño se abatió sobre mí como diciendo: «Olvida tus preocupaciones.»

Entonces soñé.

Vi a unos hombres ataviados con ropajes dorados.

—Ahora te conducirán al sanctasanctórum.

Pero ¿qué había allí? No quería verlo.

—Nuestra Madre, nuestra amada Madre de los Dolores —dijo el sacerdote.

Los cuadros de las paredes representaban egipcios de perfil y palabras compuestas por ilustraciones. En algún lugar de la casa ardía mirra.

—Ven —dijeron unos que me sujetaban—. Todas las impurezas han desaparecido de tu cuerpo y participarás de la Fuente sagrada.

Oí que una mujer lloraba y gemía. Antes de entrar en la gran sala me asomé a ella. Allí estaban el Rey y la Reina sentados en sus respectivos tronos, el Rey inmóvil y con la mirada fija, como en el último sueño que yo había tenido, y la Reina debatiéndose para librarse de sus grilletes de oro. Lucía la corona del Alto y Bajo Egipto, y una túnica plisada de lino. No llevaba peluca, sino que se había trenzado el cabello. No cesaba de llorar y sus pálidas mejillas estaban manchadas de rojo. El collar y los pechos estaban teñidos de rojo. Ofrecía un aspecto sucio e ignominioso.

—Madre mía, mi diosa —dije—. Esto es una abominación.

Intenté despertarme.

Me incorporé, apoyando una mano en el *lararium*, y contemplé las telarañas y los árboles del patio, visibles bajo el sol que trepaba por el cielo.

Ma pareció oír a gente que hablaba en voz baja en la antigua lengua egipcia.

¡No podía consentir aquello! No quería volverme loca.

¡Basta! El único hombre al que había amado, mi padre, me había dicho: «Vive.»

Había llegado el momento de pasar a la acción, de levantarme y moverme. De pronto me sentí pletórica de fuerza y resolución. Mis largas noches de duelo y lágrimas habían equivalido a la iniciación en el templo de Isis; la muerte había sido la bebida tóxica; la comprensión había sido la transformación.

Pero eso había terminado; ese mundo absurdo resultaba tolerable y no era necesario explicarlo. Qué necia había sido al pensar que podía explicarse...

La realidad de mi situación exigía pasar a la acción.

Me serví una copa de vino y me acerqué con ella a la verja.

La ciudad parecía tranquila. La gente iba y venía por la calle, apartando la vista de una mujer semivestida, con la ropa hecha jirones, que se hallaba en el vestíbulo de su casa.

Por fin apareció un obrero cargado con un saco de ladrillos. Le ofrecí la copa de vino.

—He estado enferma durante tres días —dije—. ¿Qué sabes de la muerte de Germánico? ¿Cómo van las cosas en la ciudad?

El hombre se mostró muy agradecido por la copa de vino. El trabajo le había hecho envejecer prematuramente. Tenía los brazos muy delgados, y las manos no paraban de temblarle.

—Gracias, señora —dijo, apurando el vino como si éste no pudiera apagar su sed—. Colocaron el cadáver de nuestro Germánico en la plaza pública para que todos pudiéramos contemplarlo. Qué hermoso estaba. Algunos lo compararon con el gran Alejandro. La gente no se ponía de acuerdo. ¿Le habían envenenado o no? Algunos decían que sí, otros que no.

»Sus soldados lo querían. El gobernador Pisón, gracias a los dioses, no se encuentra aquí y no se atreve a regresar. La esposa de Germánico, la amable Agripina, conserva las cenizas de su marido en una urna que lleva junto a su corazón. Se dispone a partir para Roma, para vengarse de Tiberio. —Me devolvió la copa y añadió—: Os doy mis más humildes gracias.

—De modo que la ciudad ha recobrado la normalidad.

—Oh, sí, ¿qué podría perturbar a esta espléndida ciudad mercantil? —contestó el obrero—. Todo sigue como si nada hubiera ocurrido. Los leales soldados de Germánico mantienen la paz a la espera de que se haga justicia. No dejarán que el asesino Pisón regrese, y Sentius ha reunido a todos los hombres que estaban al mando de Germánico. La ciudad se siente bien. La llama arde para Germánico. Si estalla una guerra, no será aquí. No os preocupéis.

—Gracias, me has sido de gran ayuda.

Tomé la copa de sus manos, cerré la verja y el portal y me puse en movimiento.

Después de comer un poco de pan para recobrar las fuerzas, pronuncié unas frases de Lucrecio cargadas de sentido común e inspeccioné la casa. Tenía un amplio, suntuoso y luminoso baño situado a la derecha del patio. El agua, que manaba continuamente de las valvas que sostenían las ninfas sobre la pila revestida de yeso, tenía una temperatura ideal. No era necesario encender un fuego para calentarla.

Tenía la ropa en el dormitorio.

La vestimenta romana era sencilla, como sabes: llevábamos dos o tres largas camisas o túnicas, además de la túnica con que nos cubríamos al salir, la *stola*, y finalmente la *palla*, o capa, que nos llegaba a los tobillos e iba ceñida debajo del pecho.

Elegí las túnicas más hermosas, tres capas de seda finísima, y luego una reluciente *palla* roja que me cubría de pies a cabeza.

Jamás me había calzado yo misma las sandalias, operación que me pareció cómica y fastidiosa a un tiempo.

Todos los objetos de mi cuidado personal habían sido dispuestos sobre unas mesas provistas de espejos bruñidos. ¡Qué desorden!

Me senté en una de las numerosas sillas doradas, acerqué el espejo de metal pulido y traté de utilizar las pinturas tal como había visto hacer a mis esclavas.

Conseguí oscurecerme las cejas, pero el horror que me inspiraban los ojos pintarrajeados de las egipcias me impidió pintarme los míos. Me apliqué carmín en los labios y unos polvos blancos en la cara, y eso fue todo. Ni siquiera me empolvé los brazos, como me habrían hecho mis esclavas en Roma.

No sé qué aspecto presentaba. Después de conseguir trenzarme la maldita cabellera, me recogí las trenzas en un enorme moño en la parte posterior de la cabeza. Utilicé suficientes horquillas para veinte mujeres. Dejé que me cayeran unos rizos sobre la frente y las mejillas, y al mirarme en el espejo vi a una mujer romana, modesta y aceptable, peinada con raya en medio, las cejas negras y los labios rosados.

Lo más complicado fue ajustarme las túnicas. Procuré que no asomara el borde de ninguna debajo de las otras. Intenté colocarme la *stola* correctamente y ceñírmela debajo del pecho. Pero la tarea de plegar y sujetar aquellas telas tan finas resultaba muy difícil. Siempre me habían ayudado mis esclavas. Por fin, después de enfundarme dos túnicas y una larga y fina *stola* roja, tomé una *palla* muy grande de seda, ribeteada con un fleco y adornada con motivos dorados.

Me puse sortijas y pulseras, aunque pensaba ocultarme cuanto pudiera debajo de la capa. Recuerdo a mi padre maldiciendo cada día de su vida por tener que ponerse la toga, la indumentaria oficial del romano de alcurnia. Sólo las prostitutas lucían togas. Al menos yo no tenía ese problema.

Una vez vestida me dirigí a los mercados de esclavos.

Jacob estaba en lo cierto respecto a la gente. La ciudad estaba llena de hombres y mujeres de todas las naciones. Muchas mujeres paseaban en parejas, del brazo.

Las holgadas capas griegas resultaban aceptables aquí, al igual que las largas y exóticas túnicas fenicias o babilonias, tanto para los hombres como para las mujeres. Era frecuente ver a los hombres con melenas y barbas. Algunas mujeres llevaban unas túnicas no más largas que las de los hombres. Otras iban totalmente cubiertas por velos, mostrando sólo los ojos, mientras caminaban por las calles acompañadas por guardianes y sirvientes.

Las calles estaban más limpias que las de Roma; los desperdicios eran engullidos por unas cloacas más anchas, y llegaban más rápidamente a su destino.

Mucho antes de llegar al foro, o plaza central, pasé por delante de tres portales en los que vi a ricas cortesanas discutir sarcásticamente sobre el precio de sus servicios con jóvenes y acaudalados griegos y romanos.

Al pasar, oí a una que decía a un apuesto joven:

—¿Quieres acostarte conmigo? Estás soñando. Puedes acostarte con cualquiera de las chicas, ya te lo he dicho. Pero si me quieres a mí, vas a tener que irte a casa y vender todas tus cosas.

Vi a prósperos romanos, ataviados con sus togas, en unas vinaterías situadas en las esquinas de las calles, los cuales respondieron a mi pudoroso gesto de bajar la vista con una breve inclinación de la cabeza.

Rogué que ninguno de ellos me reconociera. Desde luego, no era probable, pues nos encontrábamos muy lejos de Roma y yo había vivido muchos años recluida en casa de mi padre, contenta de no tener que asistir a banquetes, cenas ni ceremonias.

El foro era mucho más grande de lo que recordaba, tras haberlo vislumbrado sólo brevemente a mi llegada a la ciudad. Cuando alcancé el borde del mismo y contemplé la gigantesca plaza iluminada por el sol, flanqueada por pórticos, templos y edificios imperiales, me quedé asombrada.

En los mercadillos cubiertos con toldos, todo estaba en venta; los plateros se hallaban agrupados, los tejedores ocupaban un espacio propio, los comerciantes en seda formaban una hilera, y al volverme hacia la derecha vi un callejón dedicado a la venta de esclavos, los de más calidad, que no solían venderse en subasta pública.

A lo lejos distinguí los elevados mástiles de los barcos.

Percibí el olor del río. Frente a mí se alzaba el templo de Augusto, con los fuegos encendidos y los legionarios uniformados en actitud perezosa pero alerta.

Yo tenía calor y estaba nerviosa pues mi capa de seda resbalaba continuamente sobre mis hombros. Había muchos jardines donde servían vino, con grupos de mujeres que charlaban animadamente. Hubiera podido acercarme a algún grupo para beberme tranquilamente una copa de vino.

Pero necesitaba sirvientes. Tenía que disponer de unos esclavos leales.

Como es natural, en Roma jamás había acudido a un mercado de esclavos. No había tenido necesidad de hacerlo. Además poseíamos tantas familias de esclavos en nuestra propiedad de la Toscana y en Roma que rara vez comprábamos un nuevo esclavo. Por el contrario, mi padre tenía la costumbre de heredar los esclavos decrépitos y sabios de sus amigos —mis hermanos y yo nos burlábamos de él a propósito de la Academia—, los cuales no hacían otra cosa en el jardín de los esclavos que hablar de historia.

Pero ahora debía comportarme como una astuta mujer de mundo. Examiné a todos los esclavos de calidad expuestos en el mercado y me decidí rápidamente por dos hermanas, muy jóvenes y atemorizadas ante la perspectiva de ser vendidas en subasta pública o acabar en un burdel. Pedí que nos trajeran unos taburetes y me senté a hablar con ellas.

Conversamos largo rato.

Las muchachas procedían de la pequeña mansión de una ilustre familia de Tiro; habían nacido esclavas. No sólo conocían bien el griego y el latín, sino que también hablaban arameo. Poseían una dulzura angelical.

Tenían unas manos inmaculadas, y poseían todos los conocimientos necesarios. Sabían peinar, pintar un rostro, preparar la comida. Conocían recetas de platos orientales sobre los que yo jamás había oído hablar; nombraron distintas pomadas y carmines. Una de ellas me miró atemorizada y dijo:

—Señora, puedo pintar vuestro rostro con rapidez y perfección.

Sus palabras me dieron a entender que yo lo había hecho rematadamente mal.

Las compré a las dos, lo que sin duda debía de constituir la respuesta a sus oraciones; pedí unas túnicas limpias, de longitud modesta, para ambas; me proporcionaron las túnicas, de lino azul, aunque no eran de excelente calidad; luego vi un mercader que portaba numerosas *pallae* y compré una capa azul para cada hermana. Las jóvenes no cabían en sí de gozo. Eran reservadas y se cubrieron la cabeza.

Yo no tenía dudas sobre ellas. Se habrían dejado matar por mí.

No se me ocurrió que estuvieran famélicas hasta que, mientras recorría el mercado en busca de otros esclavos, oí a un despótico vendedor de esclavos decir a un griego atrevido y educado que no comería hasta que le hubiera vendido.

—Qué horror —comenté—. Imagino que estaréis hambrientas. Id al puesto de comida que hay en el foro. Allí, en el otro extremo de la calle, veréis unos bancos y unas mesas.

—¿Solas? —preguntaron asustadas.

—Bueno, no tengo tiempo para daros de comer con la mano como si fuerais pájaros. No miréis a ningún hombre a los ojos; comed y bebed cuanto queráis. —Les entregué una cantidad de dinero que por lo visto les pareció exagerada—. Y no os mováis de allí hasta que vaya a buscaros. Si se os acerca un hombre, mostraos aterrorizadas, agachad la cabeza e insistid en que no habláis su lengua. Si las cosas se ponen feas, dirigíos al templo de Isis.

Las jóvenes echaron a correr por la angosta callejuela hacia el lejano banquete; aún me parece ver sus hermosas capas, azules como el cielo, infladas por la brisa volando a través de la apretada y sudorosa multitud debajo de los abigarrados toldos del mercado. Mia y Lia. No eran unos nombres difíciles de recordar, pero yo no sabía distinguirlas entre sí.

De pronto me sorprendió oír una risotada burlona. Era el esclavo griego a quien su amo acababa de amenazar con dejarlo morir de hambre.

—De acuerdo —le dijo el griego a su amo—, puedes matarme de hambre; pero entonces, ¿a quién vas a vender? ¿A un hombre enfermo y moribundo en lugar de a uno excepcional y muy erudito?

¡Un hombre excepcional y muy erudito!

Me volví hacia el griego. Estaba sentado en un taburete y no se levantó para que yo lo examinara. No llevaba puesto más que un sucio taparrabos, lo cual era una estupidez por parte del tratante, pero esa negligencia indicaba que el esclavo era un hombre muy apuesto, con un bello rostro, el pelo suave y castaño, los ojos verdes y almendrados y una boca bonita y de expresión sarcástica. Debía de tener unos treinta años, quizás algo menos. Estaba fuerte para su edad, pues a los griegos les gustaba mantenerse en forma, y poseía una buena musculatura.

Tenía el pelo sucio y parecía que se lo hubieran cortado con un hacha, y de la soga que le rodeaba el cuello colgaba un minúsculo letrero de madera con unas apretadas letras garabateadas en latín.

Tras colocarme bien la capa por enésima vez, me acerqué a él, un tanto divertida por la atrevida forma en que aquel griego de imponente torso desnudo me miraba, y traté de leer lo que decía el letrero.

Por lo visto aquel hombre era capaz de enseñar toda clase de filosofías, todas las lenguas, todas las matemáticas, lo sabía cantar todo, conocía a todos los poetas, podía preparar todo tipo de banquetes, era paciente con los niños, había combatido con su amo romano en los Balcanes, había ejercido de guardia armado, era obediente y virtuoso y había vivido toda su vida en casa de una familia en Atenas.

Leí esos datos con cierto escepticismo. Al observarlo, el esclavo me dirigió una mirada impertinente. Cruzó los brazos debajo de su pequeña placa, en un gesto claramente despectivo, y se apoyó contra la pared.

De pronto comprendí el motivo por el que el comerciante, que merodeaba cerca de nosotros, no había obligado al griego a incorporarse. El esclavo sólo tenía una pierna útil. La pierna izquierda, a partir de la rodilla, era de marfil, excelentemente tallada, con su pie, su sandalia y unos dedos perfectos. Como es lógico, pese a tratarse de un excelente trabajo, la pierna y el pie de marfil no estaban ensamblados sino que constituían tres secciones proporcionadas, cada una de las cuales era una exquisita obra artesanal, y el pie estaba articulado en distintas secciones, con las uñas bien definidas y los cordones de la sandalia exquisitamente esculpidos.

Yo jamás había visto una prótesis semejante; era una concesión al artificio en lugar de un modesto intento de imitar a la naturaleza.

—¿Cómo perdiste la pierna? —pregunté en griego al esclavo. Éste no contestó. Señalé su pierna. Silencio.

Le formulé la pregunta en latín, pero siguió negándose a responder.

El comerciante, preocupado, se alzó de puntillas.

—Señora —dijo estrujándose las manos—, ese esclavo sabe llevar archivos, dirigir cualquier negocio. Escribe con una caligrafía perfecta, es honrado con las cuentas...

¿Por qué no añadir que sabía impartir clases a niños? Supuse que yo no tenía aspecto de esposa y madre. Malo.

El griego esbozó una sonrisa socarrona y desvió la mirada. Luego masculló entre dientes, en un latín incisivo, que si yo decidía gastarme el dinero en él lo estaría invirtiendo en un hombre muerto. Tenía una voz suave y melodiosa, aunque cansada y cargada de desprecio, y se expresaba sin afectación y con elegancia.

Yo perdí la paciencia.

—¡Fíjate bien en mí, estúpido y arrogante ateniense! —exclamé en griego, roja de ira por el hecho de que aquel esclavo y aquel vendedor de esclavos me hubieran tomado por otra cosa—. Si sabes escribir en griego y en latín, si has leído a Aristóteles y a Euclides, cuyo nombre por cierto no has escrito correctamente, si has estudiado en Atenas y has peleado en los Balcanes, si es cierta la mitad de esa gran epopeya, ¿por qué no quieres pertenecer a una de las mujeres más inteligentes con la que te has tropezado en la vida, que te tratará con dignidad y respeto a cambio de tu lealtad? ¿Qué sabes tú de Aristóteles y Platón que yo ignore? Jamás he azotado a un esclavo. Te niegas a servir a un ama dispuesta a recompensarte por tu lealtad como jamás has soñado. ¡Lo que pone en esa placa es una sarta de mentiras!

El esclavo me miró atónito, pero no pareció enojado. Se inclinó hacia delante, tratando de examinarme más de cerca, aunque con discreción. El comerciante le indicó, furioso, que se levantara, cosa que el esclavo hizo, mostrando su imponente estatura. Tenía las piernas fuertes y ágiles, incluso la de marfil.

—¿Por qué no me dices la verdad sobre tus dotes y conocimientos? —pregunté en latín. Luego me volví hacia el vendedor de esclavos—. Dame una pluma para que corrija esos nombres. Esas incorrecciones destruirán toda posibilidad de que ese hombre llegue a ser un maestro. Le hacen parecer un idiota.

—¡No disponía de espacio suficiente para escribir! —protestó el esclavo en un latín perfecto. Se inclinó hacia mí para dar mayor énfasis a sus palabras.

»Fijaos en esta pequeña placa, ya que sois tan inteligente. ¿No comprendéis la ignorancia de este comerciante? No es lo bastante inteligente para darse cuenta de que posee una esmeralda; la confunde con un pedazo de cristal verde. Es un desastre. Traté de escribir aquí todos los datos que pude.

Yo me eché a reír. Aquel griego me cautivaba y divertía. No podía contener la risa. La cosa era francamente cómica. El vendedor de esclavos parecía confuso, sin saber qué hacer.

¿Castigar al esclavo y reducir su valor, o dejar que él y yo resolviéramos el asunto?

—¿Qué podía hacer yo? —preguntó el esclavo hablando en tono confidencial, pero esta vez en griego—. ¿Gritar a cualquiera que desfilara ante mí «He aquí a un gran maestro, un gran filósofo?». —Después de desahogarse, se calmó un poco—. En la Acrópolis de Atenas están esculpidos los nombres de mis abuelos —añadió.

El comerciante no comprendía nada.

Pero yo estaba intrigada y me lo estaba pasando muy bien.

Noté que la capa había vuelto a resbalar sobre mis hombros y le di un estirón. Qué ropas tan incómodas. ¿Es que nadie me había dicho que la seda resbala sobre la seda?

—¿Y qué me dices de Ovidio? —inquirí, respirando hondo. Me reía tanto que tenía los ojos llenos de lágrimas—. Aquí has escrito el nombre de Ovidio. ¿Es muy conocido aquí Ovidio? En Roma nadie se habría atrevido a escribir ese nombre en tu placa, te lo aseguro. Ni siquiera sé si Ovidio aún vive, y es una pena. Cuando tenía diez años leí *El arte de amar*; allí Ovidio me enseñó a besar. ¿Has leído esa obra?

El esclavo cambió de actitud. Su expresión se fue suavizando y noté que empezaba a confiar en que yo fuera una buena ama para él. Pero le costaba convencerse de ello.

El comerciante esperaba alguna señal que le indicara qué debía hacer. Era evidente que no comprendía lo que decíamos.

—Mira, insolente esclavo cojitranco —proseguí—. Si creyera que eres capaz de leerme unos pasajes de Ovidio por las noches, no dudaría en comprarte. Pero esta placa te hace pasar por una mezcla de Sócrates y Alejandro Magno. ¿En qué guerra de los Balcanes peleaste? ¿Cómo es que has ido a parar a manos de este vil tratante en lugar de trabajar en una buena casa? ¿Cómo es posible que alguien se crea esas mentiras? Si el ciego Homero hubiera cantado esa ridícula historia, la gente se hubiera levantado y hubiera abandonado la taberna.

El griego comenzaba a mostrarse enfadado, frustrado.

El comerciante alargó la mano en señal de advertencia, para contenerlo.

—¿Qué diantres le ocurrió a tu pierna? —pregunté—. ¿Cómo la perdiste? ¿Quién te hizo esta magnífica prótesis?

El esclavo bajó el tono de voz hasta convertirlo en un elocuente murmullo:

—La perdí durante una cacería de jabalíes, con mi amo romano —declaró pacientemente—. Él me salvó la vida. Salíamos a cazar con frecuencia. Ocurrió en Pentélico, la montaña...

—Sé dónde se encuentra Pentélico, gracias —repliqué.

La expresión del esclavo resultaba elegante. Estaba totalmente confundido. Se pasó la lengua por los labios resecos.

—Pedid a este comerciante que os traiga un pergamino y tinta. —El esclavo se expresaba en un latín muy bello, con la elegancia de un actor o un orador, pero sin el menor esfuerzo—. Escribiré para vos *El arte de amar*, de memoria —dijo suavemente, implorando entre dientes, lo cual no es empresa fácil—, y luego copiaré toda la historia de los persas escrita por Jenofonte, si disponéis de tiempo; en griego, naturalmente. Mi amo me trataba como a un hijo; luché con él, estudié con él, aprendí con él. Yo le escribía las cartas. Su educación constituyó mi educación, porque él lo quiso así.

—Ah —repuse en tono orgulloso, aliviada.

El esclavo parecía ahora un perfecto caballero, furioso, atrapado en unas intolerables circunstancias pero digno, razonando con la suficiente vehemencia para reforzar su espíritu.

—¿Y en la cama? ¿Sabes hacerlo en la cama? —pregunté. Ignoro qué rabia o desesperación me llevó a formular semejante pregunta.

El esclavo me miró escandalizado. Buena señal. Abrió los ojos como platos y frunció el ceño.

A todo esto el vendedor de esclavos apareció con la tablilla, una banqueta, un pergamino y tinta, y lo depositó sobre los calientes adoquines.

—Toma, escribe —ordenó al esclavo—. Dibuja unas letras para esta mujer. Suma unos números, o te mataré y venderé tu pierna.

Solté una carcajada. Miré al esclavo, quien no salía de su asombro. Luego dirigió una mirada de desprecio al comerciante.

—¿Respetarás a las esclavas? —pregunté en tono condescendiente—. ¿Te gustan los muchachos?

—¡Podéis confiar plenamente en mí! —repuso el esclavo—. Soy incapaz de cometer una falta contra mi amo.

—¿Y si deseo que te acuestes en mi lecho? Soy la dueña de mi casa, dos veces viuda e independiente, y romana.

Su rostro se ensombreció. No pude identificar las emociones que dejaba entrever su expresión, la tristeza, la indecisión, la confusión y la perplejidad que lo transformaron.

—¿Y bien? —pregunté.

—Digamos, señora, que sin duda os complacerá más mi forma de recitar a Ovidio que cualquier intento por mi parte de interpretar sus versos.

—De modo que te gustan los muchachos —dije asintiendo con la cabeza.

—Nací esclavo. Me contentaba con los muchachos. No conocí otra cosa. Pero no necesitaba ni a las muchachas ni a los muchachos. —Se sonrojó y bajó la vista.

Una hermosa muestra de modestia ateniense.

Le indiqué que se sentara.

Me obedeció con una naturalidad y una gracia asombrosas, teniendo en cuenta las circunstancias: el calor, la suciedad, la multitud, la frágil banqueta sobre la que estaba sentado, y la precaria mesa.

Tomó la pluma y escribió rápidamente en un griego impecable: «¿He ofendido a esta dama de extraordinaria erudición y paciencia excepcional? ¿He propiciado, con mi imprudencia, mi propia desgracia?» Luego siguió escribiendo en latín: «¿Nos dice Lucrecio la verdad cuando afirma que la muerte no tiene nada que temer?» Tras reflexionar unos instantes escribió de nuevo en griego: «¿Son Virgilio y Horacio realmente equiparables a nuestros grandes poetas? ¿Lo creen realmente los romanos, o sólo confían en que sea cierto, sabiendo que sus logros resplandecen en otras artes?»

Leí lo que había escrito con gran atención, sonriendo complacida. Me había enamorado del esclavo. Observé su nariz delgada, el hoyuelo de su barbilla y sus verdes ojos que me miraban fijamente.

—¿Cómo has llegado a esto? —pregunté—. Un mercado de esclavos en Antioquía. Según dices, te criaste en Atenas.

El esclavo trató de ponerse de pie para responder, pero yo le obligué a sentarse de nuevo.

—No puedo deciros nada respecto a eso —contestó—. Sólo que mi amo me quería mucho, que murió en su lecho rodeado de su familia, y que yo me encuentro aquí.

—¿Por qué no te liberó tu amo en su testamento?

—Lo hizo, señora, y con dinero.

—¿Qué pasó pues?

—No puedo deciros más.

—¿Por qué? ¿Quién te vendió?

—Señora —repuso el esclavo—, os ruego que valoréis mi lealtad a la casa en que serví toda mi vida. No puedo decir más. Si me convierto en vuestro sirviente, os ofreceré la misma lealtad. Vuestra casa será mi casa, y sagrada para mí. Lo que suceda entre las paredes de vuestra casa no saldrá de allí. Hablo de la virtud y la bondad de mi amo porque es lo que debo decir. No deseo añadir nada más.

La antigua y sublime moral griega.

—¡Escribe más cosas, date prisa! —dijo el tratante de esclavos.

—Déjalo en paz —le ordené—. Ya ha escrito bastante.

El apuesto esclavo de cabello castaño, aquel hombre cojo y extraordinariamente atractivo, había caído en una profunda melancolía y dirigió la vista hacia el distante foro, a través de las fugaces siluetas que iban y venían por la boca del callejón.

—¿Qué haría si fuera un hombre libre? —se preguntó mirándome desde una postura de total soledad—. ¿Copiar textos todo el día en las librerías de la ciudad por un jornal irrisorio? ¿Escribir cartas a cambio de unas monedas? Mi amo arriesgó su vida para salvarme de aquel jabalí. Combatí a las órdenes de Tiberio en Iliria, donde logró sofocar todas las revueltas con quince legiones. Le corté la cabeza a un hombre para salvar a mi amo. ¿En qué me he convertido ahora?

Sentí un inmenso dolor.

—¿En qué me he convertido ahora? —repitió el esclavo—. Si fuera libre, apenas tendría qué comer, dormiría en una vivienda inmunda y me cortarían y robarían la pierna de marfil.

Yo lancé una exclamación, horrorizada, y me llevé una mano a los labios.

El esclavo me miró con ojos arrasados en lágrimas, y su voz se dulcificó al tiempo que adquiría un tono más enérgico y convincente.

—Oh, sí, podría enseñar filosofía debajo de esos arcos, hablando sobre Diógenes y fingiendo que me gusta ir vestido con harapos, como hacen sus seguidores hoy en día. ¡Menudo circo han montado! ¿Os habéis fijado? ¡Jamás he visto tantos filósofos como en esta ciudad! Echad un vistazo alrededor cuando regreséis a casa. ¿Sabéis qué requisito se exige para enseñar filosofía aquí? Mentir. Lanzar unas palabras sin el menor sentido lo más rápidamente posible a tus jóvenes alumnos, asumir un aire sesudo cuando no sabes qué responder, inventarte una sarta de sandeces y atribuirlas a los antiguos estoicos.

El esclavo se detuvo y trató de recobrar la compostura.

Sentí deseos de romper a llorar.

—Como habréis visto, no sé mentir —añadió—. Eso ha sido lo que me ha perjudicado ante vos, ilustre señora.

Yo estaba destrozada por dentro, y sus palabras reabrieron lentamente las heridas. El valor que me había obligado a salir de mi voluntaria reclusión comenzó a disiparse. Él debió de ver mis lágrimas.

Se volvió de nuevo hacia el foro.

—Sueño con un amo o un ama respetable, con una casa digna. ¿Puede un esclavo alcanzar el honor mediante la contemplación del honor? La ley dice que no. Por consiguiente, cualquier esclavo que sea llamado a declarar en un juicio debe ser torturado, puesto que carece de honor. Pero la razón dice lo contrario. He aprendido y puedo enseñar lo que representa la valentía y el honor. Y sí, todo cuanto dice esta tablilla es cierto. No tuve tiempo ni ocasión de atemperar su estilo jactancioso.

El esclavo agachó la cabeza y miró nuevamente hacia el foro, como si contemplara un mundo perdido. Luego se enderezó en la silla para demostrar coraje, y nuevamente trató de ponerse en pie.

—No, siéntate —le indiqué.

—Señora —dijo el griego—, si queréis comprarme para utilizar mis servicios en una casa de mala nota, permitidme que os diga... si es para torturar o violentar a esas jóvenes que habéis adquirido, si me ordenáis que proclame sus encantos por la calle, me niego a hacerlo. Me resulta tan deshonroso como remar o mentir. ¿Por qué queréis comprarme?

Las lágrimas permanecían simplemente suspendidas entre él y esa visión del mundo que lo rodeaba. Su rostro mostraba una expresión serena.

—¿Te parezco una ramera? —pregunté escandalizada—. ¡Por todos los dioses, me he puesto mis mejores ropas! He procurado presentar un aspecto lo más asquerosamente respetable envuelta en estas finas sedas. ¿Acaso ves crueldad en mis ojos? ¿Tan increíble te parece que la gente con temple logre sobrevivir al dolor? No es necesario pelear en un campo de batalla para tener coraje.

—¡No, señora, no! —protestó el esclavo, quien lamentaba que me sintiera ofendida.

—Entonces, ¿por qué me insultas de este modo? —inquirí, profundamente herida—. Y no estoy de acuerdo contigo en lo que has escrito ahí, en que no se puede equiparar a nuestros poetas romanos con los griegos. No conozco nuestro destino en cuanto imperio, y esto me aflige, como afligía a mi padre y al padre de mi padre. ¿Por qué? ¡Lo ignoro! —Me volví, dispuesta a marcharme, aunque en realidad no tenía intención de hacerlo. Sus insultos habían ido demasiado lejos.

El esclavo se inclinó hacia mí sobre la mesa de escribir.

—Señora —dijo, bajando la voz y empleando un tono aún más solícito—, disculpad mis estúpidas palabras. Sois una auténtica paradoja. Lleváis el rostro pintado de forma excéntrica, y creo que no os habéis pintado correctamente los labios. Tenéis los dientes manchados de carmín. No os habéis empolvado los brazos. Lleváis puestas tres túnicas de seda, a través de las cuales puedo distinguir vuestras formas. Os habéis peinado al estilo bárbaro con dos trenzas que se han desplomado sobre vuestros hombros, y de vuestra cabeza cae una incesante lluvia de horquillas de plata y oro. Fijaos en estas que se os acaban de caer. Procurad no pincharos con ellas. Vuestra capa, más apropiada para la noche, ha caído al suelo, y lleváis los dobladillos de vuestras túnicas arrastrando por el polvo.

Sin interrumpir ni por un instante su discurso, el esclavo se agachó y recogió airosamente mi *palla*; luego se levantó para ofrecérmela, rodeó la mesa y me la colocó sobre los hombros.

—Habláis con una velocidad prodigiosa, y os expresáis de forma muy incisiva —continuó el griego—, pero lleváis un enorme puñal en el ceñidor. Deberíais ocultarlo en vuestro antebrazo, debajo de la capa. Y no hablemos de vuestra bolsa. Os vi sacar de ella unas monedas de oro para comprar a las jóvenes esclavas. Es demasiado grande y difícil, por ello, de ocultar. Y vuestras manos; tenéis unas manos muy bellas, tan elegantes como vuestro latín y vuestro griego, pero están manchadas de tierra, como si hubiérais estado excavando.

Yo sonreí. Había conseguido contener las lágrimas.

—Eres muy observador —dije en tono risueño. Me sentía cautivada por él—. ¿Por qué he tenido que herirte tan profundamente para descubrir tu alma? ¿Por qué no podemos mostrarnos sencillamente como somos? Necesito un administrador enérgico, un guardián capaz de portar armas, administrar mi casa y protegerla, porque vivo sola. ¿De verdad puedes ver mis formas a tavés de estas numerosas capas de seda?

Él asintió con la cabeza.

—Bien, ahora que he conseguido colocaros la capa sobre los hombros y obligaros a ocultar el... puñal en vuestro ceñidor... —El esclavo se sonrojó.

Al cabo de unos instantes, cuando le sonreí tratando de recobrar la compostura y de impedir que me embargara de nuevo la oscuridad, una oscuridad que me arrebataría toda la confianza en mí misma, toda fe en mi tarea, el griego continuó:

—Señora, aprendemos a ocultar nuestra alma porque otros la traicionan. Pero yo no dudaría en confiaros la mía. Estoy convencido de ello, y os ruego que recapacitéis. Puedo protegeros. Puedo administrar vuestra casa. No molestaré a vuestras jóvenes esclavas. Pero desdichadamente, pese a las numerosas batallas en las que participé en Iliria, sólo tengo una pierna. Regresé a casa después de tres años de constantes y sangrientas batallas para perderla ante un jabalí porque una lanza, mal templada y fabricada, se partió en el preciso momento en que la arrojé contra el animal.

—¿Cómo te llamas? —pregunté.

—Flavius —respondió el esclavo. Era un nombre romano.

—Flavius —dije.

—Señora, se os ha vuelto a caer el manto de la cabeza. Y esos pequeños alfileres son muy puntiagudos, os haréis daño.

Dejé que volviera a cubrirme con la capa como si él fuera mi Pigmalión y yo su Galatea. Flavius la sostuvo con las yemas de los dedos, pero la capa estaba ya muy sucia.

—Esas jóvenes que has visto —dije— son mis sirvientas

desde hace media hora. Debes comportarte con ellas como un jefe benevolente. Pero si te vas a la cama con alguna mujer bajo mi techo, será mejor que se trate de mi cama. ¡Soy de carne y hueso!

El esclavo asintió con la cabeza, incapaz de articular palabra.

Abrí mi bolsa y saqué las monedas que estaba dispuesta a pagar por él, un precio razonable comparado con los de Roma, donde los esclavos siempre alardeaban de lo que les habían costado a sus amos. Deposité el oro sobre la mesa, sin reparar en la efigie de las monedas, calculando tan sólo su valor.

El esclavo me miró fascinado, y luego dirigió rápidamente la vista hacia el vendedor.

El baboso, cruel y despreciable comerciante de esclavos se infló como un sapo y me informó de que aquel valioso y erudito griego iba a ser subastado por un precio elevado. Varios hombres de fortuna habían manifestado su interés en comprarlo. Dentro de una hora toda la clase de una escuela iba a formularle numerosas preguntas. Unos funcionarios romanos habían enviado a sus administradores para examinarlo.

—No tengo fuerzas para seguir discutiendo —dije, disponiéndome a abrir de nuevo la bolsa.

Pero Flavius, mi nuevo esclavo, se apresuró a detenerme. Luego miró al vendedor con aire de gran autoridad y desdén y exclamó entre dientes:

—¡Por un hombre cojo! ¡Ladrón! ¿Eres capaz de cobrarle ese precio a mi ama, aquí en Antioquía, donde existe tal cantidad de esclavos que los barcos los llevan a Roma porque es el único medio de que los vendedores obtengáis algunos beneficios?

Me quedé impresionada. Todo había salido a pedir de boca. La oscuridad se había disipado, y por unos instantes se me antojó que el calor del sol encerraba un significado divino.

—¡Has estafado a mi ama y lo sabes de sobra! ¡Eres la escoria de la tierra! —continuó Flavius—. Señora, ¿pensáis adquirir más esclavos a este canalla? ¡Os aconsejo que no lo hagáis!

El comerciante esbozó una sonrisa bobalicona, una grotesca mueca de cobardía y estupidez, hizo una reverencia y me devolvió un tercio del dinero que le había entregado.

Apenas logré reprimir otra carcajada. La capa se me había vuelto a caer al suelo por enésima vez. Flavius me la recogió. En esta ocasión me la anudé sobre el pecho.

Miré las monedas que me había devuelto el comerciante, se las confié a Flavius y nos marchamos.

Cuando nos mezclamos entre la multitud que circulaba por el centro del foro, me eché a reír ante lo cómico del asunto.

—Ya has comenzado a protegerme, Flavius, ahorrándome dinero y dándome unos consejos excelentes. Si hubiera más hombres como tú en Roma, el mundo sería un lugar más agradable.

Mis palabras conmovieron al esclavo. No podía hablar.

—Señora —murmuró tras no pocos esfuerzos—, mi cuerpo y mi alma os pertenecen para siempre.

Yo me alcé de puntillas y lo besé en la mejilla. Me di cuenta de que su desnudez, su mísero y sucio taparrabos, era una humillación que él soportaba sin señal de protesta.

—Toma —dije, entregándole algo de dinero—. Lleva a las muchachas a casa, ponlas a trabajar y luego ve a los baños. Lávate. Lávate a fondo, como los romanos. Acuéstate con un muchacho, si lo deseas. Luego cómprate ropa elegante, no ropa para un esclavo, sino la que comprarías para un joven y rico amo romano.

—¡Os ruego que ocultéis esa bolsa, señora! —dijo Flavius al tomar las monedas—. ¿Cómo se llama mi ama? ¿A quién debo decir que pertenezco, en caso de que me lo pregunten?

—A Pandora de Atenas —respondí—. Por cierto, tendrás que ponerme al corriente de la situación actual de mi lugar de nacimiento, pues en realidad jamás he estado allí. Pero me gusta llevar un nombre griego. Ahora vete. ¡Mira, las muchachas están observándonos!

No eran las únicas que nos observaban. ¡Ay, esta seda roja! Y Flavius era un espléndido ejemplar masculino.

Le volví a besar y le susurré al oído, intencionadamente:

—Te necesito, Flavius.

Él me miró pasmado.

—Soy vuestro para siempre, señora —murmuró.

—¿Estás seguro que no podrías acostarte conmigo?

—Oh, creedme, lo he intentado —confesó, sonrojándose de nuevo.

Crispé la mano en un puño y le propiné un cariñoso golpecito en su musculoso brazo.

—Muy bien —dije.

A un gesto mío, las jóvenes se apresuraron a levantarse. Sabían que enviaba a Flavius a recogerlas. Entregué a éste la llave de mi casa, le di las señas, describí las características de la verja y de la vieja fuente con una cabeza de león de bronce situada a la entrada.

—¿Y vos, señora? —preguntó Flavius—. ¿Acaso pensáis mezclaros entre la multitud, sola y sin protección? ¡Lleváis una gran bolsa llena de oro!

—Espera a ver el oro que tengo en casa —repuse—. Considérate la única persona autorizada a abrir las arcas, y luego ocúltalas en unos escondrijos apropiados. Reemplaza todos los muebles que destrocé en mi... soledad. Encontrarás muchas y magníficas piezas guardadas en las habitaciones superiores.

—¿Que guardáis oro en la casa? —preguntó Flavius, perplejo—. ¿Arcas llenas de oro?

—No te preocupes por mí —contesté—. Ahora sé a quién pedir ayuda si la necesito. Si me traicionas, si robas mi legado y a mi regreso compruebo que has saqueado mi casa, supongo que lo tendré bien merecido. Cubre las arcas de oro con alfombras. Mi casa está repleta de pequeñas alfombras persas. Las hallarás arriba. ¡Y ocúpate del altar!

—Haré cuanto me habéis ordenado y más.

—Eso he supuesto. Un hombre que no sabe mentir, no puede robar. Este sol es insufrible. Ve a recoger a las muchachas, te están esperando.

Tras estas palabras di media vuelta.

Pero Flavius se plantó frente a mí y dijo:

—Hay algo que debo deciros, señora...

—¿De qué se trata? —pregunté con expresión recelosa—. No irás a decirme que eres un eunuco. Los eunucos no tienen esos músculos en los brazos y las piernas.

—No —me repuso Flavius. Luego se puso serio—. Antes mencionasteis a Ovidio. Ovidio ha muerto. Falleció hace dos años en la fatídica población de Tomis, en la orilla superior del mar Negro. El emperador no pudo haber elegido un lugar más nefasto para su destierro, pues estaba habitado por bárbaros.

—Nadie me había informado de ello. ¡Qué silencio tan repugnante! —exclamé, cubriéndome el rostro con las manos. La capa cayó al suelo, Flavius la recogió. Apenas reparé en ello—. He rezado para que Tiberio dejara regresar a Roma a Ovidio. —Me dije que no debía entretenerme en esas cosas—. Ovidio. No tengo tiempo ahora para llorar por él...

—Sin duda sus libros abundan aquí —comentó Flavius—. En Atenas es muy fácil encontrarlos.

—Bien, espero que tengas tiempo de buscarme algunas obras de Ovidio. Me marcho, pese a mis horquillas, a mis trenzas deshechas y a mi manto que no cesa de caer al suelo. No importa. Y no me mires tan preocupado. Cuando salgas de casa, cierra la puerta con llave para que nadie me robe a las muchachas y el oro.

Cuando me volví, vi a Flavius dirigirse con paso ágil y airoso hacia las jóvenes esclavas. Los rayos del sol realzaban los músculos de su espalda. Me fijé en su pelo rizado y castaño, parecido al mío. El esclavo se detuvo un momento cuando un vendedor ambulante le abordó con un montón de túnicas y capas baratas, además de otras prendas, seguramente robadas, teñidas con un tinte que probablemente desaparecía con las primeras gotas de lluvia. Flavius compró una túnica, que se apresuró a ponerse, y luego un ceñidor rojo que se colocó alrededor de la cintura.

Qué transformación. La túnica le llegaba a la mitad de las rodillas. Supongo que debió de ser un alivio para él lucir una prenda limpia. Debería haber pensado en ello antes de despedirme de él. Fue una estupidez por mi parte.

Yo lo admiraba. Desnudo o vestido, nadie puede ostentar semejante belleza y dignidad a menos que haya sido amado. Flavius llevaba el afecto que había recibido inscrito en el arte de su pierna de marfil.

En nuestro breve encuentro, se había forjado entre nosotros un vínculo perenne.

Flavius saludó a las muchachas. Luego les pasó los brazos por los hombros y las guió por entre la multitud hacia la salida.

Yo me dirigí directamente al templo de Isis, dando con ello, sin proponérmelo, el primer paso hacia una vil inmortalidad, una infausta e inmerecida supernaturaleza, una suerte fatal y absurda.

5

Tan pronto como entré en el recinto del templo fui recibida por varias prósperas romanas, quienes me acogieron con generosidad. Todas lucían el maquillaje de rigor, los brazos y rostros pintados de blanco, las cejas bien delineadas y carmín en los labios, los detalles que yo había convertido en un desastre aquella mañana. Les expliqué que aunque tenía medios, era una mujer independiente. Ellas me ofrecieron su ayuda sin reservas. Cuando les informé de que me había iniciado en Roma, se mostraron impresionadas.

—Da gracias a nuestra Madre Isis de que no te descubrieran y ejecutaran —observó una de las romanas.

—Entra a hablar con la sacerdotisa —me aconsejaron. Muchas de ellas aún no se habían sometido a las ceremonias secretas y aguardaban a que la diosa las convocara para tan trascendental acontecimiento.

Había muchas otras mujeres allí, algunas egipcias, otras quizá babilonias. Las joyas y las sedas estaban a la orden del día. Llevaban unas capas ribeteadas con vistosos dibujos pintados en oro; algunas vestían con sencillez.

Pero me pareció que todas ellas hablaban griego.

No me atrevía a entrar en el templo. Al levantar la vista tuve una visión de nuestra sacerdotisa crucificada en Roma.

—Gracias a Dios que no te identificaron —dijo una mujer.

—Mucha gente ha huido a Alejandría —comentó otra.

—Yo me abstuve de protestar —repuse débilmente.

La frase fue acogida con un coro de exclamaciones de simpatía.

—¿Cómo ibas a protestar, bajo el gobierno de Tiberio? Créeme, todos los que pudieron se escaparon.

—No te desanimes —dijo una joven griega de ojos azules, vestida con ropas suntuosas.

—Yo me había apartado del culto —dije.

Se oyó de nuevo un coro de voces dulces y tranquilizadoras.

—Anda, entra —dijo una mujer—, y pide permiso para rezar en el santuario de nuestra Madre. Eres una iniciada. La mayoría de las que estamos aquí aún no lo somos.

Asentí con la cabeza.

Subí los escalones del templo y entré en él.

Me detuve para sacudir de mi capa lo mundano, esto es, todas las frases banales que había oído. Mi mente se centraba en la diosa, y deseaba creer en ella desesperadamente. Detestaba mi hipocresía, el hecho de que yo utilizara ese templo y ese culto, pero en aquellos momentos no me pareció importante. La desesperación que yo había experimentado durante tres noches seguidas me había afectado profundamente.

Al entrar me llevé un sobresalto.

El templo era mucho más antiguo que el nuestro en Roma, y sus muros aparecían cubiertos con pinturas egipcias. De pronto sentí un escalofrío. Las columnas, de estilo egipcio, no eran estriadas sino suavemente redondeadas, pintadas de naranja, y sus capiteles formaban unas gigantescas flores de loto. El olor a incienso era muy potente y percibí una música que emanaba del santuario. Oí las sutiles notas de la lira y de las cuerdas metálicas del sistro al ser pulsadas, y oí también que entonaban una letanía.

Pero era un lugar totalmente egipcio, que me envolvió con tanta firmeza como mis sueños de sangre. Estuve a punto de desmayarme.

Los sueños acudieron de nuevo, la profunda y paralizadora sensación de hallarme en un santuario secreto en Egipto, mi alma engullida por otro cuerpo.

Cuando la sacerdotisa se acercó, me sobresalté.

En Roma, su vestimenta habría sido puramente romana, y tal vez habría lucido un pequeño y exótico tocado que le llegaría a los hombros.

Pero la mujer llevaba una túnica egipcia de lino plisado, al viejo estilo, un magnífico tocado egipcio y una peluca, cuya amplia y larga cabellera de trenzas negras caían rígidamente sobre sus hombros. Presentaba un aspecto tan extravagante como Cleopatra.

Yo sólo había oído unas historias sobre el amor de Julio César por Cleopatra, y después la relación de ésta con Marco Antonio, y su muerte posterior.

Pero sabía que la fabulosa entrada de Cleopatra en Roma había horrorizado el antiguo sentido de la moralidad romana. Yo siempre había sabido que las viejas familias romanas temían las artes mágicas egipcias. En la reciente y punitiva matanza romana, que ya he descrito, se alzaron muchas voces de protesta contra las costumbres tolerantes y la lujuria; pero por debajo de ello existía el secreto temor al misterio y al poder que se ocultaban tras las puertas del templo.

Y ahora, al mirar a la sacerdotisa, sus ojos pintados, sentí ese temor en mi alma. Lo sabía. Aquella mujer parecía haber salido de mis sueños, pero no fue eso lo que me impresionó, pues a fin de cuentas, ¿qué son los sueños?

Era una mujer egipcia, que me resultaba totalmente extraña e inescrutable.

Mi Isis había sido grecorromana. Incluso su estatua en el santuario estaba vestida con una preciosa túnica griega y peinada al antiguo estilo griego, con unos suaves bucles que le enmarcaban el rostro. Incluso sostenía un sistro y una urna. Era una diosa romanizada.

Quizás había ocurrido lo mismo con la diosa Cibeles en

Roma. Roma tenía la costumbre de devorarlo todo y transformarlo en romano.

Dentro de pocos siglos, aunque entonces yo no había pensado en ello —¿cómo iba a hacerlo?—, Roma devoraría y daría forma a los seguidores de Jesús de Nazaret, convirtiendo a sus cristianos en la Iglesia católica romana.

Supongo que conoces la expresión moderna de «cuando a Roma fueres, haz lo que vieres».

Pero allí, en aquella penumbra rojiza, entre la luz oscilante de las velas y un incienso más acre e intenso que el que había aspirado jamás, soporté mi timidez en silencio. Entonces se abatieron de nuevo los sueños sobre mí, como múltiples velos, para envolverme. Vi en un instante fugaz a la hermosa Reina Madre, que sollozaba. No. Gritaba pidiendo auxilio.

—Apartaos de mí —murmuré al aire que me rodeaba—. Alejaos de mí, seres impuros y malvados. Alejaos de mí cuando me dispongo a entrar en la morada de mi bendita Madre.

La sacerdotisa me tomó de la mano. Oí voces procedentes de mi sueño, que discutían violentamente. Me esforcé en ver con mayor claridad, en ver a los fieles que se dirigían hacia el santuario para meditar o hacer una ofrenda, y pedir algún favor. Traté de comprender que era una nutrida multitud, apenas distinta de la de Roma.

Pero el contacto con la mano de la sacerdotisa me debilitó. Sus ojos pintarrajeados me inspiraban terror. Su ancho collar, compuesto por varias hileras de piedras lisas, me obligaba a pestañear debido al resplandor que despedía.

Me condujo al aposento privado del templo y me invitó a acomodarme en un suntuoso diván. Me tendí en él, exhausta.

—Alejaos de mí, seres malignos —murmuré—. Y también los sueños.

La sacerdotisa se sentó junto a mí y me abrazó con sus suaves brazos. Al alzar la vista contemplé una máscara.

—Hablad conmigo, eso aliviará vuestro sufrimiento —dijo la sacerdotisa en latín, con un fuerte acento—. Desahogaos.

De pronto, impulsivamente, le relaté toda mi historia familiar, el exterminio de mi familia, mis remordimientos, mi tormento.

—¿Y si yo fuera la causa del infortunio de mi familia por haber rendido culto en el templo de Isis? ¿Y si Tiberio lo hubiera tenido en cuenta? ¿Qué he hecho? Sacrificaron a los sacerdotes y no moví un dedo. ¿Qué desea de mí la Madre Isis? Quiero morir.

—Eso no es lo que ella desea de vos —respondió la sacerdotisa, mirándome fijamente. Tenía unos ojos enormes, o quizá fuera efecto de la pintura. No, vi el blanco de sus ojos, reluciente y puro. Su boca pintada de carmín desgranaba palabras como una leve brisa, en un tono monocorde.

Me sumí en un estado delirante, enajenado. Murmuré lo que pude sobre mi iniciación, los detalles que podía revelarle a una sacerdotisa pues esas cosas eran secretas, pero le confirmé que a través de esos ritos me había reencarnado.

Toda la debilidad que se había ido acumulando en mi interior estalló como un torrente.

Entonces le relaté mi sentimiento de culpa. Confesé que había abandonado el culto de Isis, hacía mucho tiempo, que durante los últimos años sólo había desfilado en las procesiones que se dirigían a la playa, cuando transportaban a la diosa hasta la orilla para que bendijera a los barcos. Isis, la diosa de la navegación. Confesé que no había llevado una vida piadosa.

No había movido un dedo cuando los sacerdotes de Isis habían sido crucificados. Me había limitado a protestar junto con muchos otros a espaldas del emperador. Entre mi persona y los romanos que opinaban que Tiberio era un monstruo se había fraguado un vínculo de solidaridad, pero no habíamos alzado nuestras voces en defensa de la diosa. Mi padre me había ordenado que guardara silencio. Y yo había obedecido. El mismo padre que me había ordenado que viviera.

Al volverme me caí del diván y permanecí tendida en el suelo. No sé por qué. Oprimí la mejilla contra las frías baldosas. Me gustaba sentir su frescor en la mejilla. Me hallaba en un estado de enajenación, aunque no fuera de control. Clavé la vista en el techo. Sabía una cosa. Quería salir de aquel templo. No me gustaba. No, me había equivocado al ir allí.

De pronto me odié por haberme mostrado tan vulnerable ante aquella mujer, a quien no conocía; me sentía atraída por la atmósfera de los sueños de sangre.

Abrí los ojos. La sacerdotisa se inclinó sobre mí. Vi a la sollozante Reina Madre de mis pesadillas. Volví la cabeza y cerré los ojos.

—Podéis estar tranquila —dijo la sacerdotisa en un tono calculado, perfecto—. No habéis hecho nada malo.

Me pareció extraño que aquella voz emanara de un rostro pintarrajeado como el suyo, pero era una voz firme.

—En primer lugar —prosiguió la sacerdotisa—, tened presente que nuestra Madre Isis todo lo perdona. Es la Madre de Misericordia. —Luego agregó—: Por lo que me habéis contado, habéis tenido una iniciación más completa que la mayoría de nosotras. Os habéis sometido a un largo ayuno. Os habéis bañado en la sangre sagrada del toro. Deduzco que bebisteis la poción. Soñasteis y visteis cómo renacíais.

—Sí —repuse, tratando de revivir el viejo éxtasis, el valioso don de creer en algo—. Sí. Contemplé las estrellas y los verdes prados sembrados de flores, unos prados...

Era inútil. Esa mujer me inspiraba terror; ansiaba salir de allí, quería irme a casa, confesarle todo aquello a Flavius y pedirle que me dejara llorar sobre su hombro.

—No soy piadosa por naturaleza —confesé—. Yo era muy joven. Me fascinaban las mujeres emancipadas que acudían al templo, las prostitutas de Roma, las dueñas de las casas de placer; me gustaban las mujeres independientes, que seguían los avatares del Imperio.

—Aquí también podéis gozar de la compañía de esas mujeres —respondió la sacerdotisa sin pestañear—. Podéis tener la seguridad de que vuestros viejos vínculos con el templo no fueron los causantes de vuestra desgracia en Roma. Por las noticias que nos han llegado, sabemos que las personas de alcurnia no fueron perseguidas por Tiberio cuando destruyó el templo. Los que sí tuvieron problemas fueron la puta callejera, el modesto tejedor, el peluquero, el peón de albañil. Ninguna familia noble fue perseguida en nombre de Isis. Ya lo sabéis. Algunas mujeres huyeron a Alejandría porque se negaron a renunciar al culto, pero no corrían peligro alguno.

Los sueños se aproximaban.

—Madre de Dios —murmuré.

La sacerdotisa continuó:

—Al igual que la Madre Isis, habéis sido víctima de una tragedia. Y al igual que la Madre Isis, debéis sacar fuerzas de flaqueza y caminar sola, como hizo Isis cuando su marido, Osiris, fue asesinado. ¿Quién la ayudó cuando recorrió todo Egipto en busca del cadáver de Osiris? Estaba sola. Es la diosa más grande que existe. Cuando recuperó el cadáver de su marido y no halló en él un órgano de generación que pudiera preñarla, extrajo su semen de su espíritu. Así fue como el dios Horus nació de una mujer y un dios. Fue el poder de Isis el que extrajo el espíritu del cadáver de su marido. Fue Isis quien engañó al dios Re para que le revelara su nombre.

Eso decía la vieja leyenda.

Volví la cabeza. No podía contemplar aquel rostro grotescamente maquillado. Supongo que ella debió de advertir mi repugnancia. No debía ofenderla. Ella no obraba de mala fe. No tenía la culpa de que me pareciera un monstruo. ¡Por qué se me habría ocurrido ir allí!

Permanecí tendida, como en un trance. La estancia se hallaba invadida por una luz suave y dorada que penetraba a través de sus tres puertas, de estilo egipcio, más anchas en la base que en la parte superior, y dejé que esta luz nublara mi vista. Le pedí que lo hiciera.

Sentí la mano de la sacerdotisa, una mano cálida y sedosa, de tacto muy agradable.

—¿Creéis en ello? —le pregunté de pronto.

Ella hizo caso omiso de mi pregunta. Su máscara pintada no dejaba traslucir sus creencias.

—Imitad a la Madre Isis. No dependáis de nadie. No soportéis la carga de tener que recuperar el cadáver de un marido o de un padre. Recibid en vuestra casa con amor a tantos hombres como deseéis. No pertenecéis a nadie, salvo a la Madre Isis. Recordad que Isis es la diosa del amor, la diosa que perdona, la diosa de una comprensión infinita porque también ella ha conocido el sufrimiento.

—¡El sufrimiento! —Lancé un gemido, un sonido muy infrecuente en mí durante buena parte de mi vida. Pero vi a la sollozante Reina de mis pesadillas, encadenada a su trono—. Escuchad —dije—, os relataré mis sueños, pero os ruego que luego me expliquéis el motivo de esto. —Me di cuenta de que en mi voz había una nota de irritación, y lo lamenté—. Esos sueños no son fruto del vino o de una poción, ni de largos períodos de vigilia que alteran la mente.

Entonces, sin proponérmelo, le hice otra confesión.

Le hablé de los sueños de sangre, los sueños sobre el antiguo Egipto en los que yo había bebido sangre: el altar, el templo, el desierto, el sol del amanecer.

—¡Amón Re! —exclamé. Era el nombre egipcio del dios del sol, que yo jamás había pronunciado. Pero ahora lo hice—. Sí, Isis le engañó para que le revelara su nombre, pero él me mató y me hizo beber su sangre, ¿me oís? ¡Me convirtió en una especie de diosa sedienta de sangre!

—¡No! —exclamó la sacerdotisa, que permaneció sentada, inmóvil. Reflexionó durante un buen rato. Yo la había atemorizado, y ahora ella me atemorizaba más que antes—. ¿Sabéis leer los antiguos jeroglíficos egipcios? —me preguntó.

—No —contesté.

Entonces, en un tono más relajado y vulnerable, dijo:

—Habláis de unas leyendas muy antiguas, enterradas en la historia de nuestro culto de Isis y Osiris, según las cuales antiguamente bebían la sangre de las víctimas como sacrificio. Aquí se conservan unos pergaminos que lo afirman. Pero nadie sabe descifrarlos, salvo una persona...

La sacerdotisa dejó la frase inacabada.

—¿Quién es esa persona? —inquirí, incorporándome sobre los codos. Me di cuenta entonces de que las trenzas se me habían deshecho por completo. Mejor. Me gustaba sentir mi cabellera suelta y limpia. Me pasé las manos por el pelo.

¿Qué sentiría una persona, sepultada bajo una tonelada de pintura y una peluca como la que llevaba la sacerdotisa?

—Decidme —insistí—, ¿quién es esa persona que sabe leer esas leyendas? ¡Decídmelo!

—Se trata de unas historias infames —respondió la sacerdotisa—, que sostienen que Isis y Osiris viven todavía, en algún lugar desconocido, bajo una forma material, y siguen bebiendo la sangre de sus víctimas. —La sacerdotisa hizo un gesto de rechazo y repulsión—. Pero nuestro culto no es así. Aquí no sacrificamos a seres humanos. Egipto era viejo y sabio mucho antes de que naciera Roma.

¿A quién trataba de convencer? ¿A mí?

—Nunca he tenido esos sueños, de forma sucesiva, basados en el mismo tema.

Observé que la sacerdotisa comenzaba a alterarse mientras hacía esas afirmaciones.

—A nuestra Madre Isis no le gusta la sangre. Ha derrotado a la muerte y ha confirmado a su esposo Osiris como Rey de los Muertos, pero para nosotros representa la vida misma. Ella no os envió esos sueños.

—Probablemente no. Estoy de acuerdo con vos. Pero entonces, ¿quién lo hizo? ¿De dónde proceden? ¿Por qué me atormentaron durante mi travesía? ¿Quién es esa persona que sabe leer los antiguos jeroglíficos?

La sacerdotisa estaba visiblemente trastornada. Me soltó la mano y clavó la vista en el infinito; sus ojos adquirieron una aparente ferocidad debido a la pintura negra.

—Quizás alguien os contó en vuestra infancia una antigua historia, posiblemente un viejo sacerdote egipcio. La habíais olvidado y ahora ha aflorado de nuevo en vuestra torturada mente. Se alimenta de un fuego al que no tiene derecho: la muerte de vuestro padre.

—Confío en que así sea, pero jamás he conocido a ningún viejo sacerdote egipcio. Los sacerdotes del templo eran romanos. Además, si analizamos los sueños, veremos un esquema muy preciso. ¿Por qué llora la Reina Madre? ¿Por qué me mata el sol? La Reina está encadenada. La Reina está prisionera. ¡La Reina padece un tormento atroz!

—Basta.

La sacerdotisa se estremeció. Luego me abrazó, como si fuera ella quien me necesitara a mí. Sentí el rígido tacto de su túnica de lino, la espesa mata de su peluca, y los acelerados latidos de su corazón.

—No —dijo—. Estáis poseída por un demonio al que podemos expulsar de vuestro cuerpo. Es posible que el vil asesinato de vuestro padre junto al hogar abriera el camino a ese demonio.

—¿Lo creéis realmente? —pregunté.

—Escuchad —respondió la sacerdotisa en un tono tan banal como el de las mujeres que se hallaban fuera—. Quiero que os bañéis, que os cambiéis de ropa. ¿Podéis cederme una parte de ese dinero? Si no es así, yo misma os procuraré lo que necesitéis. En este templo somos ricos.

—Aquí hay bastante dinero. Tomad cuanto queráis —contesté, sacando la bolsa de mi ceñidor.

—Lo dispondré todo. Ropas nuevas. Esta seda es demasiado frágil.

—¡Lo sé de sobra! —repliqué.

—Lleváis la capa desgarrada. Tenéis el cabello alborotado.

Entregué a la sacerdotisa una docena de monedas, más de las que había pagado por Flavius.

Al ver tanto dinero se quedó impresionada, pero se apresuró a disimularlo. De pronto me miró fijamente y consiguió esbozar una expresión a pesar de la gruesa capa de maquillaje que cubría su rostro. Temí que fuera a resquebrajarse.

Pensé que iba a estallar en sollozos. Yo me había convertido en una experta en hacer que la gente se echara a llorar. Mia y Lia habían llorado. Flavius también. Ahora iba a echarse a llorar la sacerdotisa. ¡La Reina del sueño estaba sollozando!

Me puse a reír como una loca, echando la cabeza hacia atrás, pero entonces vi a la Reina Madre. La vi en una imagen distante y borrosa, y experimenté una tristeza tan profunda que también yo estuve a punto de llorar. Mis burlas eran una blasfemia. Me estaba engañando a mí misma.

—Tomad este oro para el templo —dije—. Empleadlo en comprarme ropas nuevas, en lo que creáis que necesito. Pero deseo que mi ofrenda a la diosa consista en flores y pan, una pequeña hogaza recién horneada.

—Muy bien —respondió la sacerdotisa asintiendo con la cabeza—. Eso es lo que desea Isis. No desea sangre. ¡No! ¡Nada de sangre!

Luego me ayudó a levantarme.

—En el sueño —dije—, ella aparece sollozando. No le gustan esos bebedores de sangre, protesta, mostrando su indignación. No es ella quien bebe sangre.

La sacerdotisa me miró perpleja, y luego asintió con un enérgico movimiento de la cabeza.

—Sí, eso es evidente.

—Yo también protesto y sufro —dije.

—Sí, venid conmigo —pidió la sacerdotisa, conduciéndome a través de una puerta alta y recia y dejándome en manos de las esclavas del templo. Me sentí aliviada y cansada a un tiempo.

Qué placer que otras manos lo hicieran todo correctamente.

Durante un rato me pregunté si me adornarían con pliegues de lino blanco y trenzas negras, pero optaron por un estilo romano.

Las jóvenes me hicieron un hermoso peinado con las trenzas, formando como un círculo y dejando que una generosa cantidad de bucles me enmarcara el rostro.

Las ropas que me entregaron eran nuevas, de un lino de excelente calidad. El dobladillo estaba bordado con flores. Aquella obra de arte, tan precisa, tan minúscula, me pareció más valiosa que el oro.

Ciertamente, me complacía más que el oro.

¡Me sentía tan cansada! Y agradecida.

Las jóvenes me maquillaron el rostro más artísticamente de lo que yo era capaz, al estilo egipcio, y al mirarme en el espejo me llevé un sobresalto. No era tan exagerado como el maquillaje de la sacerdotisa, pero habían delineado mis ojos con pintura negra.

—Pero ¿cómo voy a quejarme? —murmuré.

Dejé el espejo sobre la mesa. Por fortuna, una no tiene que verse.

Me dirigí a la gran sala del templo, convertida en una respetable mujer romana, maquillada según el exótico estilo oriental, lo cual era muy común en Antioquía.

Hallé a la sacerdotisa acompañada por otras dos, vestidas tan formalmente como ella, y un sacerdote que lucía también el antiguo tocado egipcio, aunque no llevaba peluca sino una capucha a rayas. Vestía una túnica corta y plisada. Al volverse y ver que me dirigía hacia ellos, me miró irritado.

Temor. Un temor aplastante. «¡Huye de este lugar! —me dije—. Olvida la ofrenda, o pídeles que la hagan ellos en tu nombre. Vete a casa. Flavius te espera. ¡Sal de aquí!»

Estaba anonadada.

Dejé que el sacerdote me llevara aparte.

—Prestad atención —dijo suavemente—. Os conduciré al recinto sagrado. Dejaré que habléis con la Madre. Pero al salir venid a verme. No os marchéis sin haber hablado conmigo. Debéis prometerme que volveréis todos los días, y si esos sueños se repiten, debéis decírnoslo. Hay una persona a quien debéis hablar sobre ello, a menos que la diosa los aparte de vuestra mente.

—No tengo inconveniente en hablar de ello con cualquiera que pueda ayudarme —repuse—. Odio esos sueños... Pero os noto nervioso; ¿acaso me teméis?

El sacerdote negó con la cabeza.

—No os temo, pero debo revelaros algo. Es preciso que hable con vos hoy o mañana. Ahora id a hablar con la Madre, y luego venid a verme.

Las sacerdotisas me condujeron a la cámara del sanctasanctórum; delante del altar había unas cortinas de lino blanco. Vi mi ofrenda ante él: una enorme guirnalda de flores perfumadas y la hogaza de pan caliente.

Me postré de rodillas. Unas manos invisibles descorrieron las cortinas y me encontré a solas en la cámara, arrodillada ante la *Regina Caeli*, la Reina del Cielo.

Entonces me llevé otro sobresalto.

Era una antigua estatua egipcia de nuestra Isis, tallada en basalto oscuro. Llevaba un tocado largo y estrecho, sujeto detrás de las orejas.

Sobre la cabeza lucía un inmenso disco entre unos cuernos. Sus pechos estaban desnudos. En su regazo aparecía sentado el faraón adulto, su hijo Horus. Isis le ofrecía su pecho izquierdo para que mamara.

Fui presa de la desesperación. Esa imagen no significaba nada para mí. En vano traté de hallar la esencia de Isis en esa imagen.

—¿Me has enviado tú esos sueños, Madre? —murmuré.

Deposité las flores ante ella. Partí el pan.

En el silencio que emanaba la serena y antigua estatua no percibí el menor sonido.

Me postré en el suelo, con los brazos extendidos, y en el fondo de mi alma traté de decir acepto, creo, soy tuya, ¡te necesito!

Pero me eché a llorar. Lo había perdido todo. No sólo Roma

y a mi familia sino incluso a mi Isis. Aquella diosa era la encarnación de la fe de otra nación, otro pueblo.

Sentí que recuperaba la calma, poco a poco.

Entonces decidí que el culto de mi Madre se hallaba en todas partes, en el norte, el sur, el este y el oeste. El espíritu de aquel culto era lo que le confería su poder. Yo no necesitaba besar literalmente los pies de aquella efigie. No se trataba de eso.

Me incorporé despacio y me senté en el suelo. Entonces tuve una revelación. No la recuerdo con detalle, pero lo comprendí de inmediato.

Comprendí que todo aquello no era sino símbolo de otras cosas. Comprendí que todos los ritos reproducían otros acontecimientos. Comprendí que en nuestras prácticas mentes humanas concebíamos esas cosas con una inmensidad de alma que no permitiría que el mundo quedara desposeído de significado.

Y aquella estatua representaba el amor. El amor sobre la crueldad. El amor sobre la injusticia. El amor sobre la soledad y la condenación. Eso era lo importante. Contemplé el rostro de la diosa y comprendí que la conocía. Observé al pequeño faraón, el pecho que le ofrecía su madre.

—¡Soy tuya! —dije con frialdad.

Sus toscos y primitivos rasgos egipcios no impedían que me llegara al corazón; contemplé su mano derecha, con la que sostenía su pecho.

Amor. El amor nos exige fuerza, nos exige resistencia, nos exige aceptar todo cuanto nos es desconocido.

—Madre bendita, aleja de mí esos sueños —dije—, o revélame su propósito y el camino que debo seguir. Te lo suplico.

Luego recité una antigua letanía en latín:

Tú has hecho que se separen el Cielo y la Tierra.
Tú eres quien se alza en la estrella del Can Mayor.
Tú haces que los niños amen a sus padres.
Tú has decretado misericordia para todo aquel que la implore.

Yo creía en esas palabras, pero de un modo profano. Creía en ellas porque veía que su culto había reunido las mejores ideas que eran capaces de concebir los hombres y las mujeres. Ésa era la función de una diosa; ése era el espíritu del que obtenía su vitalidad.

El falo perdido de Osiris existe en el Nilo. Y el Nilo insemina los campos. ¡Qué hermoso!

Lo importante era no rechazarlo, como sugería Lucrecio, sino comprender lo que representaba su imagen. Extraer de esa imagen lo mejor de mi alma.

Y cuando contemplé aquellas preciosas flores blancas, pensé: «Es tu sabiduría, Madre, que las hace florecer.»

Con ello quería decir que en el mundo existían muchas cosas dignas de ser atesoradas, preservadas, honradas, que nos producían un placer luminoso, y que ella, Isis, encarnaba esos conceptos demasiado profundos para denominarlos ideas.

Yo la amaba, amaba la expresión de bondad que constituía Isis.

Cuanto más contemplaba su rostro de piedra, más me parecía que podía verme. Un viejo truco. A medida que permanecía arrodillada allí, tuve la impresión de que me hablaba. Pero fui plenamente consciente de que eso no significaba nada. Los sueños se habían alejado. Me parecían un enigma al que encontraría una solución idiota.

Entonces me arrastré hacia ella y le besé los pies con auténtico fervor.

La ceremonia había concluido.

Salí de allí sintiéndome recuperada, jubilosa.

Ya no tendría aquellos sueños. Aún no había anochecido. Me sentí feliz.

En el patio del templo hallé numerosas amigas, y tras sentarme junto a ellas debajo de los olivos, les sonsaqué toda la información práctica que necesitaba para vivir: cómo conseguir cocineros, peluqueros, dónde adquirir tal o cual objeto.

Dicho de otro modo, mis ricas amigas me informaron de

todo lo que necesitaba para dirigir mi casa eficazmente sin llenarla de esclavos. Me las arreglaría con Flavius y las dos muchachas. Excelente. Todo lo demás podía contratarlo o comprarlo.

Por fin, agotada, con la cabeza llena de nombres y señas que recordar, después de haberme divertido con los chistes y las historias de aquellas mujeres, admirada de la facilidad con que se expresaban en griego —una lengua que siempre me había fascinado— decidí irme a casa.

Ya podía ponerme manos a la obra.

El templo seguía atestado de gente. Observé las puertas. ¿Dónde estaba el sacerdote? Bueno, regresaría al día siguiente. No quería revivir de nuevo aquellos sueños. Muchas personas entraban y salían con flores y panes, y algunos pájaros para que los liberara la diosa, unos pájaros que saldrían volando por la elevada ventana del santuario.

Qué calor hacía allí. La tapia estaba cubierta con gran profusión de flores. Siempre había pensado que era imposible que existiera un lugar más bello que la Toscana, pero aquel lugar también era muy hermoso.

Salí del patio, pasé ante los escalones, y entré en el foro.

Me acerqué a un hombre situado bajo los arcos, que estaba enseñando a un grupo de muchachos todo cuanto Diógenes había propugnado: que renunciáramos a la carne y a sus placeres, que lleváramos una vida pura y rechazáramos el goce de los sentidos.

Era tal como Flavius lo había descrito. Pero el hombre creía en cada palabra que decía, y era culto. Habló de una resignación liberadora. Me sentí atraída por él pues supuse que eso era lo que yo había experimentado en el templo.

Los muchachos que lo escuchaban eran demasiado jóvenes para comprenderlo. Pero yo sí lo comprendí. Aquel hombre me gustaba. Tenía el pelo entrecano y llevaba una túnica larga y sencilla. No se exhibía con ostentosos harapos.

Me apresuré a interrumpirle. Con una humilde sonrisa le

ofrecí el consejo de Epicuro, de acuerdo con el cual el Señor no nos habría dado los sentidos si no fueran útiles. ¿No era así?

—¿Acaso debemos negar nuestros sentidos? Fijaos en el patio del templo de Isis, mirad las flores que adornan la tapia. ¿No es un espectáculo digno de ser disfrutado? Contemplad el intenso rojo de esas flores que bastarían para animar a una persona deprimida. ¿Quién puede afirmar que los ojos son más sabios que las manos o los labios?

Los jóvenes se volvieron hacia mí. Discutí con algunos. Qué hermosos y lozanos eran. Había también hombres de pelo largo, procedentes de Babilonia, e incluso hebreos de alcurnia, con los brazos y el pecho muy peludos, y muchos romanos coloniales a quienes impresionaron mis argumentos de que en los placeres de la carne y en el vino hallamos la verdad de la vida.

—Las flores, las estrellas, el vino, los besos de nuestro amante, todo forma parte de la naturaleza —dije. Me sentía exultante despues de mi visita al templo, donde había descargado todos mis temores y había resuelto mis dudas. En aquel momento era invencible. El mundo aparecía renovado.

El maestro, cuyo nombre era Marcellus, salió de debajo del arco para saludarme.

—Ah, graciosa dama, me dejáis asombrado —dijo—. Pero ¿de quién habéis aprendido esas creencias? ¿De Lucrecio? ¿De la experiencia? Tenéis que comprender que no debemos animar a la agente a abandonarse a los sentidos.

—¿Quién ha hablado de abandonarse? —pregunté—. Ceder no significa abandonarse. Significa honrar. Yo hablo de una vida prudente, de escuchar la sabiduría de nuestro cuerpo. Hablo de la inteligencia última de la bondad y el gozo. Y si deseáis saberlo, Lucrecio no me enseñó tanto como suponéis. Siempre me pareció un tanto seco. Aprendí a abrazar la gloria de la vida de los poetas como Ovidio.

Los muchachos aplaudieron mis palabras.

—Yo aprendí de Ovidio —gritó una voz tras otra.

—Muy bien, pero recordad vuestros modales además de vuestras lecciones —dije con firmeza.

Más aplausos. A continuación los jóvenes comenzaron a recitar unos versos de *Las metamorfosis* de Ovidio.

—Espléndido —dije—. ¿Cuántos sois? Quince. ¿Por qué no venís a cenar a mi casa? —pregunté—. Dentro de cinco noches, os espero. Necesito tiempo para prepararlo todo. Os enseñaré muchos libros. ¡Prometo demostraros lo que un delicioso festín puede hacer por el alma!

Mi invitación fue aceptada con risas y exclamaciones de regocijo. Yo les indiqué las señas de mi casa.

—Soy viuda. Me llamo Pandora. Mi invitación es seria, y en mi casa os aguarda un festín. No esperéis que amenice la velada con bailarines y bailarinas, pues no los hallaréis bajo mi techo. Os ofreceré unos platos suculentos. Poesía. ¿Quién de vosotros sabe cantar los versos de Homero? Pero correctamente. ¿Quién de vosotros los canta de memoria, para deleitarse con ellos?

Risas, un ambiente distendido. Victoria. Todo el mundo podía conseguir eso, y no desaproveché la oportunidad. Alguien mencionó de pasada a otra romana que se moriría de envidia al averiguar que tenía una rival en Antioquía.

—Tonterías —observó otro—, su mesa está siempre repleta de comensales. ¿Me permitís que os bese la mano, señora?

—Debéis decirme su nombre —le rogué—. La invitaré a mi casa. Deseo conocerla, y aprender lo que pueda enseñarme.

El maestro sonrió. Yo le di unas monedas.

Comenzaba a oscurecer. Suspiré. En el cielo brillaban ya las estrellas del crepúsculo que precede a la noche.

Recibí los besos castos del joven y repetí que los esperaba a todos en mi casa.

Pero algo había cambiado. Se produjo en un abrir y cerrar de ojos. Ah, no se trataba de unos ojos pintados. Quizás únicamente se debiera al siniestro manto del crepúsculo.

Sentí un escalofrío. «Soy yo quien te ha llamado.» ¿Quién había pronunciado esas palabras? «Cuidado, porque tratan de apoderarse de ti, y no consentiré que nadie robe lo que es mío.»

Me quedé estupefacta. Sostuve la cálida mano del maestro. Éste recomendó moderación en todo.

—Mirad mi sencilla túnica —dijo—. Estos jóvenes tienen tanto dinero que temo que se destruyan a sí mismos.

Los chicos protestaron.

Pero yo percibía sus palabras vagamente. Agucé el oído. Eché un vistazo alrededor. ¿De dónde procedía aquella voz? ¿Quién había pronunciado aquellas palabras? ¿Quién me había llamado y quién trataba de robarme?

De pronto, pasmada, vi a un hombre, con la cabeza cubierta con la toga, observándome. Lo reconocí al instante por su frente y sus ojos. Reconocí su forma de caminar cuando se alejó con paso rápido.

Era mi hermano menor, Lucius, a quien yo despreciaba. Tenía que ser él. Al advertir que yo había descubierto su presencia, huyó precipitadamente entre las sombras.

Yo conocía bien a esa persona. Lucius. Me aguardaba al final de un largo pórtico.

No podía moverme, y empezaba a anochecer. Todos los comerciantes habían cerrado sus puestos. Las tabernas habían apagado sus linternas o antorchas. Quedaba abierta una librería, con gran profusión de libros bajo las lámparas que la iluminaban.

Lucius, mi detestable hermano, no se había acercado para saludarme con lágrimas en los ojos sino que se había alejado sigilosamente entre las sombras del pórtico. ¿Por qué?

Me daba miedo saberlo.

A todo esto los jóvenes me rogaron que los acompañara a una taberna que había en un parque no lejos de allí. Era un lugar delicioso. Todos se peleaban por pagarme la cena.

«Piensa, Pandora —me dije—. Esta amable invitación es una prueba para medir el grado de tu valor y libertad. No deberías ir a una tosca taberna con esos jóvenes.» Pero muy pronto me quedaría sola.

El foro estaba en silencio. Aunque ante los templos ardían fuegos, grandes espacios permanecían sumidos en la oscuridad. El hombre de la toga me acechaba.

—No, debo irme —dije.

«¿Dónde hallaré a un hachero? —me pregunté, desesperada—. ¿Sería muy atrevido por mi parte pedir a estos jóvenes que me acompañen a casa?» Vi que les aguardaban sus esclavos, quienes ya habían encendido sus antorchas o linternas.

Del templo de Isis brotaban unos cantos.

«Soy yo quien te ha llamado. Cuidado... ¡por mí y mi propósito!»

—Esto es una locura —murmuré, despidiéndome con la mano de los jóvenes que se marchaban en parejas o grupos de tres. Me forcé a sonreír y a darles las buenas noches amablemente.

Miré enojada la figura distante de Lucius, quien se había detenido al final de un pórtico frente a las puertas cerradas. Su misma postura delataba su talante furtivo y cobarde.

De pronto noté una mano sobre el hombro. La aparté al instante para imponer unos límites a tal familiaridad, pero entonces advertí que un hombre me susurraba unas palabras al oído.

—El sacerdote del templo os ruega que regreséis allí, señora. Desea hablar con vos. No quería que os fuerais sin haber hablado con él.

Al volverme vi a un sacerdote junto a mí, con el vistoso tocado egipcio, una impecable toga de lino blanco y un medallón con la efigie de la diosa colgando del cuello.

Gracias al cielo.

Pero antes de que lograse salir de mi estupor y responder, otro hombre se acercó a nosotros, arrastrando su pierna de marfil. Le acompañaban dos hacheros. Nos abrazamos bajo la cálida luz de las antorchas.

—¿Desea mi ama hablar con ese sacerdote? —preguntó el recién llegado.

Era Flavius. Había cumplido mis instrucciones. Iba vestido como un elegante caballero romano, con una larga túnica y una amplia capa; como esclavo, no podía vestir una toga. Se había lavado y cortado el pelo y presentaba un aspecto tan pulcro como cualquier hombre libre, y además parecía muy seguro de sí. Marcellus, el maestro-filósofo, dijo:

—Señora Pandora, sois muy amable, y permitid que os asegure que la taberna que frecuentan estos jóvenes puede dar origen a otro Aristóteles o Platón, pero no es un lugar adecuado para vos.

—Lo sé —reconocí—. No debéis preocuparos.

El maestro miró con recelo al sacerdote y al apuesto Flavius, cuya cintura rodeé con mi brazo.

—Éste es mi administrador, el que os dará la bienvenida la noche que vengáis a cenar a mi casa. Os agradezco que me hayáis permitido interrumpir vuestra lección. Sois muy amable.

El maestro, con expresión de alarma, se inclinó hacia mí y dijo:

—En ese pórtico hay un hombre; no lo miréis, pero necesitáis más esclavos que os protejan. Esta ciudad es traicionera, peligrosa.

—De modo que vos también lo habéis visto —repuse—. ¡Y qué toga tan elegante luce, sin duda es un hombre de alcurnia!

—Está anocheciendo —intervino Flavius—. Contrataré más hacheros y una litera. Allí veo a unos hacheros. —Luego dio las gracias al maestro, quien se alejó de mala gana.

El sacerdote aguardaba mi respuesta. Flavius hizo una señal a otros dos hacheros, que se acercaron a toda prisa. Ahora disponíamos de luz suficiente.

Me volví hacia el sacerdote.

—Iré al templo, pero antes tengo que hablar con ese hombre que aguada allí, entre las sombras —dije, señalando ostentosamente. Estaba bañada por la luz de las antorchas, como si me hallara sobre un escenario. La lejana figura retrocedió, como queriéndose fundir con la pared.

—¿Por qué? —preguntó Flavius con la humildad de un senador romano—. No me gusta la catadura de ese hombre. Parece que nos esté acechando. El maestro tenía razón.

—Lo sé —admití. Oí el vago eco de las risas de una mujer. ¡Por todos los dioses! Tenía que mantenerme serena para llegar a casa. Miré a Flavius. Él no había oído las risas.

Sólo había un medio correcto de hacer lo que tenía que hacer.

—Vosotros, acompañadme —ordené a los cuatro hacheros—. Flavius, quédate aquí con el sacerdote mientras me acerco a saludar a ese hombre. Lo conozco. No te acerques a menos que yo te llame.

—No me gusta —insistió Flavius.

—A mí tampoco —apostilló el sacerdote—. Desean que acudáis al templo, señora, y disponemos de muchos guardias para escoltaros a vuestra casa.

—No os defraudaré —repuse, pero eché a andar hacia la figura envuelta en una toga, cruzando paso a paso la plaza pavimentada, rodeada por la luz de las antorchas.

Al ver que me dirigía hacia él, el hombre de la toga se sobresaltó visiblemente y avanzó unos pasos, alejándose del muro.

Yo me detuve sin salir de la plaza.

El individuo tenía que aproximarse. Yo no iba a moverme. Las cuatro antorchas oscilaban y se agitaban con la brisa. Cualquiera que se hallara en las inmediaciones nos habría visto, pues constituíamos un foco de luz en medio del foro.

El hombre avanzó hacia mí, primero con paso lento y luego rápidamente. La luz iluminó su rostro. Estaba furioso.

—Lucius —murmuré—. Te veo, pero no puedo creer lo que veo.

—Yo tampoco —replicó él—. ¿Qué demonios haces aquí? —inquirió.

—¿Qué? —Estaba tan pasmada que fue lo único que acerté a decir.

—¡Nuestra familia ha caído en desgracia en Roma y tú te exhibes alegremente en el mismo centro de Antioquía! ¡Pintarrajeada y perfumada, y con el pelo untado con aceites! ¡Pareces una puta!

—¡Lucius! —protesté—. ¡Por todos los dioses! ¡Nuestro padre ha muerto! Tus hermanos seguramente también. ¿Cómo conseguiste huir? ¿No te alegras de verme? ¿Por qué no me llevas a tu casa?

—¡Cómo voy a alegrarme de verte! —masculló Lucius—. ¡Nos hemos ocultado aquí, zorra!

—¿Quiénes? ¿Y Antonio? ¿Qué ha sido de Flora?

Lucius, irritado, contestó en tono despectivo:

—Los han asesinado, Lydia, y si no te ocultas en un lugar seguro donde no pueda hallarte ningún ciudadano romano, tú también morirás. ¡Cómo iba a imaginar que te encontraría aquí, disertando sobre filosofía! Eres la comidilla de las tabernas. ¡Y ese esclavo con la pierna de marfil! Te vi este mediodía, necia. ¡Maldita seas!

Sus palabras destilaban odio.

De nuevo percibí el lejano eco de unas risas. Por supuesto, Lucius no lo oyó. Sólo yo podía oírlo.

—¿Dónde está tu esposa? —le pregunté—. Deseo verla. ¡Llévame a tu casa!

—No.

—Lucius, soy tu hermana. Quiero ver a tu esposa. Tienes razón, me he comportado como una necia. No he pensado en lo que hacía. Antioquía está muy lejos de Roma. No se me ocurrió...

—De eso me quejo, Lydia, jamás obras con prudencia y sensatez. Jamás lo has hecho. Eres una soñadora impenitente, y además estúpida.

—¿Qué puedo hacer, Lucius?

Se volvió de derecha a izquierda, examinando a los hacheros. Luego entornó los ojos. Sentí su odio. «Oh, padre —imploré en silencio—, confío en que no contemples esta escena desde el cielo o el infierno. ¡Mi hermano me quiere muerta!»

—Sí —dije—, me acompañan cuatro hacheros y estamos en el centro del foro. Y no olvides el hombre con la pierna de marfil que está junto al sacerdote —añadí suavemente—. Y toma nota de los soldados apostados frente al templo del emperador. ¿Cómo está tu esposa? Debo verla, iré a tu casa en secreto. Estoy segura de que se alegrará al comprobar que sigo con vida, pues la quiero como a una hermana. No temas, no te dirigiré la palabra cuando me encuentre contigo en un lugar público. Reconozco que he cometido un grave error.

—¡Déjate de historias! —le espetó Lucius—. ¡Hermanas! ¡Mi esposa ha muerto! —Tras mirar de nuevo a derecha e izquierda agregó—: Los mataron a todos. ¿No lo comprendes? Aléjate de mí.

Lucius retrocedió unos pasos pero yo avancé hacia él, rodeándolo de nuevo con el resplandor de las antorchas.

—¿Quién te acompaña? —pregunté—. ¿Quién huyó contigo? ¿Quién más logró sobrevivir?

—Priscilla —repuso Lucius—. Tuvimos suerte de poder escapar.

—¿Qué? ¿Tu amante? ¿Has venido aquí con tu amante? Y los niños, ¿también han muerto?

—Sí, supongo que sí. ¿Cómo iban a escapar? Mira, Lydia, te doy una noche para que abandones esta ciudad y te alejes de mí. Me he instalado aquí cómodamente y no tolero tu presencia. Abandona Antioquía. Vete por tierra o por mar. No me importa. ¡Pero márchate!

—¿Dejaste a tu esposa y a tus hijos para que murieran a manos de esos asesinos y viniste aquí con Priscilla?

—¿Cómo diablos lograste escapar, zorra asquerosa? ¡Te comportas como una perra en celo! ¡Responde! Claro está que tú no tienes hijos... ¡El famoso y estéril útero de nuestra familia! —Lucius se volvió hacia los hacheros y gritó—: ¡Marchaos de aquí!

—No os mováis. —Me llevé la mano al puñal. Aparté un poco la capa para que mi hermano viera el resplandor del acero.

Lucius me miró pasmado y esbozó una sonrisa grotescamente falsa. ¡Era nauseabundo!

—¡Lydia, yo no te haría daño por nada en el mundo! —exclamó como si se sintiera ofendido—. Tan sólo me preocupa nuestra seguridad. Nos enteramos de que habían matado a todos en casa. ¿Qué podía hacer yo, regresar y morir para nada?

—Estás mintiendo. No me vuelvas a acusar de que me comporto como una perra en celo, a menos que quieras convertirte en un capón. Sé que mientes. Alguien te informó de la situación y te faltó tiempo para huir. ¿O fuiste tú quien nos traicionó a todos?

Ah, qué triste que mi hermano no fuera más inteligente, más perspicaz. En lugar de mostrarse ofendido por mis odiosas acusaciones, se limitó a ladear la cabeza y replicar:

—Eso no es cierto. Ven conmigo. Despacha a esos hombres y a ese esclavo y yo te ayudaré. Priscilla te adora.

—¡Es una embustera y una zorra! Me asombra que permanezcas impávido ante mis acusaciones. ¿Dónde está la furia que mostraste cuando me viste? Acabo de acusarte de abandonar a tu esposa y a tus hijos a manos de la guardia pretoriana. ¿No me has oído?

—Es una estupidez. Jamás haría algo semejante.

—Llevas la culpa escrita en la cara. ¡Debería matarte aquí mismo!

Lucius retrocedió.

—¡Vete de Antioquía! —exclamó—. No me importa el juicio que te merezca o lo que tuve que hacer para que Priscilla y yo consiguiéramos salvarnos. ¡Vete de Antioquía!

No existían palabras para el juicio que me merecía mi hermano. Aquello era más duro de lo que mi alma podía soportar.

Lucius retrocedió unos pasos y echó a andar hacia la oscuridad, desapareciendo antes de alcanzar el pórtico. Percibí el eco de sus pasos sobre los adoquines.

—¡Por todos los cielos! —murmuré. Estaba a punto de estallar en sollozos. Pero aún tenía la mano sobre el puñal.

Me volví. El sacerdote y Flavius se habían acercado más de lo que yo les había ordenado. Me sentía totalmente perpleja, desconcertada. No sabía qué hacer.

—Venid al templo de inmediato —dijo el sacerdote.

—De acuerdo —respondí—. Acompáñame, Flavius, con los cuatro hacheros. Quiero que os coloquéis junto a los guardianes del templo y que vigiléis por si regresa ese hombre.

—¿De quién se trata, señora? —preguntó Flavius en voz baja cuando eché a andar hacia el templo, delante de él y del sacerdote.

Tenía un aspecto imponente, y la prestancia de un hombre libre. Su túnica, de fina lana con listas doradas y un cinturón también dorado, se ajustaba perfectamente al torso. Incluso había lustrado su pierna de marfil. Me sentí más que satisfecha. Pero ¿iba armado?

Debajo de su talante sosegado, Flavius se mostraba muy protector. Me sentía tan deprimida que no podía articular las palabras necesarias para responderle.

En aquel momento vimos que varias literas cruzaban la plaza, portadas por unos esclavos que avanzaban a toda prisa mientras otros caminaban junto a ellos sosteniendo las antorchas. Del gentío que llenaba la plaza emanaba un suave resplandor rosáceo. La gente se dirigía a cenar o a alguna ceremonia privada. Algo ocurría en el templo.

Me volví hacia el sacerdote.

—¿Tendríais la bondad de vigilar a mi esclavo y a mis hacheros?

—Desde luego, señora —repuso el sacerdote.

Era noche cerrada. Soplaba una agradable brisa. En los largos pórticos había unas linternas encendidas. Nos aproximábamos a los braseros de la diosa.

—Ahora debo dejarte —anuncié—. Te autorizo a proteger mis bienes, tal como tú mismo dijiste hace un rato, con tu vida. No te muevas de aquí. No me marcharé sin ti ni me demoraré. No deseo hacerlo. ¿Llevas un cuchillo?

—Sí, señora, pero aún no lo he utilizado. Lo encontré entre vuestras pertenencias, y al ver que no regresabais a casa y se hacía tarde...

—No me cuentes la historia del mundo —le interrumpí—. Cumpliste con tu deber. No dudo de que siempre lo harás. —Me volví de espaldas a la plaza y añadí—: Enséñamelo. Así sabré si está afilado o es un mero objeto decorativo.

Cuando Flavius sacó el cuchillo de su vaina, que llevaba adherida al antebrazo, le pasé la yema del dedo por el filo y me hice un corte del que brotaron unas gotas de sangre. Se lo devolví a Flavius. Era un cuchillo de mi padre. ¡Mi padre había llenado mi baúl no sólo con su fortuna sino también con sus armas para que yo pudiera sobrevivir!

Flavius y yo intercambiamos una última mirada.

El sacerdote estaba muy nervioso.

—Señora, os lo ruego, entrad de una vez —dijo.

Me condujo a través de las majestuosas puertas del templo, y al cabo de unos momentos me encontré con la sacerdotisa y el sacerdote con los que había hablado antes.

—¿Qué deseáis de mí? —pregunté. Respiraba con dificultad. Me sentía mareada—. Tengo muchas cosas que hacer. ¿No podemos dejarlo para otra ocasión?

—¡No, señora! —respondió el sacerdote.

Un escalofrío me recorrió el cuerpo, como si alguien me estuviera espiando. Pero si había alguien, las sombras del templo lo ocultaban.

—Muy bien —dije—. Supongo que se trata de mis espantosas pesadillas, ¿no es cierto?

—Así es —contestó el sacerdote—. Y más que eso.

6

Nos condujeron a otra cámara, escasamente iluminada por una antorcha.

A la luz de la oscilante llama apenas si veía los rostros del otro sacerdote y de la sacerdotisa. Una biombo oriental, hecho de ébano, separaba un extremo de la habitación, y tuve la certeza de que tras él se ocultaba alguien.

Pero sólo sentí una gran dulzura que emanaba de todas las personas congregadas allí. Eché un vistazo a mi alrededor. El encuentro con mi hermano me había deprimido tanto y estaba tan nerviosa que no conseguí encontrar unas palabras amables con las que excusarme.

—Tengo que atender un asunto urgente, así que no puedo demorarme. —Temía por la seguridad de Flavius—. Os ruego que enviéis de inmediato unos guardias para proteger a mi esclavo, que me está esperando fuera.

—Bien —contestó el sacerdote que yo conocía—. Os suplico que os quedéis y nos contéis de nuevo vuestra historia.

—¿Quién hay ahí? —inquirí, señalando con el dedo—. ¿Quién se oculta ahí detrás? —Era una pregunta ruda e irreverente, pero me sentía francamente alarmada.

—Es uno de nuestros más devotos adeptos —respondió el sacerdote que me había acompañado antes al santuario de Isis—. Viene con frecuencia por las noches para rezar ante el altar de la diosa, y ha donado mucho dinero al templo. Sólo desea oír nuestra conversación.

—Yo no estoy tan segura de eso. ¡Decidle que salga! —exigí—. Además, ¿de qué supone que vamos a hablar?

Me enfurecí al pensar que habían traicionado mis confidencias. No les había revelado mi verdadero nombre romano, sólo mi tragedia, pero el templo era sagrado.

Todos se apresuraron a calmarme con frases amables.

La figura que había visto antes envuelta en la toga, mucho más alta que mi hermano, de hecho extraordinariamente alta, salió de detrás del biombo. Llevaba una toga oscura, pero no dejaba de ser la prenda clásica. La toga le ocultaba el rostro. Sólo alcancé a ver sus labios.

—No temas —susurró—. Esta tarde hablaste al sacerdote y a la sacerdotisa sobre tus sueños de sangre.

—¡Era confidencial! —protesté, indignada. Mis sospechas crecieron, pues había contado a aquella gente muchas otras cosas, aparte de los sueños.

Traté de distinguir la figura con más claridad. Había algo en ella que me resultaba familiar, quizá la voz, aunque era poco más que un murmullo... u otra cosa.

—Señora Pandora —dijo la sacerdotisa que antes me había consolado—. Habéis venido aquí hablando de un antiguo y legendario culto, un culto al que nos oponemos y que condenamos. Un culto de nuestra amada Madre cuyos adeptos practicaban sacrificios humanos. Como os dije, rechazamos esas prácticas.

—Sin embargo —terció el anciano sacerdote—, hay alguien que vaga por la ciudad de Antioquía y chupa la sangre a seres humanos, dejándolos exangües y matándolos. Luego, antes del amanecer, arroja sus cadáveres sobre las escaleras del templo. —Suspiró—. Os confío un secreto muy importante, Pandora.

Me abandonó completamente el recuerdo de mi hermano. El mastín de mis sueños se abatió sobre mí, arrojándome su pérfido aliento. Traté de recobrar la compostura. Pensé de nuevo en la voz que había oído en mi mente: «Soy yo quien te ha llamado.» Aquella risa femenina...

—No, era la risa de una mujer —murmuré.

—¿Qué?

—Decís que hay alguien que recorre las calles de Antioquía y bebe sangre humana.

—Por las noches —apostilló el sacerdote—. De día no puede andar por la ciudad.

Vi el sueño, las primeras luces del amanecer, sabiendo que el vampiro moriría bajo los rayos del sol.

—¿Pretendéis decirme que esos bebedores de sangre que vi en mi sueño existen realmente, y que uno de ellos se encuentra aquí?

—Alguien desea que lo creamos —respondió el sacerdote—, desea que creamos que las viejas leyendas dicen la verdad, pero no sabemos quién es. Y recelamos de las autoridades romanas. Ya sabéis lo que ocurrió en Roma. Vinisteis a hablarnos de unos sueños en los que el sol os mataba, en los que bebíais sangre humana. No he traicionado vuestra confianza, señora. Ésta es la persona que sabe leer las escrituras antiguas —añadió el sacerdote señalando el hombre alto—. Ha leído las leyendas. Vuestros sueños las evocan.

—Me siento mal —dije—, necesito una silla. Tengo enemigos.

—Yo os protegeré de ellos —declaró el hombre alto y misterioso vestido con una toga.

—¿Cómo? Ni siquiera sabéis quiénes son.

Percibí una voz silenciosa que emanaba del hombre alto: «Vuestro hermano Lucius traicionó a toda la familia. Lo hizo movido por los celos que le inspiraba vuestro hermano Antonio. Vendió a todos a los Delatores a cambio de un tercio garantizado de la riqueza de la familia, y partió antes de que se produjeran las matanzas. Contó con la colaboración de Sejano, de la guardia pretoriana. Desea acabar también con vos.»

Aquello me impresionó, pero no estaba dispuesta a dejarme amedrentar por aquel individuo.

«Os expresáis como una mujer —repuse en silencio—. Se diría que adivináis mis pensamientos. Habláis como la mujer que me dijo en la mente: Soy yo quien te ha llamado.»

Observé que mis palabras le habían impresionado. De pronto me sentí desfallecer, como si me hubieran asestado un golpe mortal. Así que ese ser lo sabía todo sobre mis hermanos, y Lucius nos había traicionado. Y ese ser lo sabía.

«¿Qué eres? —pregunté de pronto al que le había hablado a mi mente, al hombre alto vestido con la toga—. ¿Eres acaso un mago?»

No hubo respuesta.

El sacerdote y la sacerdotisa, incapaces de oír esa conversación silenciosa, continuaron con lo suyo:

—Ese bebedor de sangre, señora Pandora, deja a sus víctimas humanas sobre la escalera del templo antes del amanecer. Escribe sobre sus víctimas, con la sangre de éstas, un antiguo nombre en egipcio. Si el gobierno lo descubriera, quizá culpara de ello al templo. Pero nuestro culto condena esas prácticas.

»¿Queréis relatar de nuevo vuestros sueños para que lo oiga nuestro amigo aquí presente? Debemos proteger el culto de Isis. No creíamos esas viejas leyendas... hasta que apareció esa criatura y empezó a matar, luego surgió del mar una bella romana que habla de unos seres parecidos que se le aparecen en sueños.

—¿Qué nombre escribe sobre sus víctimas ese bebedor de sangre? —inquirí—. ¿Isis?

—No tiene sentido, es un nombre prohibido, egipcio. Es uno de los nombres con que antiguamente llamaban a Isis, pero nosotros jamás la hemos llamado por ese nombre.

—¿Cuál es?

Ninguno de ellos, ni siquiera el silencioso, respondió.

En aquel silencio pensé en Lucius, y a punto estuve de echarme a llorar. Me asaltó un profundo odio, como el que ha-

bía sentido en el foro cuando hablaba con él y vi su rabia y cobardía. Había traicionado a toda la familia. La debilidad es
mala cosa. Antonio y mi padre habían sido hombres fuertes.

—Señora Pandora —dijo el sacerdote—. Decidnos lo que
sepáis sobre esa criatura que merodea por Antioquía. ¿Se os
ha aparecido en sueños?

Pensé en mis sueños. Traté de responder satisfactoriamen-
te a lo que aquellas gentes del templo me pedían.

—La señora Pandora no sabe nada de ese bebedor de sangre —terció el romano alto y distante—. Dice la verdad. Sólo
conoce el contenido de sus sueños, y en éstos no aparece ningún nombre. En sus sueños ve una época anterior de Egipto.

—¡Muchas gracias, amable señor! —le espeté furiosa—.
¿Puedo saber cómo habéis llegado a esa conclusión?

—¡Leyendo vuestros pensamientos! —contestó el romano sin inmutarse—. Al igual que he hecho con quienes ponen vuestra vida en peligro aquí. Os protegeré de vuestro hermano.

—Dejad que yo misma me ocupe de eso. Yo resolveré este
asunto con él. Ahora, dejemos a un lado mis desgracias personales. Y ya que sois tan listo, explicadme por qué me asaltan
esos sueños. Demostrad la magia que poseéis para adivinar los
pensamientos. Un hombre con vuestras dotes debería ayudar
a los magistrados a dilucidar los casos judiciales, si realmente
sois capaz de leer los pensamientos de la gente. ¿Por qué no
vais a Roma y solicitáis el cargo de consejero del emperador
Tiberio?

Sentí con toda nitidez el pequeño tumulto que se agitaba
en el corazón del misterioso y distante romano. De nuevo tuve
la sensación de que había algo en ese personaje que me resultaba familiar. Por supuesto, yo había conocido a nigromantes,
astrólogos y oráculos. Pero este hombre había mencionado
unos nombres muy concretos: Antonio, Lucius. Me había dejado asombrada.

—Decidme, caballero misterioso —dije—, ¿guardan algún

parecido mis sueños con lo que habéis leído en las escrituras antiguas? ¿Y ese bebedor de sangre, el que se pasea por Antioquía, es un hombre mortal?

Silencio.

Traté de ver al romano con más claridad, pero no pude. Había retrocedido y se ocultaba en la sombra. Mis nervios estaban a punto de estallar. Deseaba matar a Lucius; en realidad, no tendría más remedio que hacerlo.

—Ella no sabe nada de ese bebedor de sangre que merodea por Antioquía —dijo suavemente el romano—. Decidle lo que sabéis de él, pues quizá sea él, ese bebedor de sangre, quien le envía los sueños.

Me sentía confusa. La voz de mujer que había captado antes en mi mente se había oído con toda claridad: «Soy yo quien te ha llamado.»

Esto también producía confusión en el romano; lo sentí como una pequeña turbulencia en el aire.

—Nosotros lo hemos visto —repuso el sacerdote—. Estamos al tanto para recoger los cadáveres exangües de esas pobres víctimas antes de que los halle otra persona y nos achaque la culpa de lo ocurrido. Tiene todo el cuerpo quemado, ennegrecido. No puede ser un hombre. Es un antiguo dios, quemado como si se hubiera abrasado en el infierno.

—Amón Re —dije—. Pero ¿por qué no murió? En mis sueños, yo muero.

—¡Es horroroso! —exclamó de pronto la sacerdotisa, como si no pudiera reprimirse más—. Ese ser no es humano. Su piel abrasada y ennegrecida deja entrever los huesos. Pero es débil y sus víctimas son débiles. Apenas tiene fuerza para sostenerse en pie, pero es capaz de chupar la sangre de las pobres y débiles almas de las que se alimenta. Al amanecer se aleja, arrastrándose, como si no tuviera fuerzas para caminar.

El sacerdote intervino, irritado:

—Pero está vivo. Sea un dios, un demonio o un hombre, está vivo. Y cada vez que chupa la sangre de uno de esos seres débiles, se hace más fuerte. Parece salido de las viejas leyendas sobre las que habéis soñado. Lleva el pelo largo, según el antiguo estilo egipcio. Sus quemaduras le producen un dolor atroz. Vierte maldiciones contra el templo.

—¿Qué clase de maldiciones?

—Por lo visto cree que la Reina Isis le ha traicionado —se apresuró a responder la sacerdotisa—. Se expresa en la antigua lengua egipcia. Apenas entendemos lo que dice. Nuestro amigo romano aquí presente, nuestro benefactor, nos ha traducido las palabras.

—¡Basta! —exclamé—. Me siento confusa y mareada. No digáis más. Ese hombre ha dicho la verdad. No sé nada sobre ese maldito ser con la piel abrasada. No sé por qué tengo esos sueños. Creo que es una mujer quien me los envía. Quizá sea la Reina que os he descrito, la Reina que aparece sentada sobre un trono, encadenada, que llora, aunque ignoro el motivo.

—¿No habéis visto nunca a ese hombre? —preguntó el sacerdote.

—No, no lo ha visto —respondió el romano en mi nombre.

—¡Me maravillan vuestras dotes de portavoz! —dije dirigiéndome al romano—. ¡Me siento fascinada! ¿Por qué os ocultáis detrás de vuestra toga? ¿Por qué os mantenéis alejado, para que yo no pueda veros? ¿Habéis visto vos mismo a ese bebedor de sangre?

—Debéis ser paciente conmigo —contestó el romano. Lo dijo en un tono tan encantador que fui incapaz de seguir increpándole. Me volví hacia el sacerdote y la sacerdotisa.

—¿Por qué no aguardáis para sorprender a ese ser con la piel abrasada, a ese ser débil y ruin? —pregunté—. Oigo voces en mi mente. Las palabras de una mujer, advirtiéndome de un peligro. Oigo la risa de una mujer. Quiero marcharme. Quiero regresar a casa. Tengo que atender un asunto muy difícil que debo resolver con astucia. Es preciso que me marche de inmediato.

—Os protegeré de vuestro enemigo —dijo el romano.

—Muy amable por vuestra parte —respondí—. Si sois capaces de protegerme, si conocéis la identidad de mi enemigo, ¿por qué no aguardáis a ese bebedor de sangre y lo atrapáis? Podéis atraparlo con la red de un gladiador. Clavadle cinco tridentes. Podríais sujetarlo entre cinco personas. Lo único que tenéis que hacer es retenerlo hasta que salga el sol, hasta que los rayos de Amón Re lo maten. Quizá lleve dos, tres días, pero los rayos acabarán con él. Morirá abrasado, como me ocurrió a mí en el sueño. Y vos, que sabéis adivinar los pensamientos, ¿por qué no ayudáis a capturarlo?

Me detuve, conmocionada y desorientada. ¿Estaba tan segura de lo que decía? ¿Por qué utilizaba el nombre de Amón Re con tanta desenvoltura, como si creyera en ese dios? Apenas conocía sus fábulas.

—Esa criatura sabe que la aguardamos —dijo el sacerdote—. Sabe cuándo se encuentra aquí nuestro amigo, y se abstiene de venir. Permanecemos pacientemente alertas, y cuando creemos que no volveremos a verlo, entonces aparece de nuevo. Y ahora habéis venido vos a relatarnos vuestros sueños.

De pronto tuve una fugaz vislumbre del sueño. Yo era un hombre. Discutía y maldecía. Me negaba a hacer algo que me habían ordenado que hiciera. Una mujer lloraba. Me liberé de unos hombres que trataban de retenerme. Pero no había previsto que después de salir huyendo llegaría a un lugar desierto donde no hallaría refugio.

Si los otros dijeron algo, yo no les presté atención. Oí llorar a la mujer del sueño, a la Reina encadenada al trono, y esa mujer también era una bebedora de sangre. «Debes beber de la Fuente», dijo el hombre en mi sueño. Pero no era un hombre. Yo no era un hombre. Éramos dioses. Éramos vampiros. Por eso nos destruía el sol. Era la fuerza de un dios más poderoso. Debajo de este retazo de sueño evocado yacían numerosas e insondables capas de datos.

Regresé a la realidad, mejor dicho, volví a tomar conciencia de la presencia de los otros, cuando alguien depositó una copa de vino en mis manos. Lo bebí. Aquel magnífico vino procedente de Italia me reanimó, aunque unos instantes después me sentí muy cansada. Decidí no beber más vino, pues aún me quedaba una buena caminata hasta casa.

—Lleváoslo —dije. Miré a la sacerdotisa—. En el sueño, tal como os comenté, yo era uno de ellos. Querían que bebiera la sangre de la Reina. La llamaban «la Fuente». Dijeron que ella no sabía gobernar. Ya os lo he contado.

La sacerdotisa rompió a llorar y se volvió, con sus estrechos hombros encogidos.

—Yo era uno de los bebedores de sangre —dije—. Estaba ávida de sangre. Escuchad, no me gustan los sacrificios sangrientos. ¿Qué sabéis vosotros? ¿Está presente la Reina Isis en este templo, encadenada con unos grilletes...?

—¡No! —gritó el sacerdote. La sacerdotisa se volvió hacia mí, haciéndose eco de esa horrorizada negativa.

—Muy bien, pero me habéis hablado de unas leyendas que afirman que Isis existe en alguna parte bajo una forma material. ¿Cómo interpretáis lo ocurrido? ¿Creéis que Isis me ha llamado aquí para que ayude a esta criatura abrasada que vaga por la ciudad? ¿Por qué a mí? ¿Qué puedo hacer yo? Soy una mujer mortal. El hecho de recordar sueños de una vida anterior no hace mayores mis poderes. ¡Escuchad! Os aseguro que fue la voz de una mujer la que oí, no hace ni una hora en el foro, en mi mente. Dijo: «Soy yo quien te ha llamado.» Lo oí claramente, y la mujer juró que no consentiría que nadie me arrebatara de sus manos. Luego aparece ese hombre mortal que representa para mí una amenaza infinitamente más grave de cuanto pueda ver y oír en mi imaginación. La voz que oí me advirtió que me guardara de él. No quiero vuestra misteriosa religión egipcia. Me niego a volverme loca. Sois vosotros, todos (especialmente vuestro inteligente amigo capaz de adivinar los pensamientos), quienes debéis hallar a ese ser antes de que cometa más atrocidades. Permitidme que me retire.

Me levanté, dispuesta a marcharme.

Mientras me dirigía hacia la puerta, oí decir suavemente al romano:

—¿No os da miedo andar sola de noche, sabiendo lo que os aguarda, que tenéis un enemigo que desea mataros, y que en vuestros sueños habéis presenciado algo que puede atraer a ese bebedor de sangre hacia vos?

Ese cambio de registro por parte del ilustre clarividente, ese lenguaje en cierto modo sarcástico, estuvo a punto de provocarme una carcajada.

—Me voy a casa —anuncié con firmeza.

Todos me suplicaron con distintos argumentos y tonos de voz que no me fuera.

—Quedaos en el templo.

—No —respondí—. Si los sueños se repiten, tomaré nota de ellos para informaros.

—¡No seáis necia! —exclamó el romano con cierta irritación, pero sin perder la compostura. ¡Ni que fuera mi hermano!

—Eso ha sido una impertinencia imperdonable —protesté—. ¿Es que los magos y los clarividentes no están obligados a comportarse con educación? —Miré al sacerdote y a la sacerdotisa—. ¿Quién es ese hombre?

Salí de la habitación, seguida por el sacerdote y la sacerdotisa, y me dirigí apresuradamente hacia la puerta.

Observé atentamente el rostro de la sacerdotisa a la luz de las antorchas.

—Sólo sabemos que es nuestro amigo. Os ruego que hagáis caso de su consejo. Siempre ha mirado por el bien del templo. Viene para leer los libros egipcios que tenemos aquí. Los compra en las librerías en cuanto llega un barco cargado con esa mercancía. Como habréis visto, es capaz de adivinar los pensamientos de la gente.

—Me prometisteis una escolta de guardias —dije.

«Yo te acompañaré.» Era la voz del romano, aunque yo no sabía dónde se encontraba en ese momento. No estaba en el vestíbulo.

—Venid a vivir en el templo de Isis, y nada podrá dañaros —dijo el sacerdote.

—No estoy hecha para vivir en un templo —repuse, tratando de mostrarme tan humilde y agradecida como fuera posible—. Antes de una semana os habríais hartado de mí. Abrid las puertas, por favor.

Salí del templo. Tuve la sensación de haber escapado de un largo corredor repleto de telarañas para adentrarme en la noche romana, entre columnas y templos romanos.

Encontré a Flavius apoyado contra una columna, junto a mí, observando la escalera del templo. Nuestros cuatro hacheros se hallaban cerca, visiblemente alarmados.

Vi unos hombres que parecían los guardianes del templo, pegados a las puertas, al igual que Flavius.

—Señora, entrad de nuevo en el templo —murmuró Flavius.

Al pie de la escalera había un grupo de soldados romanos, luciendo cascos y uniformes militares con relucientes petos y túnicas y capas rojas, cortas. Esgrimían sus mortíferas espadas como si estuvieran combatiendo. Sus cascos de bronce refulgían a la luz de los braseros.

Unos uniformes militares dentro de la ciudad. Sólo les faltaba el escudo. ¿A quién obedecían?

Junto al líder vi a Lucius, mi hermano. Vestía su túnica roja de combate, pero no portaba peto ni espada. Llevaba la toga doblada varias veces sobre el brazo izquierdo. Tenía el pelo limpio y reluciente y presentaba un aspecto aseado, propio de un hombre adinerado. Llevaba un puñal pegado al antebrazo, y otro en el cinto.

Me señaló temblando.

—Ahí está —dijo—. Es la única de toda la familia que escapó a las órdenes de Sejano. Fue un complot para asesinar a Tiberio, y ella sobornó a los soldados y logró salir de Roma.

Observé a los soldados. Había dos jóvenes asiáticos, pero los otros eran viejos y romanos; en total eran seis. ¡Por todos los dioses! ¡Debieron de pensar que estaban ante la mismísima Circe!

—Regresad al templo —insistió mi amado y leal Flavius—, refugiaos en él.

—Calla —le indiqué—. Siempre hay tiempo para eso.

El líder de los soldados era el personaje clave, y observé que se trataba de un hombre de edad avanzada, mayor que mi hermano Antonio, aunque no tan viejo como mi padre. Tenía las cejas espesas y salpicadas de canas, e iba impecablemente afeitado.

Exhibía sus cicatrices de guerra con orgullo, una en la mejilla y otra en el muslo. Estaba agotado. Tenía los ojos enrojecidos y de vez en cuando sacudía la cabeza para despabilarse.

Sus brazos estaban muy tostados, y tenía un cuerpo musculoso, lo que indicaba que había participado en numerosas guerras.

—Toda la familia está condenada —declaró Lucius—. ¡Deberíais ejecutar a esa mujer sin tardanza!

Yo decidí mi plan estratégico, como si fuera el mismo César. Bajé dos escalones y me apresuré a decir:

—Vos sois el legado, si no me equivoco. ¡Qué cansado debéis de sentiros! —añadí, tomando una de sus manos entre las mías—. ¿Estuvisteis a las órdenes de Germánico?

El jefe de los soldados asintió con la cabeza.

¡Le había asestado el primer golpe!

—Mis hermanos lucharon con Germánico en el norte —dije—. Y Antonio, el mayor, después de la marcha triunfal en Roma, vivió lo bastante para hablarnos de los huesos humanos que había hallado en el bosque de Teutoburgo.

—¡Ah, señora, contemplar aquel campo sembrado de huesos... un ejército entero víctima de una emboscada, y sus cadáveres pudriéndose allí!

—Dos de mis hermanos murieron en combate, durante una tormenta que estalló en el mar el Norte.

—Señora, jamás habéis contemplado un desastre semejante, pero ¿creéis que Tor, ese dios bárbaro, era capaz de amedrentar a Germánico?

—No. ¿Vinisteis aquí con el general?

—Fui con él a todas partes, desde las orillas del Elba, en el norte, hasta el extremo meridional del Nilo.

—¡Es maravilloso! Pero ¡qué cansado se os ve, tribuno! Necesitáis descansar. ¿Dónde está el célebre gobernador Cayo Calpurnio Pisón? ¿Por qué ha tardado tanto en restituir el orden en la ciudad?

—Porque no se encuentra aquí, señora, y no se atreve a regresar. Algunos dicen que ha organizado un amotinamiento en Grecia; otros, que ha huido para salvar el pellejo.

—¡No le hagáis caso! —gritó Lucius.

—En Roma tampoco gozaba de muchas simpatías —repuse—. Fue Germánico a quien mis hermanos amaban y mi padre alababa.

—Si hubiéramos dispuesto de un año más (un año más, señora) habríamos conseguido extinguir el fuego de aquel ambicioso y arribista rey Arminio. ¡Ni siquiera hubiéramos necesitado un año! Habéis hablado del mar del Norte. Nosotros combatimos en toda suerte de terrenos.

—Oh, sí, en los bosques más impenetrables... Y decidme, señor, ¿estabais allí cuando hallaron el estandarte de las legiones del general Varo? ¿Es cierta esa historia?

—Ah, señora, jamás habéis oído unas exclamaciones como las de los soldados cuando alzaron esa águila dorada.

—¡Esta mujer es una embustera y una traidora! —vociferó Lucius.

Me volví hacia él.

—¡No agotéis mi paciencia! ¿Sabéis acaso qué legiones del general Varo cayeron en una emboscada en el bosque de Teutoburgo? Imagino que no. Eran la séptima, la octava y la novena.

—Así es —dijo el legado—. Pudimos haber aniquilado a esas tribus. El Imperio habría llegado hasta el Elba; pero, y no soy yo quién para poner en entredicho sus motivos, el emperador Tiberio nos obligó a volver.

—Hum, y luego castigó a vuestro amado jefe por haberse dirigido a Egipto.

—Señora, el viaje de Germánico a Egipto no fue motivado por el afán de tomar el poder, sino por la hambruna.

—Sí, y Germánico había sido proclamado *Imperium Maius* en todas las provincias orientales —dije.

—En todas partes había conflictos —dijo el legado—. No podéis imaginar la moral, los hábitos de los soldados que estaban aquí, pero nuestro general jamás pegaba ojo. En cuanto se enteraba de que en un lugar se pasaba hambre, acudía de inmediato.

—¿Y vos le acompañabais?

—Todos nosotros, sus secuaces. En Egipto se deleitó contemplando los antiguos monumentos, como yo.

—Es maravilloso. Debéis contarme vuestras impresiones sobre Egipto. Yo, por ser hija de un senador, no puedo ir a Egipto. Me gustaría tanto...

—Pero ¿por qué, señora? —inquirió el legado.

—¡Os está mintiendo! —bramó Lucius—. Toda su familia fue asesinada.

—Por una razón muy sencilla, tribuno —respondí dirigiéndome al legado—. No es ningún secreto. Roma obtiene todo su grano de Egipto, y el emperador quiere impedir a toda costa que el país caiga bajo el control de un poderoso traidor. Imagino que a vos, al igual que a mí, os horroriza la perspectiva de que estalle otra guerra civil.

—Tengo fe en nuestros generales —repuso el legado.

—Hacéis bien. Y decís que sólo visteis lealtad en Germánico, ¿no es así?

—Desde luego. ¡Ah, Egipto! ¡Vimos muchos templos y estatuas!

—Las estatuas que cantan —comenté—, ¿visteis a ese hombre y esa mujer de proporciones colosales que según dicen gimen al amanecer?

—Sí, señora —contestó el legado, asintiendo enérgicamente con la cabeza—. ¡Oí ese sonido! Es mágico. Egipto está rebosante de magia.

—En efecto. —Sentí un escalofrío, pero no le di importancia. De pronto vi dos imágenes mezcladas: la del alto romano vestido con la toga, y la de una astuta criatura. ¡Piensa con la cabeza, Pandora!

—Y en el templo de Ramsés el Grande —dijo el legado—, uno de los sacerdotes sabe leer las inscripciones de los muros. Sobre la victoria. Sobre las batallas. Nosotros nos reímos porque en realidad nada cambia, señora.

—¿Y creéis en los rumores que circulan acerca del gobernador Pisón? ¿Es cierto que no podemos hablar sobre ellos, como si no fueran algo tangible?

—Todo el mundo le desprecia —replicó el legado—. Fue un pésimo soldado, lisa y llanamente. Y Agripina la Mayor, la amada esposa de Germánico, se dirige ahora a Roma con las cenizas del general. ¡Acusará oficialmente al gobernador ante el Senado!

—Sí, es muy valiente por su parte, todos deberíamos seguir su ejemplo. Si las familias no son sometidas a un juicio justo, es que hemos caído en la tiranía, ¿no es cierto? Y nuestro amigo el lunático, ¿no está de acuerdo con esta afirmación?

Lucius me miró boquiabierto, rojo de ira.

—Y en el bosque de Teutoburgo —añadí suavemente—, esa siniestra arena de nuestra perdición, ¿visteis los huesos de nuestras aniquiladas legiones, diseminados por doquier?

—¡Los enterré con estas mismas manos, señora! —exclamó el legado, mostrándome unas palmas ásperas y encallecidas—. ¿Quién era capaz de distinguir qué huesos eran nuestros y cuáles pertenecían a los otros? Y la plataforma de aquel rey cobarde y astuto aún seguía en pie. Desde ella aquel pérfido canalla impartió la orden de que sacrificaran a nuestros hombres para ofrecérselos a sus dioses paganos. —Los otros soldados asintieron con la cabeza y emitieron murmullos de aprobación.

—Yo era una niña cuando nos enteramos de que habían tendido una emboscada al general Varo —dije—; pero recuerdo que nuestro divino emperador Augusto se dejó crecer el cabello en señal de duelo y no cesaba de golpearse la cabeza contra el muro, diciendo: «Varo, devuélveme a mis legiones...»

—¿Vos le visteis hacerlo, señora?

—Oh, sí, en varias ocasiones. Estuve presente una noche en que el emperador manifestó por enésima vez su opinión de que el Imperio no debía tratar de expandirse más, sino controlar los estados que contenía.

—Entonces, ¿es cierto que César Augusto declaró eso? —preguntó fascinado, el tribuno.

—Le preocupaban sus soldados —respondí—. ¿Cuántas veces habéis luchado en el campo de batalla? ¿Tenéis esposa?

—Ardo en deseos de volver a casa —contestó el legado—. Y ahora mi general ha caído. Mi esposa tiene el pelo canoso. Me reúno con ella cuando voy a Roma para participar en los desfiles.

—El servicio militar obligatorio duraba sólo seis años durante la República, y ahora debéis combatir durante veinte años, ¿no es cierto? Pero quién soy yo para criticar a Augusto, al que amé como amaba a mi padre y a mis queridos hermanos asesinados.

Lucius vio con claridad lo que ocurría. Estaba tan furioso que tartamudeaba al hablar:

—Leed mi salvoconducto, tribuno. ¡Leedlo! —exclamó.

El legado lo miró enojado.

Mi hermano hizo acopio de toda su capacidad de retórica, que no era mucha.

—Esa mujer miente. Está condenada. Su familia ha muerto. Me vi obligado a declarar contra ellos ante Sejano porque pretendían asesinar al mismísimo Tiberio.

—¿Traicionasteis a vuestra familia? —inquirió el soldado.

—No malgastéis vuestras energías con él —dije—. Ese hombre lleva acosándome todo el día. Ha descubierto que vivo sola, que soy una heredera, y cree que Antioquía es un mísero villorrio del Imperio donde puede acusar a la hija de un senador sin presentar pruebas. Estimado lunático, tomad nota. Julio César dio a Antioquía rango de municipio hace menos de cien años. Existen numerosas legiones destacadas aquí, ¿no es cierto? —Miré a los ojos al legado, que dirigió una mirada de furia a mi tembloroso hermano—. ¿Qué es ese salvoconducto? —pregunté—. Ostenta el nombre de Tiberio.

El legado se lo arrebató a Lucius antes de que éste atinara a reaccionar, y me lo entregó.

Tuve que apartar mi mano del puñal para desenrollar el pergamino.

—¡Ah, Sejano de la guardia pretoriana! Me lo imaginaba. El emperador probablemente no esté al corriente de ello. ¿Sabéis que esos guardias de palacio ganan más del doble que un legionario? ¡Y ahora cuentan con esos Delatores, que gozan del incentivo de acusar a otros de crímenes a cambio de un tercio de los bienes del condenado!

El legado miró fijamente a mi hermano; la luz ponía de relieve cada defecto de Lucius: su talante propio de un cobarde, sus manos temblorosas, sus ojos de mirada taimada, la creciente desesperación de sus labios crispados.

Me volví hacia Lucius.

—¿Os dais cuenta, loco, quienquiera que seáis, lo que pedís a este experto y sabio oficial romano? ¿Y si creyera en vuestras absurdas mentiras? ¿Qué será de él cuando llegue la carta de Roma inquiriendo sobre mi paradero y la disposición de mi fortuna?

—¡Señor, esta mujer es una traidora! —gritó Lucius—. Juro por mi honor...

—¿Qué honor es ése? —preguntó el soldado entre dientes, mirando a Lucius.

—Si la situación en Roma permitiera que familias tan antiguas como la mía fueran liquidadas con la facilidad con que ese hombre pretende que me matéis a mí —dije—, ¿se habría atrevido la viuda de Germánico a comparecer ante el Senado para ser juzgada?

—Todos fueron ejecutados —dijo mi hermano con expresión solemne, mostrando el peor aspecto de su carácter, como si no se diera cuenta del efecto que causaban sus palabras—, porque formaban parte de un complot para asesinar a Tiberio, y a mí me concedieron un salvoconducto y un pasaje por haberlos denunciado, tal como era mi deber, a los Delatores y a Sejano, con quien hablé personalmente.

Ante el legado se iban abriendo multitud de posibilidades.

—Señor —dije a Lucius—, ¿lleváis algún otro documento sobre vuestra persona que os identifique?

—¡No necesito nada más! —replicó Lucius—. Vuestra suerte es la muerte.

—¿Como lo fue para vuestro padre y vuestra esposa? —inquirió el legado—. ¿Tenéis hijos?

—Encerradla en prisión esta noche y enviad un despacho a Roma —declaró Lucius—. Comprobaréis que cuanto digo es cierto.

—¿Y dónde estaréis vos, quienquiera que seáis, mientras yo me hallo en prisión? —pregunté—. ¿Saqueando mi casa?

—¡Zorra! —gritó Lucius. Luego, volviéndose hacia el legado, añadió—: ¿No véis que esta mujer está empleando todas sus ruines artes femeninas para engañaros?

Los soldados expresaron a su superior su indignación y repugnancia. Flavius se colocó junto a mí.

—Oficial —dijo con serena dignidad—, ¿qué puedo hacer para defender a mi ama contra este loco?

—Si volvéis a utilizar esas palabras, señor —dije con firmeza a Lucius—, perderé la paciencia.

El legado agarró del brazo a Lucius, que llevó la mano derecha a su puñal.

—¿Quién sois? —preguntó el legado—. ¿Sois uno de los Delatores? Habéis confesado que traicionasteis a toda vuestra familia.

—Tribuno —dije, tocándole levemente el brazo—. Las raíces de mi padre se remontaban a los tiempos de Rómulo y Remo. No conocemos otros orígenes que los de Roma. Lo mismo sucedía con mi madre, que era hija de un senador. Lo que ese hombre dice es... horrendo.

—Eso parece —repuso el legado, entornando los ojos y examinando a Lucius detenidamente—. ¿Qué amigos tenéis aquí? ¿Dónde están vuestros compañeros? ¿Dónde residís?

—¡No podéis hacer nada contra mí! —exclamó Lucius.

El legado observó la mano de Lucius, cerrada en torno al puñal.

—¿Os atreveríais a desenvainar el arma contra mí? —inquirió.

Era evidente que Lucius no sabía cómo salir del aprieto.

—¿Por qué habéis venido a Antioquía —pregunté a Lucius—. ¿Acaso transportabais el veneno que mató a Germánico?

—¡Arrestadla! —gritó Lucius.

—No, no creo en esa acusación que he formulado contra vos. Ni siquiera Sejano confiaría esa traición a alguien tan estúpido como vos. ¿Qué otro documento lleváis encima que os relacione con esta familia, aparte de este salvoconducto que según decís firmó el mismo Sejano?

Lucius me miró desconcertado.

—Ciertamente yo no llevo nada encima que me relacione con vuestras desatinadas y sangrientas historias —dije.

El legado me interrumpió.

—¿Nada que os relacione con este nombre? —preguntó, arrebatándome el papel de la mano.

—No, nada —repuse—, nada salvo este loco que no cesa de escupir atrocidades y que pretende hacernos creer que nuestro emperador ha perdido la razón. Sólo él me relaciona con esta sangrienta conjura sin testigos ni pruebas, y me cubre de insultos.

El legado enrolló de nuevo el salvoconducto.

—¿Y vuestro propósito aquí, señora? —preguntó con voz apenas audible.

—Vivir en paz y tranquilidad —repuse suavemente—. Vivir segura y bajo la protección de las autoridades romanas.

En ese momento comprendí que había ganado la batalla. Pero faltaba un detalle para que la victoria quedara sellara. Decidí arriesgarme de nuevo.

Extendí la mano lentamente y extraje el puñal de la funda.

Lucius dio un salto hacia atrás. Sacó su puñal y se precipitó sobre mí. El legado y dos de sus soldados se apresuraron a abatirlo a cuchilladas. Mi hermano quedó prendido en las armas de los soldados, mirando de un lado a otro, tratando de hablar, pero tenía la boca llena de sangre. Abrió los ojos como platos, e intentó una vez más decir algo. Luego, cuando los soldados enfundaron de nuevo sus puñales, su cuerpo se desplomó sobre los adoquines al pie de la escalera.

Mi hermano Lucius estaba misericordiosamente muerto.

Contemplé su cadáver y meneé la cabeza.

El legado me miró. Era un momento trascendente, y yo lo sabía.

—¿Qué es, tribuno, lo que nos separa de esos bárbaros melenudos del norte? —pregunté—. ¿La ley? ¿La ley escrita? ¿La ley tradicional? ¿La justicia? ¿El hecho de que los hombres y las mujeres debemos responder de nuestros actos?

—Sí, señora.

—¿Sabéis? —proseguí en tono reverente, contemplando aquel montón de sangre, ropas y carne que yacía sobre las piedras—, vi a nuestro gran emperador César Augusto el día de su muerte.

—¿Que lo visteis? ¿De veras?

Asentí con la cabeza.

—Cuando tuvieron la certeza de que iba a morir, nos mandaron llamar junto con unos pocos amigos suyos. El emperador confiaba en acallar los rumores en la capital que pudieran originar disturbios. Pidió un espejo y se peinó. Después de acicalarse se incorporó sobre los almohadones. Cuando entramos nos preguntó si creíamos que había desempeñado bien su papel en la comedia de la vida.

»Yo me dije, ¡qué valor! Y luego nos gastó una pequeña broma, pronunciando esa vieja frase teatral que suelen decir los actores al término de la representación: "Si os he hecho muy felices, tened la bondad de demostrarme vuestra estima con una cálida despedida." Podría relataros más cosas, pero...

—Continuad, os lo ruego —dijo el legado.

—Bien, ¿por qué no? —repuse—. Me contaron que el emperador había dicho a propósito de Tiberio, el sucesor que él mismo había elegido: «¡Pobre Roma, tener que ser masticada lentamente por esas perezosas mandíbulas!»

El legado sonrió.

—No había nadie más —dijo bajando la voz.

—Gracias por vuestra ayuda, tribuno. ¿Me permitís sacar de mi bolsa lo necesario para invitaros a vos y a vuestros soldados a una excelente cena?

—No, señora, no puedo consentir que digan que yo o alguno de mis hombres hemos sido sobornados. A propósito de ese hombre que yace muerto en el suelo. ¿Sabéis algo más sobre él?

—Sólo esto, oficial, que su cadáver seguramente debería yacer en el fondo del río.

Los soldados se miraron y soltaron carcajadas.

—Buenas noches, noble dama —dijo el legado.

Me marché caminando a través de la oscuridad del foro, con mi amado y renqueante Flavius a mi lado y rodeados por los hacheros.

Sólo entonces me eché a temblar como una hoja. Sólo entonces cubrió el sudor todo mi cuerpo.

Cuando nos hubimos sumido en la impenetrable oscuridad de un pequeño callejón, dije:

—Flavius, despacha a esos hacheros. No quiero que sepan hacia dónde nos dirigimos.

—Señora, no tenemos linternas.

—La noche está cuajada de estrellas y casi hay luna llena. ¡Mira! Además, nos siguen unos guardias del templo.

—¿Estáis segura? —preguntó Flavius. Acto seguido pagó a los hacheros, que echaron a correr hacia la entrada del callejón.

—Sí. Alguien vigila. Además, las luces de las ventanas y el resplandor de las estrellas nos guiarán, ¿no crees? Estoy cansada, muy cansada. —Seguí caminando, recordándome una y otra vez que Flavius no podía seguir mis apresurados pasos. De golpe me eché a llorar—. Responde a una pregunta, tú, que posees tantos conocimientos filosóficos —dije sin dejar de avanzar, resuelta a contener las lágrimas—, dime por qué la mayoría de los malvados son tan estúpidos.

—Señora, creo que algunas personas malvadas son muy inteligentes —contestó Flavius—, pero jamás he presenciado una retórica tan hábil por parte de nadie, ni bueno ni malvado, como acabáis de demostrar hace un rato.

—Me alegro de que te hayas dado cuenta de que no era sino eso —repuse—. Pura retórica. ¡Y pensar que él tuvo los mismos maestros que yo, la misma biblioteca, el mismo padre...! —No pude terminar la frase.

Flavius me rodeó los hombros con un brazo y esta vez no le ordené que se apartara, sino que dejé que me guiara. Al avanzar juntos caminamos más rápidamente.

—No, Flavius —dije—, la mayoría de las personas malvadas son imbéciles. Lo he visto toda mi vida. La persona auténticamente taimada y perversa no abunda. Es la torpeza la que provoca la mayor parte de las desgracias en el mundo, la mera y estúpida torpeza. ¡Eso es subestimar a nuestro prójimo! Ya verás cómo acaba Tiberio. Tiberio y la guardia pretoriana. Ya verás cómo acaba Sejano. Si siembras por doquier las semillas de la desconfianza, acabas sepultado en un campo cubierto de maleza.

—Hemos llegado a casa, señora —dijo Flavius.

—Gracias a Dios. Jamás habría podido indicarte que ésta era la casa.

Flavius se detuvo y abrió la puerta con la llave. Nos asaltó un intenso hedor a orina, como en todos los callejones de las ciudades antiguas. Una linterna arrojaba una tenue luz sobre la puerta de madera de la casa. La luz bailaba sobre el chorro de agua que manaba de la boca del león en la fuente.

Flavius llamó a la puerta con los nudillos. Me pareció que las mujeres que abrían la puerta interior sollozaban.

—¿Qué habrá ocurrido ahora? —exclamé—. Tengo mucho sueño. Sea lo que fuere, ocúpate tú.

Entré en la casa.

—Señora —gimió una de las jóvenes esclavas, cuyo nombre yo no recordaba—. No le dejé entrar. Os lo juro. No descorrí el cerrojo. No tengo la llave de la verja. ¡Teníamos la casa arreglada, lo teníamos todo dispuesto para vos! —sollozó.

—¿A qué demonios te refieres?

Pero yo lo sabía. Lo había visto con el rabillo del ojo. Lo sabía. Al volverme había visto a un romano muy alto instalado en el flamante salón de mi casa. El romano estaba sentado cómodamente, con el tobillo apoyado en la rodilla, en una silla de madera dorada.

—Está bien, Flavius —dije—. Lo conozco.

Y era cierto. Porque se trataba de Marius. Marius, el celta de imponente estatura. Marius, el que me había cautivado en mi infancia. Marius, a quien yo casi había identificado en las sombras del templo.

Marius se levantó en el acto.

Avanzó hacia mí. Yo me había detenido en el borde del atrio, en la penumbra.

—¡Mi hermosa Pandora! —murmuró.

7

Marius se detuvo a pocos pasos de mí, sin tocarme.

—Hazlo, por favor —dije.

Me acerqué para que me besara, pero él se apartó. Había unas lámparas distribuidas por la habitación. Prefirió mantenerse en la sombra.

—Marius, por supuesto, ¡Marius! No pareces un día más viejo que cuando te vi en mi infancia. Tu rostro está radiante, y tus ojos... qué hermosos son tus ojos. Si pudiera cantaría tus alabanzas al son de una lira.

Flavius se había retirado discretamente, llevándose a las atribuladas jóvenes, sin hacer el menor ruido.

—Pandora —dijo Marius—. Me gustaría estrecharte entre mis brazos, pero hay unos motivos que me lo impiden, y no debes tocarme, no porque no lo esté deseando, sino porque no soy lo que tú crees. Tú no ves la evidencia de tu juventud en mí; es algo tan ajeno a las promesas de la juventud que sólo ahora he empezado a comprender sus tormentos.

De pronto apartó la vista. Levantó la mano para imponerme silencio y paciencia.

—Esa cosa que anda por las calles —dije—. Ese vampiro con la piel abrasada...

—No pienses ahora en tus sueños —respondió Marius, volviéndose de nuevo hacia mí—. Piensa en tu juventud. Yo te amaba cuando eras una niña de diez años. Cuando cumpliste los quince, rogué a tu padre que me concediera tu mano.

—¿De veras? No me lo dijo.

Marius volvió a apartar la vista. Luego meneó la cabeza.

—Ése se ha quemado —dije.

—Me lo temía —repuso Marius, maldiciéndose—. Te siguió desde el templo. ¡Oh, Marius, qué imbécil eres! Le has hecho el juego. Pero no es tan listo como cree.

—¿Fuiste tú quien me envió los sueños?

—¡Jamás! Haría cuanto estuviera en mi poder para protegerte de mí mismo.

—¿Y de las antiguas leyendas?

—No te pases de lista, Pandora. Sé que tu enorme astucia te sirvió para librarte del apuro hace un rato, cuando discutías con tu abominable hermano Lucius y el legado. Pero no pienses mucho en... los sueños. Los sueños no son nada, y pasan.

—¿Entonces los sueños provenían de él, de ese grotesco asesino, ese ser quemado?

—¡No lo sé! —contestó Marius—. Pero no pienses en las imágenes. No le alimentes ahora con tu mente.

—Es capaz de adivinar los pensamientos de la gente —dije—, como tú.

—Sí, pero puedes enmascarar tus pensamientos. Es un truco mental. Puedes aprender a hacerlo. Puedes aprender a encerrar tu alma en una cajita de metal en tu cabeza.

Comprendí que Marius sufría mucho. Emanaba de él una inmensa tristeza.

—¡No debemos permitir que esto suceda! —insistió.

—¿A qué te refieres, Marius? ¿Quizás a la voz de la mujer, que tú...?

—No, calla.

—¡No me callaré! Quiero llegar al fondo de este asunto.

—¡Debes seguir mis instrucciones! —Marius avanzó hacia mí y extendió los brazos para tocarme, para abrazarme, como habría hecho mi padre, pero no lo hizo.

—No, tú eres quien debe explicarme esto —repliqué.

Me impresionó la blancura de su rostro, su absoluta e inmaculada perfección. Y de nuevo la luminosidad de sus ojos, que parecía inverosímil, inhumana.

Entonces reparé en su larga y magnífica cabellera. Marius guardaba un gran parecido con los celtas, sus antepasados. El pelo le llegaba hasta los hombros. Era una cabellera resplandeciente, dorada, amarilla como el trigo y suavemente rizada.

—¡Eres asombroso! —murmuré—. ¡No estás vivo!

—No, echa un último vistazo alrededor, porque vas a marcharte.

—¿Qué? ¿Un último vistazo? —repetí—. ¿De qué estás hablando? Pero si acabo de llegar, lo he planeado todo, me he librado de mi hermano. ¡Me niego a marcharme! ¿Es que vas a abandonarme?

El rostro de Marius dejaba entrever una terrible angustia, una expresión valerosa e implorante que yo no había visto en ningún hombre, ni siquiera en mi padre, quien había obrado rápidamente en aquellos últimos y fatales momentos en casa, como si se tratara tan sólo de encomendarme una importante misión.

Marius tenía los ojos nublados de sangre. Estaba llorando, y sus ojos se hallaban enrojecidos por las lágrimas. ¡No! Eran unas lágrimas como las de la magnífica Reina del sueño, quien sollozaba encadenada a su trono, y bañaban sus mejillas, su cuello y su túnica de lino.

Él trató de negarlo. Sacudió la cabeza, pero sabía que no me convencía.

—Pandora, cuando te reconocí —dijo—, cuando entraste en el templo y vi que eras tú quien había tenido esos sueños de sangre, me enfurecí. Decidí apartarte de esto, alejarte del peligro.

Traté de distanciarme de su hechizo, de esa aura de belleza que le rodeaba. Lo miré con frialdad, y le escuché mientras seguía hablando, tomando nota de cada detalle, desde el fulgor de su mirada hasta su forma de gesticular.

—Debes partir inmediatamente de Antioquía —dijo—.
Esta noche me quedaré a tu lado. Mañana llévate contigo a tu
leal Flavius y a tus dos esclavas, que son honestas. Pon tierra
de por medio entre tú y este lugar para que ese ser no pueda
seguirte. No me digas dónde irás. Hablaremos de ello mañana
en el muelle. Dinero no te falta.

—Eres tú quien sueña ahora, Marius. No me marcharé.
¿De quién quieres que huya exactamente? ¿De la Reina que
llora encadenada a su trono? ¿De esa criatura abrasada que
merodea por la ciudad? La primera llega hasta mí a través del
mar, tras recorrer una gran distancia, con sus lamentos. Me
previene contra mi perverso hermano. Al otro puedo liqui-
darlo fácilmente, pues no le temo. Sé por mis sueños lo que es,
sé que el sol le ha abrasado, y yo misma le clavaré contra la pared para que perezca bajo el sol.

Marius guardó silencio, pero se mordió el labio inferior.

—Lo haré por ella, por la Reina del sueño, para vengarla.

—Te lo suplico, Pandora.

—Es inútil —contesté—. ¿Crees que he llegado hasta aquí
para volver a huir corriendo? Y la voz de esa mujer...

—¿Cómo sabes que proviene de la Reina de tus sueños?
Pueden haber otros vampiros en esta ciudad. Hombres, mujeres. Todos persiguen lo mismo.

—¿Les temes?

—¡Les aborrezco! Debo mantenerme alejado de ellos, ne-
garme a darles lo que desean. Jamás les daré lo que desean.

—Comprendo —dije.

—¡No, no lo comprendes! —replicó Marius, mirándome
enojado. Tan feroz, tan perfecto.

—Tú eres uno de ellos, Marius. Estás intacto. No te has
abrasado. Desean tu sangre para regenerarse.

—¡Qué ocurrencia!

—En mis sueños, a la Reina la llamaban «la Fuente».

Me arrojé a su cuello y le aprisioné entre mis brazos. Marius era muy fuerte, sólido como un árbol. Yo jamás había

abrazado un cuerpo masculino tan duro, tan musculoso. Apoyé la cabeza en su hombro y noté la frialdad de su mejilla oprimida contra mi frente

Marius me estrechó con ternura entre sus brazos, acariciándome el pelo, quitándome las horquillas y dejando que cayera sobre mi espalda. Sentí un agradable cosquilleo en la piel.

Un cuerpo duro, muy duro, pero desprovisto del pálpito de la vida. Sus gestos dulces y tiernos no contenían el calor de la sangre humana.

—Amor mío —dijo—. No conozco el origen de tu sueño, pero si algo sé es que te protegeré de mí mismo y de ellos. Jamás formarás parte de esa vieja leyenda que continúa verso a verso pese a los cambios que experimenta el mundo. No lo consentiré.

—Explícame esas cosas. No colaboraré contigo a menos que me lo expliques todo. ¿Conoces la angustia que siente la Reina en el sueño? Sus lágrimas son como las tuyas. Mira. Sangre. ¡Te has manchado la túnica! ¿Está ella aquí, la Reina? ¿Me ha llamado?

—¿Y qué si te ha llamado para castigarte por esa vida anterior que has soñado en la que unos dioses malvados la mantienen encadenada? ¿Y qué si fuera así?

—No —repuse—. No es ésa su intención. Además, yo no haría lo que pretenden esos dioses siniestros del sueño. No bebería de la Fuente. Huí, y por eso perecí en el desierto.

—¡Ah! —Marius alzó las manos, y se alejó unos pasos. Contempló el peristilo que se hallaba en penumbra. Sólo las estrellas iluminaban los árboles. Vi un tenue resplandor procedente del comedor, en el otro extremo de la casa.

Observé su imponente estatura, su recta columna vertebral y la forma en que tenía los pies firmemente plantados en las baldosas del suelo. Las lámparas arrancaban destellos a su magnífica cabellera rubia.

Aunque estaba vuelto de espaldas a mí, le oí murmurar:

—¿Cómo pudo haber ocurrido esa estupidez?

—¿Qué estupidez? —inquirí, acercándome a él—. ¿Te refieres a que me encuentre aquí, en Antioquía? Yo te lo explicaré. Mi padre dispuso mi huida, así fue como...

—No, no me refiero a eso. Quiero que estés a salvo, viva, libre de todo peligro, protegida, para que puedas florecer debidamente. Estás espléndida, tus pétalos ni siquiera están marchitos en los bordes, y tu arrojo realza tu belleza. Tu hermano no tenía la menor posibilidad de derrotarte, ni a ti ni tu retórica. Y sin embargo sedujiste a los soldados y los convertiste en tus esclavos con tu superioridad, sin suscitar en ningún momento su rencor. Te quedan muchos años de vida por delante. Pero debo idear algún medio de ponerte a salvo. Mira. Éste es el meollo de la cuestión. Debes partir de Antioquía durante el día.

—«Un amigo del templo», eso fue lo que te llamaron el sacerdote y la sacerdotisa. Dijeron que sabías leer las antiguas escrituras. Dijeron que adquirías todos los libros egipcios que llegaban al puerto. ¿Por qué? Si buscas a la Reina, búscala a través de mí, porque dijo que era ella quien me llamaba.

—Ella no habló en los sueños. ¡No sabes quién pronunció esas palabras! ¿Y si resulta que los sueños tienen sus raíces en tu alma errante? ¿Y si hubieras vivido una vida anterior? Y ahora llegas al templo, y uno de esos abominables dioses se pasea por la ciudad y tu vida corre peligro. Tienes que alejarte de aquí, de mí, de este cazador herido, a quien sin duda hallaré.

—¡No me has confesado todo lo que sabes! ¿Qué te ocurrió, Marius? ¿Qué pasó? ¿Quién lo hizo, quién obró este milagro de tu luminosidad? Esto no es un manto. ¡La luz proviene de tu interior!

—Maldita sea, Pandora, ¿crees que yo deseaba acortar mi vida y que mi destino se prolongara eternamente? —Marius sufría. Me miró, resistiéndose a hablar, y sentí el dolor que emanaba de él, la soledad, y durante unos momentos me resultó insoportable.

Evoqué la oleada de angustia que yo misma había experimentado la noche anterior, cuando se me impuso la total vacuidad de todas las religiones y todos los credos y el esfuerzo de vivir una vida digna me pareció una mera trampa, sólo eso.

De pronto Marius me abrazó con fuerza, restregando suavemente su mejilla contra mi pelo, besándome en la cabeza con una ternura indescriptible.

—Pandora, Pandora, Pandora —dijo—. Mi hermosa chiquilla que se ha convertido en esta maravillosa mujer.

Sostuve entre mis brazos aquella dura efigie del hombre más espectacular que jamás he conocido; lo abracé, y esta vez percibí los latidos de su corazón, su ritmo nítido y preciso. Apoyé la oreja en su pecho.

—Oh, Marius, ojalá pudiera descansar con la cabeza apoyada junto a la tuya, rendirme a tu protección. ¡Pero estás haciendo que me vuelva loca! No prometes ser mi guardián, me ordenas que huya, que vague de un lugar a otro, lo que supondría más pesadillas, más misterio y desesperación. No, no puedo hacerlo.

Me aparté de sus caricias. Sentí sus besos en mi pelo.

—No me digas que jamás volveré a verte. No creas que puedo soportar eso, además de todo lo que ha ocurrido. Aquí no tengo a nadie, y de pronto aparece una persona que dejó grabado en mi joven corazón un recuerdo tan indeleble que sus detalles son tan profundos como la moneda mejor acuñada. Y dices que no volverás a verme, que debo partir.

Me volví hacia él. En sus ojos brillaba la lujuria, pero él la reprimió y confesó con voz suave, sonriendo:

—No sabes cuánto admiré tu trabajo con el legado. Creí que entre ambos ibais a planear la conquista de las tribus germanas. —Se detuvo y suspiró—. Debes labrarte una vida agradable, satisfactoria, una vida en la que tu alma y tu cuerpo hallen el alimento necesario.

Su rostro adquirió color. Contempló mis pechos, mis caderas y mi rostro. Avergonzado, y tratando de ocultarlo. El deseo carnal.

—¿Sigues siendo un hombre? —pregunté.

Marius no respondió. Pero su expresión se tornó fría.

—¡Jamás llegarás a saber todo lo que soy! —contestó.

—¡Ah, pero no eres un hombre! —dije—. ¿Estoy en lo cierto? No eres un hombre.

—Pandora, me estás atormentando deliberadamente. ¿Por qué? ¿Por qué lo haces?

—Esta transformación, esta iniciación a los bebedores de sangre, no ha añadido centímetros a tu estatura. ¿Ha añadido centímetros a algún órgano?

—Basta, te lo ruego —repuso Marius.

—Deséame, Marius. Dime que me deseas. Lo veo en tus ojos. Dímelo con palabras. ¿Tan difícil te resulta?

—¡Me pones furioso! —exclamó. La rabia tiñó de rojo su semblante; apretó los labios con tanta fuerza que se le pusieron blancos—. Da gracias a los dioses de que no te desee lo suficiente para traicionar el amor por un éxtasis breve y sangriento.

—En el templo no saben lo que eres, ¿verdad?

—¡No! —respondió Marius.

—Y te niegas a abrirme tu corazón.

—Jamás. Te olvidarás de mí y esos sueños desaparecerán. Te aseguro que los haré desaparecer con mis oraciones por ti. Lo conseguiré.

—¡Qué lenguaje tan piadoso! —dije—. ¿Cómo lograste conquistar el favor de la antigua Isis, que bebía sangre y constituía la Fuente?

—No digas esas cosas; es mentira, todo es mentira. No sabes que esa Reina que viste fuera Isis. ¿Qué sabes por esas pesadillas? Reflexiona. Sabes que la Reina era prisionera de los que bebían sangre y a quienes ella condenó. Eran malvados. Piensa. Sumérgete de nuevo en el sueño. Piensa. Te parecían malvados, lo creíste entonces y lo crees ahora. En el templo percibiste un tufo de maldad. Lo sé. Te estaba observando.

—Sí. Pero tú no eres malvado, Marius, y no lograrás convencerme de ello. Tienes un cuerpo duro como el mármol, bebes sangre, pero te asemejas a un dios; no eres malvado.

Marius se disponía a protestar, pero se detuvo nuevamente. Echó una mirada de reojo. Luego volvió la cabeza lentamente y recorrió con sus ojos el techo del peristilo.

—¿Temes que vaya a amanecer? —pregunté—. ¿Temes que aparezcan los rayos de Amón Re?

—¡Eres la persona más chinchosa que he conocido! —contestó Marius—. Si me hubiera casado contigo, me habrías enviado a la tumba al poco tiempo. ¡Menos mal que me he ahorrado todo esto!

—¿Todo el qué?

Marius llamó a Flavius, quien había permanecido cerca, escuchando nuestra conversación, tomando nota de todo cuando decíamos.

—Me marcho, Flavius —dijo Marius—. Debo hacerlo. Pero guarda a tu ama. Volveré al anochecer, tan pronto como pueda. Si ocurriera algo antes de mi regreso, si apareciera un asaltante cubierto de cicatrices y con un aspecto terrorífico, golpéale en la cabeza con tu espada. En la cabeza, tenlo presente. Tu ama sin duda será más que capaz de darte una mano para defenderse.

—Sí, señor. ¿Debemos abandonar Antioquía?

—Cuidado con lo que dices, mi fiel esclavo griego —intervine—. Yo soy tu ama. No nos marcharemos de Antioquía.

—Procura convencerla de que prepare el equipaje —dijo Marius.

Luego me miró.

Se produjo un largo silencio. Yo sabía que adivinaba mis pensamientos. De pronto me estremecí al recordar mis sueños de sangre. Advertí que sus ojos adquirían un extraño brillo, y su expresión mudó levemente. Aterrorizada, aparté el sueño de mí. Me niego a dejarme aterrorizar.

—Todo está ligado —musité—, los sueños, el templo, el hecho de que estés aquí, de que te hayan llamado para que los ayudes. ¿Qué eres? ¿Un dios pálido puesto en la tierra para perseguir a los siniestros bebedores de sangre? ¿Está viva la Reina?

—¡Ojalá fuera un dios como dices! —respondió Marius—. ¡Lo sería si pudiera serlo! Pero no volverán a crear más bebedores de sangre, de eso estoy seguro. ¡Deja que depositen flores sobre un altar ante una estatua de basalto!

En aquel momento sentía hacia él un amor tan profundo que me arrojé en sus brazos.

—¡Llévame contigo, a dondequiera que vayas!

—¡No puedo! —contestó él. Pestañeó como si algo le hubiera herido los ojos. Apenas podía alzar la cabeza.

—Es la luz, ¿no es así? De modo que eres uno de ellos.

—Pandora, cuando regrese a tu lado, debes estar preparada para abandonar este lugar —repuso Marius.

Y con esto desapareció.

Sin más preámbulos. Desapareció de mis brazos, de mi salón, de mi casa.

Me volví y empecé a pasearme lentamente por mi umbroso salón.

Contemplé los murales; las alegres figuras danzantes con sus laureles y coronas de hojas: Baco y sus ninfas, muy púdicamente cubiertos por tratarse de una panda de juerguistas.

—Señora —oí decir a Flavius—, he encontrado una espada entre vuestras pertenencias. ¿Puedo tenerla dispuesta en caso de que sea necesario?

—Sí, y ten dispuestos también numerosos puñales, y fuego, no olvides el fuego. Esa criatura huye del fuego. —Solté un suspiro. ¿Cómo sabía yo eso? El caso es que lo sabía—. Pero no se presentará hasta que haya oscurecido. Sólo quedan unas pocas horas de noche. Podemos irnos a dormir en cuanto observemos que el cielo se tiñe de púrpura. —Me llevé la mano a la frente—. Estoy tratando de recordar...

—¿Qué, señora? —preguntó Flavius. Tenía un aspecto no menos espléndido después del espectáculo de Marius, de distintas proporciones pero igualmente magnífico, y con una piel cálida y humana.

—Si los sueños aparecen de día o lo hacen siempre de noche. Tengo mucho sueño y noto que se aproximan. Enciende una luz en mi baño, Flavius. Pero me voy a acostar. ¿Te quedarás aquí vigilando?

—Sí, señora.

—Mira, las estrellas casi se han desvanecido. ¿Qué debe de sentir una estrella, Flavius, admirada sólo en la oscuridad, cuando los hombres y las mujeres viven con velas y lámparas. Ser conocidas y descritas sólo en la oscuridad de la noche, cuando todos los quehaceres del día han terminado?

—Sois la mujer más inteligente que jamás he conocido —dijo Flavius—. Admiro la forma en que os vengasteis del hombre que os había acusado. —Me tomó del brazo y me condujo había el dormitorio donde me había vestido aquella mañana.

Yo lo amaba. Una vida entera de crisis sucesivas no podía haber hecho que ese sentimiento fuera más intenso.

—¿No deseáis dormir en el gran lecho de la casa, en el comedor?

—No —respondí—. Ése es el tálamo conyugal, y yo no volveré a casarme. Deseo darme un baño, pero tengo demasiado sueño.

—Si queréis despertaré a las esclavas.

—No, deseo acostarme. ¿Has preparado un dormitorio para mí?

—Sí.

Flavius me condujo a él. Aún no había comenzado a clarear. Creí percibir un murmullo, pero no era nada.

Contemplé el lecho a la luz de su pequeña lámpara, cubierto de almohadones al estilo oriental, un mullido nido sobre el que me dejé caer igual que habría hecho una persa.

El sueño se abatió de inmediato sobre mí.

Los bebedores de sangre no hallábamos en el interior de

un inmenso templo. Estaba oscuro. Podíamos ver en esa oscuridad, como sucedía con algunos animales. Todos teníamos la piel bronceada, o tostada, o dorada. Todos éramos hombres.

En el suelo yacía la Reina, gritando. Tenía la tez blanca, de un blanco purísimo. Su largo cabello era negro. La corona ostentaba unos cuernos y una imagen del sol. ¡Era la diosa! Estaba tan agitada que la sujetaban entre diez bebedores de sangre situados a ambos lados. La Reina no cesaba de mover la cabeza de un lado a otro; sus ojos parecían chisporrotear, inundados de Luz Divina.

—¡Soy vuestra Reina! ¡No podéis hacerme esto! —Qué piel tan inmaculadamente blanca. Sus gritos se hicieron más desesperados e implorantes—. ¡Oh, gran Osiris, sálvame de este tormento! ¡Sálvame de estos blasfemos! ¡Sálvame de los profanos!

El sacerdote que se hallaba junto a mí se burló de ella. El Rey estaba sentado sobre su trono, inmóvil. Pero no era al Rey a quien ella dirigía sus plegarias, sino a un Osiris invisible.

—Sujetadla más fuerte.

Aparecieron otros dos para sujetarle los tobillos con unos grilletes.

—¡Bebe! —me ordenó el sacerdote—. Arrodíllate y bebe su sangre. Su sangre es más potente que cualquier otra sangre que exista en el mundo. Bebe.

La Reina dejó escapar un débil gemido.

—¡Monstruos! ¡Hijos de Satanás! —sollozó.

—Me niego a hacerlo —respondí.

—¡Bebe! ¡Debes beber su sangre!

—No, no lo haré contra su voluntad. ¡No lo haré de esta forma! ¡Es nuestra Madre Isis!

—Es nuestra Fuente y nuestra prisionera.

—No —repliqué yo.

El sacerdote me dio un empujón. Yo le derribé al suelo. Luego volví los ojos hacia la Reina.

Ella me miró como miraba a los demás. Tenía un rostro

delicado y exquisitamente pintado. Su ira no había distorsionado sus facciones. Tenía la voz grave y llena de odio.

—Os destruiré a todos —dijo—. Una mañana, me escaparé y me dirigiré hacia la luz del sol, y todos moriréis abrasados. ¡Todos moriréis abrasados! ¡Como yo! ¡Porque yo soy la Fuente! Y la maldad que anida en mí arderá y se extinguirá en vosotros para siempre. Vamos, estúpido neófito —añadió dirigiéndose a mí—. Obedéceles. Bebe, y aguarda mi venganza.

»El buen Amón Re saldrá por el este y yo me encaminaré hacia él, y sus mortíferos rayos me matarán. ¡Me convertiré en un sacrificio de fuego para destruiros a todos los que habéis nacido de mí, transformados en virtud de mi sangre! ¡Sois unos dioses voraces y crueles que utilizáis el poder que poseemos en beneficio propio!

De pronto el sueño sufrió una espantosa transformación. La Reina se puso en pie. Aparecía radiante y suntuosamente engalanada. En torno a ella ardían una, dos, tres antorchas, y luego muchas más, llameando como si acabaran de encenderlas. La Reina estaba rodeada de luz. Los dioses habían desaparecido. La Reina sonrió y me hizo un gesto de que me acercara. Al agachar la cabeza y mirarme observé que le relucía el blanco de debajo de sus pupilas. Me sonrió. Una sonrisa astuta.

Me desperté gritando. En mi lecho. En Antioquía. La lámpara estaba encendida. Flavius me sostenía en sus brazos. Vi la luz reflejada en su pierna de marfil, que tenía extendida ante él. Vi la luz reflejada en los dedos tallados del pie.

—¡Abrázame! —le rogué—. ¡Madre Isis! Abrázame. ¿Cuánto tiempo llevo durmiendo?

—Sólo unos minutos —respondió Flavius.

—No.

—Acaba de amanecer. ¿Deseáis salir y tumbaros bajo los cálidos rayos del sol?

—¡No! —chillé.

Flavius me abrazó con más fuerza, ofreciéndome consuelo y calor.

—No ha sido más que un mal sueño, mi hermosa dama —dijo—. Cerrad los ojos. Me acostaré a vuestro lado, sin soltar el puñal.

—Sí, te lo ruego, Flavius. No te vayas. Abrázame —le imploré.

Me tendí en la cama y él se acostó junto a mí, con las rodillas detrás de las mías y rodeándome con un brazo.

Abrí los ojos. Oí de nuevo la voz de Marius.

«¡Da gracias a los dioses de que no te desee! En todo caso no lo suficiente para traicionar el amor por un éxtasis breve y sangriento...»

—Oh, Flavius —gemí—. ¡Mi piel! ¡Tengo la piel ardiendo! —Hice ademán de levantarme—. Apaga la luz. ¡Apaga el sol!

—No, señora, tenéis la piel tan hermosa como siempre. Tendeos. Dejad que os cante una canción.

—Sí, canta... —supliqué.

Escuché la canción, era Homero, era Aquiles y Héctor, y me cautivó su forma de cantar, las pausas que hacía; imaginé a esos héroes, y las elevadas murallas de la fatídica Troya, y entonces noté que mis párpados se cerraban. Me embargaba el sueño. Deseaba reposar. Flavius apoyó la mano sobre mi cabeza, como si quisiera impedir que las pesadillas turbaran mi sueño, como si fuera un cazador humano de pesadillas. Yo suspiré al sentir sus caricias en el pelo.

Imaginé a Marius, el fulgor de su piel. Era muy parecida a la piel de la Reina, y el brillo de sus ojos también muy semejante al de la Reina, y le oí decir:

«Maldita sea, Pandora, ¿crees que yo deseaba acortar mi vida y que mi destino se prolongara eternamente?»

Y entonces, antes de sumirme en la inconsciencia, se apoderó de mí una profunda desesperación, la sensación de que todo era inútil, de que no merecía la pena esforzarse. Valía más ser como las bestias, como los leones en la arena.

8

Me desperté. Oí el canto de los pájaros. Calculé que debía de ser mediodía, aunque no estaba segura.

Me dirigí descalza a la habitación contigua y la crucé en dirección al peristilo. Caminé sobre el borde enlosado de la tierra y alcé la vista al cielo. El sol aún no estaba lo bastante alto para observarlo sobre mí.

Descorrí el cerrojo de la puerta y me encaminé hacia la verja. Pregunté al primer hombre que vi, un hombre del desierto que lucía un velo muy largo.

—¿Qué hora es? ¿Mediodía?

—Oh, no, señora —respondió—. Todavía no. ¿Se os han pegado las sábanas? Sois muy afortunada. —El hombre meneó la cabeza y prosiguió su camino.

En el salón ardía una lámpara. Entré en él y vi que la lámpara se hallaba sobre el escritorio que mis sirvientes habían dispuesto para mí.

Había tinta, plumas, y unas hojas en blanco de pergamino.

Me senté y anoté todo cuanto lograba recordar de los sueños, forzando la vista para ver con claridad a la débil luz de la pequeña lámpara en las sombras, demasiado lejos de la luz que iluminaba el frondoso huerto del peristilo.

Me dolía el brazo de tan rápido como escribía sobre el pergamino. Describí detalladamente el último sueño, las antorchas, la sonrisa de la Reina, su expresión cuando me aproximé a ella.

Ya estaba hecho. Mientras escribía iba dejando las hojas en el suelo, a mi alrededor, para que se fueran secando. No había peligro de que el viento se las llevara pues no soplaba la más leve brisa. Cuando hube terminado las recogí del suelo.

Me acerqué deliberadamente al borde del jardín para contemplar el cielo azul, sosteniendo las hojas junto a mi pecho. Un límpido cielo azul.

—¡Y cubres este mundo! —dije—. Y eres inmutable, salvo por una luz que sale y se pone —añadí dirigiéndome al cielo—. ¡Luego cae la noche con sus esquemas ilusorios y seductores!

—¡Señora! —Era Flavius, a mis espaldas, medio dormido—. Apenas habéis descansado. Debéis dormir. Regresad al lecho.

—Tráeme las sandalias. Vamos, date prisa —le ordené.

En cuanto Flavius se hubo marchado, atravesé la verja de la casa y caminé tan rápidamente como pude.

Cuando me hallaba a medio camino del templo de Isis caí en la cuenta de lo desagradable que era andar descalza sobre los sucios adoquines. Me percaté de que llevaba puesta la arrugada túnica de lino con que me había acostado. El pelo me caía desordenadamente sobre los hombros. No aminoré el paso.

Estaba eufórica. No me sentía desvalida como cuando había huido de casa de mi padre. No estaba nerviosa ni corría un gran peligro como cuando Lucius me había acusado la noche anterior ante los soldados romanos.

No estaba aterrorizada como cuando la Reina me había sonreído en mi sueño. Ni tampoco temblaba, como cuando me había despertado.

Seguí avanzando. Me hallaba inmersa en un tremendo drama. No lo abandonaría hasta el último acto.

Pasaron varias personas junto a mí, unos obreros que acudían a sus trabajos matutinos, un viejo apoyado en un cayado. Apenas me fijé en ellos.

Me producía un pequeño placer que la gente se fijara en que llevaba el pelo suelto, libre, y el vestido arrugado. Me pregunté qué se sentiría al aislarse de toda civilización y no volver a preocuparse por el estado de un cierre o una horquilla, dormir sobre la hierba, no temer nada.

¡No temer nada! Ah, qué hermoso me parecía eso.

Llegué al foro. Los puestos del mercado ya estaban muy concurridos; los mendigos se habían echado a la calle. Vi muchas literas cubiertas con cortinas, transportadas en todas direcciones. Los filósofos impartían sus enseñanzas bajo los pórticos. Percibí esos violentos y extraños ruidos que siempre vienen de un puerto, quizás al descargar unas mercancías, no lo sé a ciencia cierta. Aspiré el olor del Orontes. Confié en que el cadáver de Lucius flotara en sus aguas.

Subí por la escalera y penetré en el templo de Isis.

—Deseo ver al sumo sacerdote y a la sacerdotisa —dije—. Es urgente.

Pasé junto a una joven perpleja y con aire decididamente virginal y entré en una cámara adyacente donde me había entrevistado por primera vez con ellos. La mesa había desaparecido. Sólo estaba el diván. Entré en otra habitación del Templo. Una mesa. Unos pergaminos. Oí unos pasos apresurados. Unos momentos después apareció la sacerdotisa. Ya se había aplicado la pintura de rigor en la cara y se había colocado la peluca y los adornos. Al verla no sentí el menor sobresalto.

—Mirad —dije—, he tenido otro sueño. —Señalé los pergaminos que había depositado ordenadamente sobre la mesa—. Lo he anotado todo.

En aquel preciso instante llegó el sacerdote. Se acercó a la mesa y observó los folios.

—Leed cuanto he escrito. Leedlo ahora. Deseo que seáis testigos de ello en caso de que me suceda una desgracia.

El sacerdote y la sacerdotisa se situaron uno a cada lado de mí; el sacerdote levantó cuidadosamente los pergaminos para examinarlos, sin darle la vuelta al montón.

—Soy un alma errante —dije—. La diosa pretende un ajuste de cuentas, o quizá desee un favor de mi parte, no lo sé, sólo sé que está viva. No es una mera estatua.

El sacerdote y la sacerdotisa me miraron.

—¿Bien? ¿No tenéis nada que decir? —pregunté—. Todo el mundo acude a vosotros en busca de consejo.

—Pero señora —repuso el sacerdote—, no podemos leer estos pergaminos.

—¿Qué?

—Están escritos en un tipo de escritura jeroglífica muy antigua y complicada.

Bajé la vista hacia las hojas. Sólo vi mis palabras tal como habían brotado de mi mente, a través de mi mano, a través de mi pluma. No conseguí fijarme en la forma de las letras.

Tomé la última hoja y leí en voz alta:

—«Su sonrisa era astuta. Me llenó de terror.» —Les tendí el pergamino, pero el sacerdote y la sacerdotisa negaron enérgicamente con la cabeza.

De pronto se produjo un pequeño tumulto y Flavius, jadeando y con el rostro arrebolado, entró en la habitación. Llevaba mis sandalias en la mano. Al verme se apoyó contra la pared, visiblemente aliviado.

—Acércate —le dije.

Obedeció.

—Mira esas hojas, léelas. ¿No están escritas en latín?

Aparecieron dos esclavas, que se apresuraron a lavarme los pies y a calzarme las sandalias. Flavius se irguió junto a mí y examinó las hojas.

—Es una antigua escritura egipcia —dijo Flavius—. La más antigua que he visto en mi vida. ¡Esto valdría una fortuna en Atenas!

—¡Pero si lo acabo de escribir! —exclamé. Miré al sacerdote y a la sacerdotisa—. Haced venir a vuestro amigo alto y rubio —dije—. El que adivina el pensamiento, el que sabe leer las antiguas escrituras.

—No podemos hacerlo, señora. —El sacerdote miró desconcertado a la sacerdotisa.

—¿Por qué? ¿Dónde se encuentra? Sólo acude cuando anochece, ¿no es así? —pregunté.

Ambos asintieron con la cabeza.

—Y cuando adquiere libros, todos los libros que versan sobre Egipto, ¿lo hace también a la luz de las lámparas? —inquirí. Pero ya conocía la respuesta.

El sacerdote y la sacerdotisa se miraron desconcertados.

—¿Dónde vive?

—No lo sabemos, señora. Os ruego que no tratéis de dar con él. Vendrá en cuando oscurezca. Anoche nos advirtió que os tenía en gran estima.

—De modo que no sabéis dónde vive... —Me levanté—. Está bien —dije. Recogí los pergaminos, cubiertos con mi espectacular escritura antigua—. Ese ser abrasado —añadí antes de abandonar la habitación—, vuestro amigo que asesina y chupa la sangre a sus víctimas, ¿vino anoche? ¿Dejó una ofrenda?

—Sí —repuso el sacerdote. Parecía sentirse humillado—. Señora Pandora, descansad y comed un poco.

—Sí —intervino mi leal Flavius—, debéis hacerlo.

—Es imposible —contesté. Con las hojas firmemente sujetas, crucé el amplio vestíbulo y me dirigí a la puerta principal. Todos me suplicaron que descansara un rato, pero yo no les presté atención.

Al salir sentí un calor sofocante. Flavius me seguía a corta distancia. El sacerdote y la sacerdotisa nos rogaron que nos quedáramos.

Eché un vistazo alrededor, escrutando el enorme mercado.

Los libreros de más prestigio se hallaban agrupados en el extremo izquierdo del foro. Atravesé la plaza.

Flavius hacía esfuerzos por seguirme.

—Señora, os lo ruego, ¿qué os proponéis? Os habéis vuelto loca.

—No me he vuelto loca, y lo sabes —repliqué—. ¡Tú mismo lo viste anoche!

—Esperadle en el templo, tal como os pidió que hicierais —dijo Flavius.

—¿Por qué? ¿Por qué habría de hacerlo? —pregunté.

Había numerosas librerías, con manuscritos en todas las lenguas.

—¡Egipto! ¡Egipto! —exclamé, en latín y en griego.

En el mercado reinaba una tremenda barahúnda; había un sinfín de compradores y vendedores. Platón y Aristóteles estaban por doquier. Había un montón de libros sobre su vida escritos por César Augusto, que el emperador había completado unos años antes de su muerte.

—¡Egipto! —exclamé.

Los mercaderes señalaron antiguos papiros. Fragmentos.

La brisa agitaba los toldos. Me asomé a una estancia tras otra, observando las hileras de esclavos que se afanaban en copiar textos, unos esclavos que mojaban las plumas en los frascos de tinta, que no se atrevían a alzar la vista de su tarea.

Fuera también había esclavos, sentados a la sombra, escribiendo cartas dictadas por hombres y mujeres de aspecto humilde. Todos estaban muy ajetreados.

Unos hombres transportaban baúles hacia una librería. Salió el dueño, un anciano.

—Vengo de parte de Marius —dije—, un hombre alto y rubio que adquiere libros en vuestro establecimiento sólo por las noches.

El hombre no dijo nada.

Entré en una librería contigua. Todo cuanto contenía era egipcio, no sólo los papiros expuestos en las estanterías, sino los fragmentos de pintura en los muros, los trozos de yeso que mostraban aún el perfil de un rey o una reina, múltiples frasquitos dispuestos en hileras, figuras procedentes de una tumba saqueada hacía mucho tiempo. A los egipcios les encantaba confeccionar esas figurillas de madera.

Allí vi por fin a la persona que buscaba, un auténtico anticuario.

El hombre, de barba canosa, alzó de mala gana la vista del libro que estaba examinando, un códice escrito en egipcio moderno.

—¿No tenéis algo que pudiera interesarle a Marius? —pregunté, entrando en la tienda. Tuve que sortear numerosos baúles y pilas de cajas—. Ese romano tan alto, Marius, que estudia manuscritos antiguos y compra los más valiosos. Ya sabéis a quién me refiero. Con los ojos muy azules. Rubio. Viene por las noches, y vos le franqueáis la entrada.

El hombre asintió con la cabeza. Luego miró a Flavius y dijo, enarcando las cejas:

—¡Muy impresionante vuestra pierna de marfil! —Era un griego culto. Excelente—. Griega. Oriental y de una palidez perfecta.

—Vengo de parte de Marius —dije.

—Le reservo todos los libros que pueden interesarle, tal como me ha pedido que haga —repuso el hombre, encogiéndose levemente de hombros—. No vendo nada sin ofrecérselo antes a Marius.

—Estoy segura de ello. Vengo de su parte. —Miré alrededor—. ¿Me permitís sentarme?

—Oh, por favor, disculpadme —contestó el hombre, indicando un sólido baúl.

Flavius estaba perplejo. El hombre volvió a sentarse ante su mesa, cubierta de libros, papiros y otros objetos.

—Ojalá dispusiera de una mesa adecuada. ¿Dónde está mi esclavo? Sé que tengo una frasca de vino en alguna parte. Acabo... Estaba leyendo la historia más asombrosa en este texto.

—¿De veras? —dije—. Echad un vistazo a esto —añadí, entregándole las hojas.

—Dios mío, es una copia bellísima —dijo—. ¡Qué caligrafía tan perfecta! —Leyó en voz baja. Por lo visto comprendía muchas de las palabras que aparecían escritas—. A Marius le interesará enormemente. Trata de las leyendas de Isis, precisamente el tema que él estudia.

Le arrebaté suavemente los papeles.

—Lo he escrito para él.

—¿Lo habéis escrito vos?

—Sí, pero deseo sorprenderle con un regalo. Algo que acabe de llegar, que él no haya visto todavía.

—Hay muchos objetos...

—Dinero, Flavius.

—No llevo dinero encima, señora.

—Eso no es cierto, Flavius; no te creo capaz de salir de casa sin las llaves y un poco de dinero. Dámelo.

—Oh, si es para Marius, os lo vendo a crédito —dijo el anciano—. Hum, esta semana han llegado al mercado varias cosas. Eso se debe a la hambruna que padecen en Egipto. Supongo que mucha gente se ve obligada a vender sus pertenencias. Nunca se sabe de dónde procede un manuscrito egipcio, pero aquí... —El anciano alzó la mano y sacó un frágil papiro de su nicho entre los polvorientos estantes que formaban una especie de nido de abejas.

El librero lo depositó con reverencia sobre la mesa y lo abrió con sumo cuidado. El papiro estaba bien conservado, aunque tenía bordes rotos. Si no se manipulaba con cuidado, se desintegraría.

Me levanté para examinarlo por encima del hombro del librero. De golpe me sentí mareada. Vi un desierto y un poblado lleno de cabañas con el techo de ramas de palmeras. Hice un esfuerzo por abrir los ojos.

—Éste es sin duda el manuscrito más antiguo escrito en egipcio que yo he visto jamás. Cuidado, señora, no vayáis a caeros. Apoyaos en mi hombro. Os acercaré un taburete.

—No, no es necesario —respondí, contemplando las letras. Leí en voz alta—: «A mi señor, Narmer, rey del Alto y Bajo Egipto: ¿Quiénes son esos enemigos míos que afirman que no me comporto de forma honesta? ¿Cuándo me ha visto vuestra majestad comportarme deshonestamente? Es más, siempre procuro hacer más de lo que se me exige. ¿Cuándo no he escuchado cada palabra del acusado para juzgarlo con justicia, como haría vuestra majestad...?»

Me detuve. La cabeza me daba vueltas. Tuve una breve visión. Yo era una niña y todos nos dirigíamos a las montañas que se alzan sobre el desierto para pedir a Osiris, el dios de la sangre, que examinara el corazón del malvado. «Mira», dijeron los que me rodeaban. El dios era un hombre perfecto, de piel bronceada bajo la luna; agarró al condenado y le chupó la sangre lentamente. Una mujer murmuró junto a mí que el dios había hecho justicia y había impartido castigo, y que la maléfica sangre iría a parar ahora a otro ser, depurada y renovada, y no cometería más maldades.

Traté de borrar esa visión, esos agobiantes recuerdos que no me daban tregua. Flavius me miró preocupado y me sujetó por los hombros.

Me hallaba suspendida entre dos mundos. Miré el sol esplendoroso que iluminaba las piedras del foro, y yo vivía en otro lugar, vi a un joven que subía apresuradamente una montaña, declarando mi inocencia. «¡Invocad al dios de la sangre! ¡Él examinará el corazón de mi esposo y comprobará que el hombre miente! ¡Jamás yací con otro hombre!» Ven, dulce oscuridad. Necesitaba que la oscuridad envolviera las montañas como un manto porque el dios de la sangre dormía de día, oculto, no fuera que Re, el dios del sol, diera con él y le destruyera por celos.

—«Porque ella los ha derrotado a todos» —murmuré. Me refería a la Reina Isis—. Sosténme, Flavius.

—Os tengo bien sujeta, señora.

—Sentaos —dijo el anciano, que se había levantado, acercándome su taburete.

La noche que cubría Egipto aparecía cuajada de estrellas. Las vi con tanta nitidez como vi esa tienda en la que me encontraba en Antioquía. El dios gobernaría. «Ven, desciende de esa montaña, amado Osiris, y examina el corazón de mi esposo, y si descubres que he cometido una falta, mi sangre será tuya, te lo juro.» Allí estaba él, tal como yo lo había visto en mi infancia antes de que los sacerdotes de Re prohibieran el antiguo culto. «¡Justicia, justicia, justicia!», clamaba la multitud. El hombre que era mi esposo retrocedió asustado cuando el dios le señaló con el dedo. «Dame esta sangre maligna y la devoraré —dijo el dios—. Luego tráeme mi ofrenda. No os comportéis como cobardes ante un próspero sacerdote. Os halláis ante un dios.» El dios señaló a cada uno de los aldeanos y pronunció sus nombres. Conocía sus oficios. Adivinaba sus pensamientos. De pronto separó los labios y mostró sus colmillos. La visión se disolvió. Miré los objetos corrientes como si poseyeran vida y veneno.

—¡Por todos los dioses! —exclamé, profundamente turbada—. Debo localizar a Marius. ¡Debo verle ahora mismo!

Cuando Marius se enterara de lo sucedido, me haría partícipe de la verdad que él conocía. Debía hacerlo.

—Alquila una litera para tu ama —dijo el librero a Flavius—. Está muy cansada, y el camino hasta la colina es muy largo.

—¿Colina? —pregunté.

Al instante me sentí más animada. ¡Ese hombre sabía dónde vivía Marius! Me apresuré a fingir que estaba mareada de nuevo, agachando la cabeza, y dije con gesto cansino:

—Os lo ruego, decidle a mi administrador cómo llegar a la casa.

—Por supuesto. Conozco dos atajos, uno algo más difícil que el otro. Nosotros le enviamos muchos libros a Marius.

Flavius me miró atónito.

Traté de reprimir una sonrisa. Aquello se estaba poniendo mejor de lo que yo había imaginado. Pero las visiones de Egipto me habían dejado conmocionada. Odiaba el aspecto del desierto, las montañas, la idea de aquellos dioses sanguinarios.

Me puse de pie.

—Es una villa rosa situada en el mismo linde de la ciudad —dijo el anciano—. Está rodeada por muros, y tiene vistas al río. Es la última casa. Antiguamente era una finca rústica, situada fuera de las murallas. Se halla sobre un monumento de piedras. Pero nadie abre la verja de la casa de Marius de día. Todos saben que tiene por costumbre dormir durante el día y estudiar de noche. Entregamos los libros a sus sirvientes.

—A mí me recibirá —declaré.

—Si vos habéis escrito esto, no lo dudo —respondió el anciano.

Flavius y yo nos pusimos en camino. El sol se hallaba en lo alto. La plaza estaba atestada de compradores. Las mujeres llevaban cestos sobre la cabeza. Los templos se hallaban abarrotados. Abrirse camino entre la multitud, avanzando en zigzag, era casi un juego.

—Apresúrate, Flavius —dije.

Resultaba una tortura tener que ceñirme al paso lento de Flavius mientras subíamos por la colina y nos íbamos aproximando a la cima donde se hallaba la casa.

—¡Esto es una locura! —protestó Flavius—. Él no estará despierto a estas horas del día; lo sabéis tan bien como yo. Yo, el incrédulo ateniense, y vos, la cínica romana. ¿Qué estamos haciendo?

Seguimos ascendiendo por la colina, pasando por delante de las suntuosas mansiones. Las verjas estaban cerradas. Oímos los ladridos de los perros guardianes.

—¡Apresúrate! ¿Es que debo escuchar continuamente tus sermones? Mira, querido Flavius. La casa rosa, la última casa. Se nota que Marius vive rodeado de lujo. Fíjate en los muros y en la verja.

Por fin apoyé las manos en los barrotes de hierro. Flavius se tumbó en la hierba al otro lado del pequeño camino. Estaba extenuado.

Hice sonar la campanita. Los árboles extendían unas pesadas ramas sobre la parte superior de los muros. A través de una tupida red formada por hojas distinguí una figura que salió a la terraza del segundo piso.

—¡No podéis pasar! —gritó.

—Tengo que ver a Marius —contesté—. ¡Me está esperando! —grité, ahuecando las manos en torno a la boca—. Me pidió que viniera.

Flavius murmuró una breve oración.

—Oh, señora, espero que conozcáis a ese hombre mejor de lo que conocíais a vuestro hermano.

Me eché a reír.

—No hay comparación. Deja de quejarte.

La figura había desaparecido. Luego oí unos pasos apresurados. Por fin aparecieron dos jóvenes de cabello negro, poco más que unos niños, imberbes, con largos rizos negros y elegantemente vestidos con unas túnicas ribeteadas de oro. Parecían caldeos.

—¡Abrid la verja de inmediato! —exigí.

—No puedo dejaros pasar, señora —respondió uno de los muchachos, el que hacía de portavoz—. No puedo dejar que entre nadie en esta casa hasta que llegue Marius. Ésas son sus órdenes.

—¿De dónde ha de llegar? —pregunté.

—Señora, él aparece cuando le place y recibe a quien desea. Decidme vuestro nombre e informaré a Marius de que habéis venido.

—O abres la verja o saltaré la tapia —dije.

Los muchachos me miraron horrorizados.

—No, señora, no podéis hacer eso.

—Bueno, ¿no vais a gritar pidiendo ayuda? —inquirí.

Los dos esclavos no salían de su asombro. Eran muy lindos, uno ligeramente más alto que el otro. Lucían unos brazaletes exquisitos.

—Tal como supuse —dije—. En la casa no hay nadie aparte de vosotros.

Me volví para comprobar la resistencia de una gruesa enredadera que trepaba sobre los ladrillos estucados. Di un salto y planté el pie derecho lo más alto que pude en la enredadera, y de otro salto logré agarrarme a la parte superior de la tapia.

Flavius se había incorporado y se acercó apresuradamente.

—Señora, os ruego que no lo hagáis —dijo—. Esto está mal. No podéis saltar la tapia de la casa de ese hombre.

Los sirvientes hablaban entre sí frenéticamente. Creo que lo hacían en caldeo.

—¡Temo por vos, señora! —exclamó Flavius—. ¿Cómo puedo protegeros de un hombre como ese Marius?

Permanecí unos momentos tumbada sobre la parte superior de la tapia, boca abajo, tratando de recobrar el resuello. El jardín era vasto y muy hermoso. Ah, qué hermosas fuentes de mármol. Los dos esclavos habían retrocedido y se observaban como si fuera un poderoso monstruo.

—¡Por favor! —me suplicaron simultáneamente—. Nuestro amo se vengará de esto. No lo conocéis. ¡Por favor, señora, aguardad!

—Pásame las hojas de pergamino, Flavius, apresúrate. No admito que me desobedezcas.

Flavius hizo lo que le pedía.

—¡Oh, esto está mal, muy mal! —insistió—. Esto sólo puede conducir a una terrible desgracia.

Comencé a trepar por la tapia, con el denso y brillante follaje haciéndome cosquillas en todo el cuerpo, y apoyé la cabeza sobre las flores y tallos entrelazados. Las abejas no me inspiraban temor. Nunca las he temido. Descansé unos instantes, sujetando con fuerza los pergaminos. Luego me acerqué a la verja para ver a Flavius.

—Deja que yo me ocupe de Marius —dije—. Confío en que no hayas venido aquí sin tu puñal.

—No —respondió Flavius, alzando su capa para mostrármelo—, y con vuestro permiso me gustaría clavármelo ahora mismo en el corazón para estar muerto y bien muerto cuando llegue el amo de esta casa y os encuentre en su jardín.

—Permiso denegado —dije—. No se te ocurra hacer eso. ¿No oíste lo que dijo? No vas a enfrentarte a Marius sino a un pobre diablo con el cuerpo abrasado. ¡Se presentará al anochecer! ¿Qué más da si llega aquí antes que Marius?

—¡Oh, dioses, imploro vuestra ayuda! —exclamó Flavius, cubriéndose la cara con las manos.

—Ponte erguido. Eres un hombre. ¿Cuántas veces voy a tener que recordártelo? A quien vigilas es a un miserable saco de huesos quemados, y muy débil, además. Recuerda lo que dijo Marius. Hiérele en la cabeza. Clávale el puñal entre los ojos, una y otra vez, y avísame y acudiré al instante. Ahora duerme hasta que oscurezca. No se presentará antes, suponiendo que sepa llegar hasta aquí. Además, creo que Marius se presentará antes que él.

Me volví y eché a andar hacia las puertas abiertas de la villa. Los muchachos de pelo largo estaban deshechos en lágrimas.

Durante unos momentos la tranquilidad y el aire fresco y húmedo del jardín aplacaron mis temores; tuve la sensación de estar a salvo, entre objetos que me eran familiares, lejos de templos siniestros, a salvo en la Toscana, en nuestro jardín familiar, tan bello y frondoso como aquél.

—¡Os suplico por última vez que abandonéis el jardín de ese hombre! —gritó Flavius.

Yo no le hice caso.

Todas las puertas de aquella espléndida villa estucada se abrían sobre las terrazas superiores y los porches de la planta baja. Percibí el murmullo de las fuentes. Había limoneros y numerosas estatuas de mármol que representaban a perezosos y sensuales dioses y diosas, alrededor de las cuales crecían flores rojas y azules.

Entre un macizo de azucenas se alzaba una vieja y deteriorada por el paso del tiempo estatua de mármol de Diana, la cazadora. Y allí, un perezoso Ganímedes, semicubierto de musgo, indicaba un sendero cubierto de maleza. A lo lejos vi la figura desnuda e inclinada de Venus, dispuesta a tomar su baño en el borde de un estanque. El agua manaba dentro del estanque. Vi multitud de fuentes a mi alrededor.

Los pequeños lirios blancos crecían salvajes y contemplé los vetustos olivos con unos maravillosos troncos retorcidos, por los que a los niños tanto les gusta trepar.

Una dulzura pastoral impregnaba la atmósfera, pero numerosos elementos ponían freno a la naturaleza. El estuco de los muros había sido aplicado recientemente, y los postigos de las ventanas, abiertas de par en par, parecían nuevos.

Los dos esclavos no cesaban de sollozar.

—El amo se enfurecerá, señora.

—Pero no con vosotros —repuse, entrando en la casa. Había atravesado el césped y apenas había dejado huellas sobre el suelo de mármol—. Dejad de llorar —añadí—. Ni siquiera tendréis que suplicarle que os crea, porque es capaz de adivinar el pensamiento de la gente.

Eso dejó perplejos a los esclavos, que me observaron con recelo.

Me detuve en el umbral. La casa emanaba algo, no lo bastante alto para calificarlo de sonido, pero muy parecido al rítmico precursor de un sonido. Yo había percibido anteriormente ese ritmo carente de sonido. Pero ¿cuándo? ¿En el templo? ¿Cuando entré por primera vez en la habitación donde se encontraba Marius oculto detrás de un biombo?

Avancé por los suelos de mármol, recorriendo una habitación tras otra. La brisa jugueteaba con las lámparas que pendían del techo. Había muchas, al igual que velas. ¡Qué cantidad de velas y de lámparas! Pensé que cuando todas estuvieran encendidas producirían un resplandor semejante a la luz del día.

Poco a poco advertí que toda la planta baja constituía una biblioteca, salvo el inevitable y suntuoso baño romano, y un enorme vestidor lleno de ropa.

Todas las demás estancias estaban repletas de libros. Sólo de libros. Había, por supuesto, divanes para tenderse en ellos y leer cómodamente, y escritorios, pero en cada muro se veían unos montones prodigiosos de papiros y estanterías llenas de libros encuadernados.

Me fijé también en unas puertas muy extrañas que parecían abrirse a unas escaleras misteriosas. Pero no tenían cerraduras y semejaban de granito pulido. Topé con dos de ellas. Y una de las salas del primer piso estaba totalmente circundada de piedra y cerrada también por unas puertas impenetrables.

Mientras los esclavos temblaban y sollozaban salí al vestíbulo y subí por la escalera hasta la segunda planta. Estaba desierta. Todas las habitaciones se hallaban vacías, excepto la que pertenecía a los dos esclavos. Vi sus lechos, y sus pequeños altares y sus dioses persas, y unas suntuosas alfombras y cojines con borlas y el habitual diseño oriental.

Bajé de nuevo.

Los muchachos estaban sentados junto a la puerta principal, como unas estatuas de mármol, con las rodillas encogidas, la cabeza gacha, sollozando débilmente, quizás un poco cansados.

—¿Dónde están los dormitorios de la casa? ¿Dónde está el dormitorio de Marius? ¿Dónde está la cocina? ¿Dónde está el santuario de la casa?

Uno de los chicos lanzó un suave gemido entrecortado.

—No hay dormitorios.

—Claro.

—Nos traen la comida —gimió el otro—. Ya cocinada, y deliciosa; pero temo, que, sin saberlo, hemos disfrutado de nuestra última comida.

—Tranquilizaos. ¿Cómo voy reprocharos lo que habéis hecho? Sois poco más que niños y él es una persona muy amable, ¿no es cierto? Tomad, dejad estos pergaminos sobre su escritorio y colocad sobre ellos un peso para que el viento no se los lleve.

—Sí, el amo es muy amable —respondió uno de los muchachos—; pero muy maniático.

Cerré los ojos. Percibí de nuevo el misterioso sonido que

emanaba de la casa. ¿Deseaba acaso que le oyera? Yo no podía adivinarlo. Era un sonido impersonal, como el latido de un corazón que duerme y el fluir del agua en la fuente.

Me dirigí hacia un magnífico diván, tapizado con fina seda persa. Era muy amplio y, pese a haber sido alisado, presentaba la huella de la forma de un hombre. Sobre el diván había un almohadón, limpio y esponjoso, pero vi en él la huella de la cabeza, donde se tumbaba Marius.

—¿Se acuesta él aquí? —pregunté.

Los muchachos se levantaron de un salto, agitando sus largos bucles.

—Sí, señora, éste es el diván donde él duerme —respondió el que hacía de portavoz—. Os lo ruego, no lo toquéis. El amo se tiende aquí durante horas, leyendo. ¡Oh, señora, nos tiene prohibido que nos acostemos en él durante su ausencia, pero por lo demás nos deja hacer lo que queramos!

—El amo se dará cuenta si lo tocáis siquiera —intervino el otro muchacho, hablando por primera vez.

—Voy a acostarme en él y dormir un rato —dije. Me tendí y cerré los ojos. Luego me volví de lado y encogí las rodillas—. Estoy cansada. Quiero dormir. Por primera vez en mucho tiempo me siento a salvo.

—¿Ah, sí? —preguntó uno de los muchachos.

—Venid, tumbaos a mi lado. Traed unos almohadones para apoyar la cabeza en ellos, para que él me vea antes de reparar en vosotros. Él me conoce bien. Esas hojas que he traído... ¿dónde están? Ah, sí, sobre el escritorio. Cuando las lea comprenderá el motivo por el que estoy aquí. La situación ha cambiado. Alguien desea algo de mí. No tengo elección. No puedo regresar a casa. Marius lo comprenderá. Me he aproximado a él en busca de protección.

Me tumbé sobre el almohadón, sobre la huella que él había dejado, y respiré hondo.

—La brisa en este lugar parece música —musité—. ¿Podéis oírla?

Agotada, me sumí en un profundo sueño, que había postergado durante varias horas de la noche y del día.

Posiblemente transcurrieron muchas horas.

Desperté sobresaltada. El cielo aparecía teñido de violeta. Los esclavos estaban tumbados junto al diván, a mis pies, como animalitos aterrorizados.

Percibí de nuevo aquel sonido con toda claridad; recordaba el de unas pulsaciones. Curiosamente, pensé en algo que solía hacer de niña. Aplicaba el oído al pecho de mi padre y cuando oía su corazón, lo besaba. Era un gesto que le hacía muy feliz.

Me levanté, dándome cuenta de que no estaba despierta del todo pero convencida de que eso no era un sueño. Me hallaba en la hermosa villa de Marius en Antioquía. Las habitaciones de mármol comunicaban entre sí.

Entré en la última habitación, la que estaba circundada de piedra. La puerta de doble hoja era muy pesada, pero se abrió de golpe, silenciosamente, como si alguien hubiera tirado de ella desde dentro.

Penetré en una estancia enorme. Vi frente a mí otra puerta de doble hoja. También era de piedra. Supuse que daría acceso a una escalera, puesto que era la última habitación de la casa.

La puerta se abrió también súbitamente, como accionada por un resorte.

Abajo había luz.

Desde el umbral de la puerta arrancaba una escalera de mármol blanco, recién construida; en ella no se apreciaban huellas de pies. Cada peldaño estaba perfectamente limpio.

Más abajo ardían unas tenues llamas, que proyectaban sus sombras por el hueco de la escalera.

El sonido había aumentado de volumen. Cerré los ojos. «¡Ojalá que todo el mundo fuera como estas magníficas estancias y que todo cuanto existe tuviera su explicación en ellas!», pensé.

De pronto oí un grito.

—¡Señora Pandora!

Me volví.

—¡Ha saltado la tapia, Pandora!

Los chicos cruzaron la casa chillando, repitiendo el grito de advertencia de Flavius:

—¡Señora Pandora!

Ante mis ojos vi una inmensa forma negra que se precipitó sobre mí, apartando de un empellón a los desdichados muchachos. El impacto casi me arrojó por el hueco de la escalera.

Entonces comprendí que había caído en las garras de aquel monstruo abrasado. Al bajar la vista vi su brazo negro y arrugado, como cuero viejo, sosteniéndome con fuerza. Percibí un intenso olor a especias. Vi una pierna grotesca y esquelética con un pie calcinado, semicubiertos por los pliegues de una túnica limpia.

—¡Id en busca de las lámparas y prendedle fuego! —ordené a los esclavos. Me debatí ferozmente, tratando de alejarme del hueco de la escalera, pero no conseguí liberarme de aquel monstruo—. ¡Id en busca de las lámparas que hay abajo!

Los muchachos se abrazaron, muertos de miedo.

—¡Ya te tengo! —murmuró a mi oído el monstruo con ternura.

—¡No! —grité, asestándole un codazo. El monstruo perdió el equilibrio y a punto estuvo de caer, pero no me soltó. La blancura de su túnica relucía en la sombra, y volvió a sujetarme por los brazos, inmovilizándome.

—¡Abajo hay unas lámparas llenas de aceite! —grité—. ¡Flavius!

El monstruo me abrazó como si fuera una serpiente gigante. Yo apenas podía respirar.

—¡No podemos bajar! —gritó uno de los muchachos.

—El amo no nos lo permite —dijo el otro.

El monstruo soltó una carcajada estentórea y profunda en mi oído.

—No todos son tan rebeldes como tú, hermosa mujer, que

lograste dejar en ridículo a tu hermano al pie de la escalera del templo.

Era horrible oír aquella voz nítida y educada surgida de un cuerpo abrasado más allá de toda esperanza de vida. Observé los calcinados dedos moverse sobre los míos. Noté el tacto de algo frío en el cuello. Entonces sentí dolor. Me había clavado los colmillos.

—¡No! —grité, tratando desesperadamente de soltarme. Luego arrojé todo mi peso sobre él y casi conseguí derribarlo, pero no llegó a caer.

—Detente, bruja, o te mataré aquí mismo.

—¿Por qué no lo haces? —le espeté.

Me volví para ver su rostro. Parecía el de un cadáver que llevara mucho tiempo muerto en el desierto. Era negro, estaba seco, tenía una espina en lugar de nariz y unos labios que parecían no poder cerrarse sobre unos dientes y colmillos blancos que permanecían al descubierto mientras me observaba fijamente.

Tenía los ojos inyectados en sangre, como Marius, y una espléndida cabellera negra, muy espesa y limpia, como si acabara de brotar de su cuerpo, renovada como por arte de magia.

—Sí —afirmó el monstruo—. Eso es justamente lo que ocurrió. Y muy pronto beberé la sangre que necesito para renovarme por completo. Dejaré de ser esta horrenda criatura que tienes ante ti. Me transformaré en lo que era antes de que aquellos estúpidos egipcios me expusieran al sol.

—Hum, de modo que ella cumplió su promesa —dije—. Se encaminó hacia los rayos de Amón Re para que todos murierais abrasados.

—¿Qué sabes tú? Ella no se ha movido ni ha pronunciado palabra alguna desde hace mil años. Yo era muy joven cuando retiraron las piedras bajo las cuales estaba sepultada. No pudo haberse encaminado hacia el sol. Constituye un gigantesco y sagrado vial de sangre, una fuente entronizada de poder, eso es todo, y yo beberé su sangre, que tu Marius sustrajo de Egipto.

Me devané los sesos, buscando desesperadamente el medio de huir.

—Has sido un regalo para mí —dijo el monstruo—. Eras cuanto precisaba para atrapar a Marius, que exhibe su afecto y su debilidad por ti como una hermosa túnica de seda.

—Comprendo —repuse.

—¡No, no lo comprendes! —exclamó él, tirándome del pelo. Solté un grito, enojada.

Sus afilados dientes se clavaron en mi cuello. Una potente descarga eléctrica me recorrió el cuerpo.

Me sentí desfallecer, presa de una sensación de éxtasis que me impedía moverme. Traté de resistirme, pero tuve una visión. Lo vi en toda su gloria, un hombre dorado procedente de una tierra oriental, en un templo sembrado de calaveras. Lucía unos calzones de seda verde y una banda decorada en torno a la frente. Tenía una boca y una nariz delicadas. Luego lo vi, sin más explicaciones, estallar en llamas, haciendo huir despavoridos a sus esclavos. Lo vi revolverse entre esas llamas, sin llegar a morir pero sufriendo un tormento exquisito.

La cabeza me daba vueltas, y sentí que las fuerzas me habían abandonado. Mi sangre fluía de cada poro de mi cuerpo hacia él. Pensé en mi padre, en sus palabras: «¡Vive, Lydia!» Logré apartar el cuello de sus colmillos y, volviéndome, lo golpeé violentamente con el hombro; luego lo empujé con las dos manos, y le hice resbalar hacia atrás sobre el suelo. Levanté una pierna y le propiné un rodillazo en la ingle, pero no conseguí librarme de él.

Pensé en sacar el puñal, pero estaba demasiado mareada, y además lo había olvidado en casa. Mi única posibilidad de salvarme residía en las lámparas de aceite que ardían al pie de la escalera. Me volví, dando un traspié, pero el monstruo me agarró del pelo con ambas manos y tiró de mí hacia atrás.

—¡Demonio! —me espetó. Su fuerza me había agotado. Fue aumentando la presión lentamente, y comprendí que no tardaría en quebrarme los brazos.

—Ah —dijo, apartándose un poco para evitar que lo golpeara, sin soltarme—. He conseguido mi propósito.

De golpe estalló en la escalera una luz muy potente.

Distinguí la llama de una antorcha al pie de los escalones. Unos instantes después apareció Marius.

Sin perder la calma, sin reparar siquiera en mí, clavó los ojos en los de mi apresador.

—¿Qué te propones hacer ahora, Akbar? —preguntó Marius—. Si le haces daño, si vuelves a violarla, te mataré. Si la matas, padecerás una muerte atroz. Suéltala y dejaré que huyas.

Marius subió lentamente por la escalera, peldaño a peldaño.

—Me subestimas —dijo aquella criatura horripilante—, no eres más que un romano torpe y arrogante, ¿crees que ignoro que tienes a la Reina y al Rey en tu poder, que los sustrajiste de Egipto? Todo el mundo lo sabe. La noticia se ha propagado por los bosques septentrionales, a través de tierras salvajes, a través de tierras sobre las que tú no sabes nada. ¡Tú mataste al Mayor que custodiaba al Rey y a la Reina y los robaste! El Rey y la Reina no se han movido ni han hablado desde hace mil años. Tú te llevaste a nuestra Reina de Egipto. ¿Te crees un emperador romano? ¿Crees que ella es una Reina que puedes capturar como si fuera Cleopatra? Cleopatra era una ramera griega. ¡Ésta es nuestra Isis, nuestra Akasha! ¡Blasfemo ignorante! Condúceme a la presencia de Akasha. Si te enfrentas a mí, esta mujer, el único ser mortal al que amas, morirá.

Marius siguió avanzando lentamente hacia nosotros.

—¿No te han dicho tus informadores, Akbar, que fue el Mayor en Egipto, el guardia que los custodiaba, quien expuso a la pareja real a los rayos del sol? —inquirió, subiendo otro peldaño—. ¿No te han informado que fue el Mayor quien hizo que el sol derramara sus rayos sobre ellos, el fuego que nos destruyó a centenares de nosotros, que respetó la vida del más anciano sólo para que vivieran atormentados como vives tú?

Marius hizo un gesto apresurado. Yo sentí que sus colmillos se clavaban en mi cuello. No podía liberarme. Vi de nuevo a esa criatura en su antiguo esplendor, burlándose de mí con su belleza, sus pies cubiertos de joyas mientras bailaba, rodeado por mujeres pintarrajeadas.

Oí a Marius junto a mí, pero no pude entender lo que decía.

En aquellos momentos comprendí lo desatinado de aquella situación. Yo había conducido al monstruo hasta Marius, pero ¿era eso lo que pretendía la Madre? Akasha, ése era el nombre antiguo que aparecía escrito sobre los cadáveres que el monstruo abandonaba en la escalera del Templo. Yo conocía su nombre. Lo había visto en mis pesadillas. Noté que empezaba a perder el conocimiento.

—Marius —dije con las escasas fuerzas que me restaban.

Mi cabeza cayó hacia delante cuando conseguí liberarme de los colmillos del monstruo. Luché contra la debilidad que me aprisionaba. Traté de imaginar al emperador Augusto recibiéndonos en su lecho de muerte.

—No asistiré al fin de esta comedia —musité.

—Oh, sí —repuso Marius con calma, a nuestro lado. Abrí los ojos—. No vuelvas a intentarlo, Akbar, ya has demostrado tu determinación.

—No vuelvas a sujetarme, Marius —repuso el monstruo—. Mis dientes le acarician el cuello. Pero si saco más sangre de su corazón dejará de latir.

Las densas sombras de la noche ponían de relieve el resplandor de la antorcha que ardía abajo. Era cuanto atinaba a ver. La antorcha.

—Akasha —murmuré.

El monstruo respiró hondo; sentí el movimiento de su pecho junto al mío.

—Su sangre es muy hermosa —dijo besándome la mejilla con sus labios quemados y resecos.

Apenas podía respirar. Ni siquiera podía abrir los ojos.

El monstruo continuó hablando.

—No temo llevármela a la muerte conmigo, Marius, pues

si vas a asesinarme, ¿por qué no morir con ella como mi consorte?

Percibí esas palabras vagamente, como un eco lejano.

—Tómala en brazos —dijo Marius. Estaba muy cerca de nosotros—. Llévala con cuidado, como si fuera tu única y amada hija, y sígueme hasta el santuario. Ven a ver a la Madre. ¡Arrodíllate ante Akasha y comprueba lo que está dispuesta a consentir!

Me pareció que iba a desmayarme de nuevo, pero oí reírse al monstruo. Al alzarme en brazos, sujetándome debajo de las rodillas, la cabeza me cayó hacia atrás. Descendimos la escalera.

—Este ser es débil, Marius —dije—, puedes matarlo sin ninguna dificultad. —Mientras bajábamos por la escalera mi rostro rozó el pecho de aquella criatura abrasada. Sentí sus costillas—. Es muy débil —añadí—, apenas es capaz de conservar el conocimiento. Akasha, sí, ése era su verdadero nombre.

—Cuidado, amigo mío —dijo Marius—. Si ella muere, te destruiré. No te extralimites. Con cada estertor de ella disminuyen tus posibilidades de salvarte. Guarda silencio, Pandora, te lo ruego. Akbar es un gran bebedor de sangre, un gran dios.

Sentí que una mano gélida aferraba la mía.

Habíamos alcanzado la planta baja. Traté de alzar la cabeza. Vi unas lámparas dispuestas en hileras, unos espléndidos murales decorados con oro, un techo cubierto de oro.

Se abrió una inmensa puerta de doble hoja. Más allá vi una capilla, una capilla inundada por una densa y oscilante luz devocional y el penetrante perfume de los lirios.

—¡Madre Isis! —exclamó asombrado y en tono implorante el bebedor de sangre que me sostenía en sus brazos.

Luego me depositó en el suelo. Marius se apresuró a sujetarme mientras el monstruoso ser corría hacia el altar.

Contemplé estupefacta la escena. Pero me moría. Me faltaba el aliento. Me deslicé hacia el suelo. Cada vez me costaba más respirar. No lograba sostenerme en pie sin ayuda de Marius.

Ay, abandonar la tierra y todas sus miserias con esa visión.

Allí aparecían sentados la gran diosa Isis y el rey Osiris, o así me lo pareció, con la piel de bronce, no como la desdichada Reina cautiva de mis sueños, sino perfectamente ataviados con unos ropajes de oro plisados y cosidos al estilo egipcio. Tenían el pelo negro, largo y trenzado, auténtico. La pintura que adornaba sus rostros había sido aplicada hacía poco, el *khol* negro que subrayaba sus ojos y la máscara de las pestañas; los labios rojos.

La diosa no lucía una corona con unos cuernos y un disco semejante al sol. Su collar de oro y gemas era soberbio, deslumbrante.

—¡Debo conseguir la corona, es preciso que la recupere! —dije en voz alta, percibiendo esta voz que brotaba de mi interior como si se hubiera originado en otro lugar para indicarme lo que debía hacer. Se me cerraron los ojos.

Aquel ser abrasado y negro se postró de rodillas ante la Reina.

Yo no podía ver con claridad. Me sostenían los brazos de Marius, y de pronto noté que se me llenaba la boca de sangre caliente.

—¡No, Marius, debes protegerla a ella! —traté de decir. Pero mis palabras quedaron sofocadas por esa infusión de sangre—. ¡Protege a la Madre! —Pero la boca se me llenó de sangre nuevamente y me apresuré a tragarla. Inmediatamente sentí la fuerza, la potencia de esa sangre, infinitamente más poderosa que la fuerza física de Akbar. La sangre fluía a través de mi cuerpo como un sinfín de ríos discurriendo hacia el mar. Era un torrente imparable. Sentí que me invadía otra oleada de sangre, como si una gigantesca tormenta impulsara al río apresuradamente hacia su delta, mientras sus aguas discurrían precipitadamente en busca de cada resquicio de mi cuerpo.

Ante mí se abría un mundo inmenso y prodigioso dispuesto a acogerme, un denso bosque invadido por la luz del sol, pero no quise contemplarlo y huí de él.

—¡Salva a la Reina de este monstruo! —murmuré. ¿Caían unas gotas de sangre de mis labios? No, yo había ingerido toda la sangre.

Marius no me prestó atención. Oprimió otra herida sangrante contra mis labios, y la sangre penetró rápidamente en mi cuerpo. Sentí que mis pulmones se llenaban de aire. Sentí mi cuerpo, fuerte, sosteniéndose por sus propios medios. La sangre resplandecía en mi interior como una luz, como si hubiera inflamado mi corazón. Abrí los ojos. Yo era un pilar. Vi el rostro de Marius, sus pestañas doradas, sus ojos de un azul intenso. Su largo cabello peinado con raya en medio le caía sobre los hombros. Era un ser intemporal, un dios.

—¡Protégela! —grité, volviéndome y señalando a la Reina.

De pronto se alzó el velo que durante toda mi vida se había interpuesto entre mí y las cosas que me rodeaban; ahora, bajo sus colores y formas auténticas, mostraban su auténtico propósito e identidad: la Reina, con la vista clavada al frente, permanecía inmóvil como el Rey. La vida no podía haber imitado ese serenidad, esa absoluta parálisis. Oí que caían unas gotas de agua de las flores, unas minúsculas gotas que daban sobre el suelo de mármol; oí también la caída de una hoja. Al volverme vi la minúscula hoja, rizada, meciéndose sobre las losas. Oí la brisa deslizarse debajo del dorado techo abovedado. Las llamas de las lámparas entonaban una canción.

El mundo se componía de canciones entretejidas, era un tapiz formado por canciones. Los mosaicos multicolores refulgían, luego perdían su forma y dibujo. Los muros se disolvían en una bruma coloreada que nos envolvía, a través de la cual podían vagar eternamente.

Contemplé a la Reina del cielo, reinando soberana sobre aquella infinita quietud.

Todos los anhelos de mi corazón infantil se vieron colmados.

—¡Ella vive, es real, reina sobre la tierra y el cielo!

El Rey y la Reina. Inmóviles. Sus ojos no contemplaban

nada. No nos miraban, ni miraban a aquel monstruoso ser abrasado que se aproximaba a sus tronos.

Los brazos de la pareja real estaban cubiertos con muchas pulseras que ostentaban complejas inscripciones y motivos ornamentales. Sus manos reposaban sobre sus muslos, a la manera de muchas estatuas egipcias, pero jamás ha existido una estatua semejante a ellos.

—La corona —dije—, la Reina desea que le restituyamos la corona. —Eché a andar hacia ella con insólita energía.

Marius me agarró de la mano mientras observaba atentamente los movimientos del monstruo.

—Ella existe desde mucho antes que todas las coronas —repuso Marius—, no significan nada para ella.

El pensamiento estalló sobre mi lengua con la dulzura de la uva. Por supuesto que ella existía desde mucho antes. En mis sueños no lucía una corona. Estaba a salvo. Marius la protegía.

—Mi Señora —dijo Marius detrás de mí—, tenéis ante vos a un suplicante, Akbar, venido de Oriente. Desea beber vuestra sangre real. ¿Cuál es vuestra voluntad, Madre?

¡Con qué serenidad se expresaba Marius! Nada le inspiraba temor.

—¡Madre Isis, permitid que beba vuestra sangre! —exclamó el monstruo. Tras incorporarse alzó los brazos, creando otra visión danzante de su antiguo ser. Exhibía unas calaveras humanas colgadas del cinto, un collar de dedos humanos calcinados, y otro formado por orejas humanas ennegrecidas. Era un espectáculo macabro y repugnante, pero a él debía de parecerle seductor e impactante.

La imagen se desvaneció de golpe. El dios procedente de tierras lejanas se arrodilló.

—Soy vuestro siervo y siempre lo he sido. Sólo maté a los malvados, tal como me ordenasteis. Jamás abandoné vuestro culto verdadero.

Qué frágil e insignificante parecía aquel monstruo suplicando de rodillas. Qué repulsivo, qué fácil de liquidar y apartar de la presencia de la diosa. Miré al rey Osiris, tan remoto e indiferente como la Reina.

—Marius —dije—, el maíz es para Osiris; ¿es que no quiere el maíz? Es el dios del maíz. —Yo estaba llena de visiones de nuestras procesiones en Roma, de gente cantando y portando ofrendas.

—No, no quiere el maíz —respondió Marius apoyando una mano sobre mi hombro.

—¡Son auténticos, son reales! —exclamé—. Todo es real. Todo ha cambiado. Todo ha quedado redimido.

El monstruo se volvió, enfurecido, pero yo estaba más allá de toda razón.

Entonces miró de nuevo a la Reina y extendió la mano para asirle el pie.

¡Cómo resplandecían las uñas de sus pies bajo la luz, y su piel dorada!

Pero la Reina permaneció inmóvil como una piedra, al igual que nuestro Rey desprovisto de corona, desprovisto al parecer de juicio y poder.

Súbitamente el monstruo dio un salto y trató de aferrar a la Reina por el cuello.

—¡Es vergonzoso, despreciable! —grité.

La Reina alzó de inmediato el brazo derecho, aferró el cráneo del monstruo y lo estrujó. Mientras la sangre se deslizaba por el brazo de la diosa, el monstruo soltó un último y entrecortado grito implorando misericordia. La Reina agarró su cadáver cuando cayó sobre su cintura. Lo lanzó al aire, haciendo que sus miembros se desprendieran del tronco y cayeran al suelo como trozos de leña.

Una violenta ráfaga de viento arrastró los restos del monstruo apilándolos en un montón, al tiempo que una lámpara caía de su trípode y derramaba su aceite ardiente sobre los restos.

—¡Mira, su corazón! —dije—. Puedo ver su corazón. Está latiendo.

Pero las llamas no tardaron en devorar el corazón y los dedos de las manos y de los pies, que no cesaban de contraerse. Se avivó el fuego y los huesos comenzaron a danzar y girar; luego se tornaron negros, quebradizos, y se partieron en mil pedazos, en minúsculos fragmentos. Los restos del monstruo quedaron reducidos a un montón de cenizas que chisporroteaban y se esparcían por el suelo.

Entonces penetró de nuevo una ráfaga de aire, impregnada de los aromas del jardín, y se llevó las cenizas, como si se tratara de unos frágiles y minúsculos insectos negros, hacia la sombra de la antecámara.

Yo estaba fascinada.

La Reina continuaba impávida, su mano apoyada de nuevo sobre el muslo. Ella y el Rey no miraban nada, como si nada hubiera sucedido. Sólo la siniestra mancha de sangre sobre el vestido de aquélla atestiguaba lo ocurrido.

Ni el Rey ni la Reina fijaron sus ojos en Marius o en mí.

En la capilla reinaba el silencio. Sólo un silencio dulce y fragante. Una luz dorada. Respiré hondo. Percibí el sonido de las llamas en las lámparas. Los mosaicos aparecían poblados de fieles exquisitamente dibujados. Observé el lento y casi imperceptible deterioro de algunas flores, que parecía otra estrofa de la misma canción que expresaba su florecimiento, sus bordes de color pardo, un color que sin embargo no contradecía sus brillantes tonalidades.

—Perdóname, Akasha —dijo Marius suavemente—, por haberle permitido acercarse tanto a ti. Fue una imprudencia por mi parte.

Me eché a llorar. Unos gruesos lagrimones rodaron por mis mejillas.

—Tú me llamaste —dije a la Reina a través de mis lágrimas—. ¡Me llamaste para que acudiera aquí! Haré cuanto me pidas.

El brazo de la Reina se alzó muy despacio, desde el muslo, hasta alcanzar toda su extensión, y su mano se curvó suavemente en un gesto indicándome que me aproximara, como en el sueño, pero no sonrió; la expresión de su rostro permaneció inmutable.

Sentí que algo invisible e irresistible me envolvía. Algo que procedía del brazo extendido de la Reina. Algo que era dulce, suave y acariciante y que inundó todo mi cuerpo de placer.

Avancé hacia la diosa, atrapada en su voluntad.

—¡Te lo ruego, Akasha! —suplicó Marius suavemente—. Te ruego en nombre de Inanna, en nombre de Isis, en nombre de todas las diosas, que no le hagas daño.

¡Marius no lo comprendía! ¡Marius nunca había practicado el culto de la Madre! Yo la conocía. Sabía que sus hijos bebedores de sangre se habían erigido en jueces de los malvados, y bebían sólo la sangre de los condenados, conforme a las leyes impuestas por ella. Vi al dios de la tenebrosa caverna, a quien había visto en mi visión. Lo comprendí todo.

Empecé a decírselo a Marius, pero no pude. El mundo había renacido, todos los sistemas edificados sobre el escepticismo o el egoísmo eran tan frágiles como una telaraña y estaban destinados a desaparecer. Mis momentos de desesperación no habían sido otra cosa que unas incursiones en una nefasta y egocéntrica negrura.

—¡Reina del Cielo! —murmuré. Sabía que me expresaba en la lengua antigua. Una oración acudió a mis labios—: «Amón Re, el dios del Sol, con todo su poder, jamás conquistará al Rey de los Muertos ni a su esposa, pues ella es quien gobierna el cielo estrellado, la luna, a todos aquellos que le ofrecen el sacrificio del malvado. Malditos sean quienes abusen de esta magia. ¡Malditos sean quienes pretendan robarla!»

Me sentí a mí misma, un ser humano, sostenida por los complejos hilos de sangre que Marius me había procurado. Sentí el propósito de ese sostén. Mi cuerpo se había vuelto ingrávido.

Me alcé hacia ella. Su brazo me rodeó y apartó el cabello

del rostro. Extendí los brazos para abrazarla por el cuello porque no podía hacer otra cosa. Estábamos demasiado cerca para otro posible signo de amor.

Sentí la suave seda de su pelo trenzado, y la frialdad y firmeza de sus hombros, de su brazo. Pero ella no me miró. Era un objeto petrificado. ¿Podía mirarme? ¿Había decidido permanecer en silencio, con la vista clavada al frente? ¿Era presa de un hechizo malévolo, un hechizo del que sólo podían despertarla un millar de himnos?

En mi delirio vi las palabras grabadas en unas piezas de oro entre las joyas de su collar. «Traedme al malvado y beberé su sangre.»

Tuve la impresión de que me hallaba en el desierto y el collar daba tumbos por la arena, arrastrado por el viento, como el cadáver del ser abrasado. Abatido, perdido, para ser rehecho.

Sentí como si un imán invisible atrajera mi cabeza hacia su cuello. Ella extendió los dedos sobre mi pelo, dirigiendo los movimientos de mi cabeza, instando a mis labios a sentir aquella piel.

—¿Es eso lo que deseas? —pregunté. Pero mis palabras me parecieron remotas, una patética expresión de la plenitud de mi alma—. ¿Que me convierta en tu hija?

Ella ladeó la cabeza ligeramente, apartado un poco el rostro, mostrándome el cuello. Vi con toda nitidez la vena de la que ella deseaba que bebiera.

La Reina pasó los dedos delicadamente a través de mi pelo, sin tirar de él y sin lastimarme, simplemente tomándome de la cabeza, haciéndome experimentar un delicioso éxtasis, instándome con suavidad a aproximar el rostro y que mis labios ya no pudieran rehuir el contacto con su esplendorosa piel.

—¡Mi Reina adorada! —murmuré. Jamás había experimentado tal certidumbre, tal éxtasis sin límites ni causa mundana. Jamás había experimentado una fe tan absoluta y triunfante como mi fe en ella.

Abrí la boca. Nada humano podía morder aquella carne

pétrea. Sin embargo cedió bajo la presión de mis colmillos, como si fuera una carne blanda y tierna, y la sangre penetró en mí, «la Fuente». Oí su corazón impulsar aquel torrente de sangre, una fuerza ensordecedora que vibró en los tímpanos de mis oídos. No era sangre. Era néctar. Era todo lo que cualquier criatura podía desear.

9

Mientras el néctar fluía a través de mi cuerpo, se produjo otra visión. En el pasillo resonaban las carcajadas de la Reina; ella corría delante de mí, juvenil, felina, despreocupada, sin importarle su dignidad. Me indicó que la siguiera. Al salir al exterior vi a Marius sentado bajo las estrellas, en su mullido e informe jardín. Ella lo señaló. Marius se puso de pie y me abrazó. Su larga cabellera constituía un magnífico adorno. Comprendí lo que ella deseaba. Fue a Marius a quien besé en esta visión mientras bebía la sangre de la Reina; fue con Marius con quien bailé.

Una lluvia de pétalos de flores cayó sobre nosotros como sobre una pareja nupcial en Roma; Marius me sostenía del brazo como si acabáramos de casarnos, y la gente no cesaba de cantar alrededor de nosotros. La nuestra era una felicidad sin mácula, una felicidad tan intensa que algunos jamás pueden experimentarla.

La Reina se hallaba sobre un amplio altar de diorita negra.

Era de noche. Nos encontrábamos en un lugar cerrado, atestado de gente, pero estaba oscuro y hacía fresco debido a la arenosa brisa que soplaba del valle. Ella contempló el sacrificio que le ofrecían. Era un hombre, con los ojos cerrados, maniatado. No trató de liberarse.

La Reina mostró sus colmillos; de entre sus fieles brotó un

murmullo de admiración. La diosa aferró al hombre por el cuello y le chupó la sangre. Cuando hubo terminado, lo dejó caer y alzó los brazos.

—¡Todas las impurezas se limpian en mí! —exclamó.

De nuevo cayeron unos pétalos de todos los colores. La gente agitaba plumas de pavo real y ramas de palmera, y oí unos cantos entonados con fuerza y devoción, y el estruendoso sonido de unos tambores, y ella sonrió desde el altar, su rostro arrebolado, expresivo y humano, sus ojos delineados con *khol* observando a su adorador.

Todos se pusieron a bailar excepto ella, que siguió observando a la multitud; luego alzó la vista lentamente y miró por encima de las cabezas de la gente, a través de las altas ventanas rectangulares del lugar, y contempló las estrellas que brillaban en el firmamento. Sonaron unas gaitas. El baile adquirió un ritmo frenético.

Una sombra misteriosa oscureció por un instante el rostro de la Reina, como si algo la hubiera distraído, como si su alma hubiera abandonado su cuerpo para dirigirse hacia el cielo, y luego bajó la vista con expresión de tristeza. Parecía sentirse perdida. De pronto fue presa de la ira, y gritó con voz estentórea:

—¡Ese malvado bebedor de sangre! ¡Traédmelo!

La multitud, que había enmudecido, se apartó para dejar paso a un dios que se debatía furioso para librarse de los hombres que lo conducían ante el altar.

—¿Cómo te atreves a juzgarme? —gritó. Era babilonio, con el cabello largo y rizado, y barba y bigote. Le sujetaban entre diez mortales.

—¡Arrojadlo al lugar ardiente, en las montañas, bajo el sol, encadenado con los grilletes más resistentes! —ordenó la Reina.

Los hombres se llevaron al babilonio.

La Reina alzó de nuevo la vista. Las estrellas parecían haber aumentado de tamaño y los antiguos dibujos que formaban aparecían con toda claridad. Me pareció como si flotáramos bajo ellas.

Vi a un niño que, sentado en una delicada silla dorada, discutía con unos hombres que le rodeaban. Los hombres eran viejos, semiinvisibles en la oscuridad. La lámpara iluminaba el rostro del niño. Nos hallábamos junto a la puerta. El niño tenía un aspecto frágil y unas piernas que parecían palillos.

—¿Y afirmáis —dijo el niño con aire de incredulidad—, que esos bebedores de sangre son adorados en las colinas?

Comprendí que se trataba del faraón por el mechón sagrado que lucía en su cabeza rapada, por la forma en que los demás se afanaban en atenderle. Cuando la diosa se acercó a él, el niño la miró horrorizado. Sus guardianes huyeron despavoridos.

—Sí —dijo ella—, y no haréis nada para impedirlo.

La diosa alzó de la silla al niño, tan frágil y menudo, y se arrojó sobre su yugular como una fiera, dejando que la sangre manara de la herida mortal.

—Pequeño rey —dijo ella—. Pequeño reino.

La visión se esfumó.

Sentí su piel blanca y fría bajo mis labios. La besé, sin beber ya su sangre.

Sentí mi propia forma, sentí que me doblaba hacia atrás, deslizándome, librándome de su abrazo.

En el suave resplandor que invadía la cámara, comprobé que su perfil continuaba inmutable, silencioso, insensible. Desnudo, un rostro sin una tara ni una arruga. Caí en brazos de Marius. El brazo y la mano de la diosa recuperaron su rígida postura.

Todo aparecía claro y brillante, el Rey y la Reina inmóviles, las exquisitas figuras grabadas en lapislázuli en los mosaicos dorados.

Sentí un intenso dolor en el corazón, en el útero, como si alguien me hubiera asestado una puñalada.

—¡Marius! —gemí.

Él me tomó en brazos y me sacó de la cámara.

—No, quiero arrodillarme a sus pies —dije. El dolor me impedía respirar con normalidad. Traté de no gritar de dolor. El mundo acababa de renacer, y yo padecía este tormento.

Marius me depositó sobre la alta hierba. Un pestilente torrente de fluido humano brotó de mi útero, incluso de mi boca. Vi unas flores a mi lado. Vi el amistoso cielo, tan vívido en mi visión. El dolor era indescriptible.

Entonces comprendí por qué Marius me había sacado del santuario.

Me enjugué las lágrimas. No podía soportar aquella inmundicia. El dolor me devoraba. Me esforcé en contemplar de nuevo lo que me había sido revelado, en recordar lo que ella había dicho, pero el dolor me lo impedía.

—¡Marius! —grité.

Él se puso sobre mí y me besó la mejilla.

—Bebe de mí —dijo—, bebe hasta que el dolor haya desaparecido. Sólo muere el cuerpo, bebe. Eres inmortal, Pandora.

—Lléname, tómame —repuse, introduciendo la mano entre sus piernas.

—Ahora ya no importa.

Aquel órgano que el dios Osiris había perdido para siempre, estaba duro y frío.

Lo tomé y lo introduje en mi cuerpo. Luego bebí y bebí, y cuando sentí de nuevo sus colmillos en mi cuello, cuando Marius empezó a extraer de mí la nueva mezcla que circulaba por mis venas, experimenté una inmensa dulzura, como cuando una madre amamanta a su hijo, y en un último instante que no significaba nada comprendí que lo amaba y que conocía todos sus secretos.

Marius tenía razón. Los órganos inferiores no significan nada. Él se alimentó de mí. Yo me alimenté de él. Aquél era nuestro matrimonio. Alrededor de nosotros la hierba se mecía suavemente bajo la brisa, un majestuoso tálamo conyugal, y el aroma de la vegetación me inundó.

El dolor había desaparecido. Extendí los brazos y sentí la delicadeza de las flores.

Marius me quitó el sucio vestido, me tomó en brazos y me transportó hasta el estanque donde se encontraba la Venus de mármol con la espalda doblada, y un pie suspendido sobre la superficie del agua fresca.

—¡Pandora! —murmuró.

Los esclavos corrieron a su lado, ofreciéndole unas jarras.

Marius sumergió una de ellas en el agua y la derramó sobre todo mi cuerpo. Sentí bajo mis pies las baldosas que revestían el fondo del estanque mientras el agua se deslizaba por mi piel. ¡Jamás había experimentado una sensación parecida! Marius me arrojó otra jarra de agua fresca y deliciosa. Por unos instantes temí que el dolor apareciera de nuevo, pero no, se había disipado del todo.

—Te amo con todo mi corazón —dije—. Todo mi amor es tuyo y de ellos, Marius. Puedo ver en la oscuridad, puedo ver en la profunda oscuridad bajo los árboles.

Marius me abrazó. Los esclavos nos bañaron, sumergiendo las jarras en aquella agua plateada y derramándola sobre nuestros cuerpos.

—Oh, qué placer tenerte junto a mí —dijo Marius—, tenerte a mi lado, no estar solo sino contigo, hermosa mía, tú, precisamente tú.

Retrocedió unos pasos, lo contemplé embelesada y extendí la mano para tocar su larga cabellera, salvaje y extranjera. Tenía todo el cuerpo cubierto de relucientes gotas de agua.

—Sí —repuse—, eso era justamente lo que ella deseaba.

Los músculos de su rostro se tensaron. Me miró fijamente, irritado. Algo había cambiado en su talante. Lo presentí.

—¿Qué? —preguntó Marius.

—Eso es lo que ella deseaba —repetí—. Me lo dio a entender con toda claridad en las visiones. Deseaba que yo estuviera contigo, para que no te sintieras solo.

Marius retrocedió. ¿Estaba realmente enfadado?

—¿Qué te ocurre, Marius? ¿Es que no comprendes lo que ha hecho ella?

Él retrocedió otro paso, apartándose bruscamente de mí.

—¿No comprendiste lo que estaba sucediendo? —pregunté.

Los chicos nos tendieron unas toallas. Marius se secó la cara y el pelo con una.

Yo hice otro tanto.

Marius estaba pálido y temblaba de ira.

Fue un momento de belleza y horror: su cuerpo blanco, las relucientes aguas del estanque, las luces que caían desde las puertas abiertas de la casa, y en lo alto las estrellas de la diosa. Y Marius mirándome lleno de furia e indignación.

Yo lo miré.

—Ahora soy su sacerdotisa —dije—. Tengo el deber de restituir su culto. Eso es lo que ella desea. Pero también me trajo aquí por ti, porque estabas solo. Todo esto lo he visto, Marius. Vi nuestra boda en Roma, como si estuviéramos en los viejos tiempos y nuestras familias nos acompañaran. Vi a sus fieles.

Marius estaba cada vez más horrorizado.

Traté de convencerme de que había interpretado erróneamente su expresión.

Me puse encima de la hierba y dejé que los chicos me secaran. Alcé la cabeza y contemplé las estrellas. La casa con sus cálidas lámparas parecía tosca y frágil, un torpe intento de crear un orden en las cosas, que no podía compararse con la creación de una flor.

—Oh, qué espectacular es la noche —observé—. Parece una ofensa a la noche hablar de propósitos y deseos, cuando este momento común y corriente rebosa designios divinos y tranquilidad. Todas las cosas siguen su curso.

Di un paso atrás y me sacudí el agua del cuerpo enérgicamente. No me mareé al detenerme. Tenía la sensación de poseer un poder infinito.

Uno de los chicos me alargó una túnica. Era de hombre, pero como ya he dicho a menudo en este relato, el atuendo romano es muy simple. Se trataba de una túnica corta. Me la puse y dejé que me anudara un ceñidor en torno a la cintura. Le sonreí. Él se echó a temblar y retrocedió asustado.

—Sécame el pelo —le ordené. Ah, qué hermosa sensación.

Alcé la vista lentamente. Marius también se había secado y estaba vestido. Seguía mirándome con expresión de evidente reproche e indignación.

—Alguien tiene que entrar ahí y cambiar el traje dorado de la Reina —dije—. Ese blasfemo se lo ha manchado de sangre.

—¡Yo lo haré! —respondió Marius, enfadado.

—De modo que ésas tenemos —dije. Miré alrededor, no sólo seducida por la belleza del paisaje sino para olvidarme de la suya, para regresar junto a él al cabo de una hora, después de haber paseado bajo los olivos y conversado con las constelaciones.

Pero su enfado me dolía. Era un dolor extraño y profundo, carente de los diversos estadios de dolor que la carne y la mente mortal atraviesan.

—¡Es maravilloso! —exclamé—. ¡Compruebo que la diosa reina, que es real, ha creado todas las cosas! Compruebo que el mundo no es sólo un gigantesco cementerio. ¡Pero lo compruebo hallándome en un matrimonio concertado! ¡Y fijaos qué cara de pocos amigos tiene el novio!

Marius suspiró y agachó la cabeza. ¿Iba yo a asistir a otra crisis de llanto, a ver a este amado y perfecto dios sollozando entre flores aplastadas?

—Pandora —dijo Marius, mirándome—. Ella no es una diosa. Ella no creó el mundo.

—¡Cómo te atreves a afirmar semejante cosa!

—¡Debo decirlo! Yo habría muerto por la verdad cuando estaba vivo y moriré ahora por ella. Pero ella no permitirá que algo así ocurra. Me necesita, y necesita también que tú me hagas feliz.

—¡Perfectamente! —repliqué alzando las manos en un gesto de irritación—. Me complace hacerlo. Y restituiremos su culto.

—¡No! —exclamó Marius—. ¿Cómo puedes pensar siquiera en semejante cosa?

—Marius, quiero cantarlo desde las cimas de las montañas; quiero comunicar al mundo que este milagro existe. Quiero correr por las calles cantando. ¡Restituiremos su trono a la Reina en un gran templo en el centro mismo de Antioquía!

—¡No digas locuras! —exclamó Marius.

Los chicos habían salido huyendo.

—¿Por qué haces oídos sordos a las órdenes de la Reina, Marius? Nuestro deber es perseguir y matar a los dioses renegados y hacer que de ella nazcan nuevos dioses que examinen las almas, que busquen justicia, no mentiras; unos dioses que no sean unos idiotas fanáticos y lujuriosos ni las ebrias y ridículas criaturas del cielo septentrional que lanzan truenos. ¡El culto de la Reina se basa en la bondad, en lo puro!

—No, no, no —contestó Marius, retrocediendo como si pretendiera realzar con ello sus argumentos—. ¡No dices más que estupideces! —me espetó—. ¡Eso son puras supersticiones!

—¡No puedo creer que hayas pronunciado esas palabras! —exclamé—. ¡Eres un monstruo! ¡Ella merece que le restituyamos su trono! Lo mismo que el Rey que está sentado a su lado. Merecen que sus fieles les hagan ofrendas de flores. ¿Acaso crees que se te ha concedido la facultad de adivinar el pensamiento simplemente en tu provecho? —Avancé un paso—. ¿Recuerdas cuando me burlé de ti en el Templo, cuando dije que deberías solicitar un puesto en los tribunales para adivinar las mentes de los acusados? ¡Parece que di en la diana!

—¡No! —bramó Marius—. Esto no es cierto.

Dio media vuelta y se dirigió apresuradamente hacia la casa. Yo le seguí.

Bajó precipitadamente por la escalera, penetró en el santuario y se detuvo ante la Reina. Ésta y el Rey continuaban sentados inmóviles, sin pestañear. Sólo las flores se aferraban a la vida en aquella atmósfera perfumada.

Observé mis manos, tan blancas. ¿Me moriría en ese momento, o viviría durante siglos como aquel monstruo abrasado?

Escruté sus rostros presuntamente divinos. No sonreían. No soñaban. Sólo miraban.

Caí de rodillas.

—Akasha —murmuré—. ¿Me permites que te llame así? Dime qué deseas.

La Reina siguió inmutable.

—¡Habla, Madre! —suplicó Marius con una voz llena de tristeza—. ¡Habla! ¿Es esto lo que siempre has deseado? —De pronto se precipitó hacia la Reina, subió los dos peldaños de la plataforma y la golpeó en el pecho con los puños.

Quedé horrorizada.

Ella ni siquiera pestañeó. Los puños de Marius golpearon un material duro, insensible. Sólo el cabello de la Reina se movió un poco cuando le rozó el brazo de Marius.

Yo corrí hacia él e intenté detenerlo.

—¡Basta, Marius, puede destruirte!

Me asombró mi fuerza, equivalente a la suya. Marius dejó que lo apartara de la Reina; tenía el rostro surcado de lágrimas.

—¡Qué he hecho! —exclamó, contemplando a la Reina—. ¡Oh, Pandora, Pandora! ¡Qué he hecho! ¡He creado otro bebedor de sangre cuando juré que mientras viviera no permitiría que algo semejante ocurriera!

—Vamos arriba —dije con calma. Miré al Rey y a la Reina pero no vi la menor señal de reacción ni de reconocimiento—. No es decoroso que discutamos aquí, en su santuario. Acompáñame.

Marius asintió con la cabeza, cabizbajo, y se dejó conducir lentamente fuera de la habitación.

—Te sienta muy bien la larga cabellera de bárbaro —comenté—. Y mis ojos son capaces de verte ahora como jamás te habían visto. Nuestra sangre se ha mezclado como en un hijo nacido de nosotros.

Marius se enjugó la nariz, sin mirarme.

Entramos en la amplia biblioteca.

—Marius, ¿no hay nada en mí que te atraiga, que te parezca bello?

—Oh, sí, querida, me atrae todo de ti —repuso él—. ¡Pero por todos los dioses, procura obrar con sensatez! ¿No lo comprendes? No te han robado la vida en aras de una verdad sacrosanta, sino de un nefasto misterio. El hecho de adivinar el pensamiento no hace que yo sea más sabio que otros hombres. ¡Mato para vivir! Como hizo ella miles de años atrás. Ella sabía que tenía que hacer esto. Sabía que había llegado el momento oportuno.

—¿Qué momento? ¿Qué es lo que ella sabía?

Lo miré fijamente. Poco a poco comprendí que ya no podía adivinar sus pensamientos y que él sin duda tampoco podía adivinar los míos. Pero los chicos, temblando de temor, eran unos libros abiertos, convencidos de ser los esclavos de unos demonios bondadosos pero vociferantes.

Marius suspiró.

—Ella lo hizo porque yo casi había reunido el valor necesario para hacer lo que debía: exponerme y exponerlos a los rayos del sol y rematar así la labor que el Mayor egipcio había iniciado, ¡librar al mundo del Rey y la Reina de todos los hombres y mujeres que se alimentan de la muerte! ¡Es muy lista!

—¿Es eso lo que te proponías hacer? —pregunté—. ¿Inmolarlos e inmolarte con ellos?

—Sí, desde luego, lo tenía todo planeado —respondió en tono sarcástico—. La semana que viene, el mes que viene, el año que viene, la década que viene, dentro de cien años, o doscientos, quizá después de haber leído todos los libros del mundo y de haber visitado todos los lugares, puede que dentro de quinientos años, quizás... o quizá dentro de poco, atormentado por la soledad.

Yo estaba tan atónita que no podía articular palabra.

Marius esbozó una sonrisa llena de sabiduría y tristeza.

—Ah, pero lloro como un niño —dijo suavemente.

—¿De dónde habrías sacado el valor para poner fin a esa evidente y compleja manifestación de magia divina? —inquirí.

—¡Magia! —exclamó despectivamente.

—Prefiero que no hagas eso —dije—. No me refiero a llorar, me refiero a quemar a nuestra Madre y nuestro Padre y...

—¡Estoy convencido de eso! —contestó Marius—. ¿Crees que yo sería capaz de someterte al fuego contra tu voluntad? ¡Eres una idiota ingenua y desesperada! ¡Restituirla a los altares! ¡Restaurar su culto! ¡Estás loca!

—¡Idiota! ¿Cómo te atreves a insultarme? ¿Acaso crees que has comprado una esclava para que te sirva? Ni siquiera has comprado una esposa.

Sí. Nuestras mentes estaban ligadas entre sí, y posteriormente comprobaría que ello se debía al intercambio de sangre. Pero en aquellos momentos lo único que sabía era que debíamos contentarnos con palabras, como los hombres y mujeres mortales.

—¡No pretendía ofenderte! —respondió Marius. Era evidente que se sentía herido.

—Entonces procura pulir tu brillante razón masculina y tu elegante forma de expresarte como un patricio —le espeté.

Nos miramos furiosos.

—¡La razón, sí! —dijo Marius alzando el dedo—. Eres la mujer más inteligente que he conocido jamás. Así que atiende a razones. Te lo explicaré para que lo comprendas. Esto es lo que debemos hacer.

—¡Sí, y tú eres un cabezota y un sentimental y volverás a estallar en lágrimas! ¡Te pones a golpear a la Reina como si fueras un niño al que le ha dado una rabieta!

Marius se sonrojó de ira. Abrió los labios pero no dijo palabra.

Luego dio media vuelta y se marchó.

—¿Me arrojas de tu lado? —pregunté—. ¿Quieres que me vaya? —grité—. Ésta es tu casa. ¡No tienes más que decírmelo y me iré inmediatamente!

Marius se detuvo.

—No —contestó. Se volvió y me miró, sorprendido por mi reacción. Luego dijo con voz ronca—: ¡No te vayas, Pandora! —Pestañeó como si tratara de contener las lágrimas—. No te vayas. Te lo ruego. —Hizo una pausa y murmuró a modo de colofón—: Nos tenemos el uno al otro.

—¿Y adónde te proponías ir ahora, para alejarte de mí?

—Sólo a cambiar el vestido de la Reina —respondió Marius con una sonrisa triste y amarga—. Para adecentar y vestir de nuevo a «esa evidente y compleja manifestación de magia divina».

Dicho esto, desapareció.

Me volví hacia las puertas exteriores violetas. Hacia las nubes removidas por la luna en una caldera, para desafiar a la oscuridad. Hacia los grandes y vetustos árboles que decían: ¡Encarámate a nuestras ramas, nosotros te abrazaremos! Hacia las flores que yacían dispersas y que decían: Nosotras somos tu lecho. Acuéstate en él.

Así comenzó una pelea que habría de durar doscientos años.

Y que jamás concluyó definitivamente.

10

Con los ojos cerrados todavía, oí unas voces en la ciudad, unas voces procedentes de casas cercanas; oí a unos hombres que conversaban al pasar por la carretera. Oí música procedente de algún lugar, y las risas de mujeres y niños. Cuando lograba concentrarme, comprendía lo que decían. Pero preferí no hacerlo, y las voces se disiparon en la brisa.

De pronto no pude resistir más aquella situación. Lo único que podía hacer era regresar a la capilla, postrarme de rodillas y rezar. Al parecer los sentidos que me habían sido dados sólo servían para eso. Si éste era mi destino, ¿qué iba a ser de mí?

Durante todo el rato oí un alma que sollozaba amargamente; era un eco de mi propia alma, un alma rota que se había alejado de una trayectoria llena de esperanza, un alma que no podía creer que un comienzo tan prometedor pudiera acabar en algo terrorífico.

Era Flavius.

Me encaramé de un salto sobre el viejo y retorcido olivo. Me resultó tan sencillo como caminar. Fui saltando de rama en rama hasta alcanzar lo alto de la tapia, cubierta por la enredadera. Avancé sobre la parte superior de la tapia hacia la verja.

Vi a Flavius con la frente contra los barrotes, aferrándolos con ambas manos. Tenía varios cortes sangrantes en la mejilla. Le rechinaban los dientes sin cesar.

—¡Flavius! —exclamé.

Él levantó la vista, sobresaltado.

—¡Señora Pandora!

Flavius no podía por menos de ver, a la luz de la luna, el milagro que se había operado en mí, cualquiera que fuese la causa. Yo vi la mortalidad en él, las profundas arrugas de su piel, su dolorosa y vacilante mirada, la sutil capa de tierra que le cubría debido a la humedad natural de su piel mortal.

—Debes regresar a casa —dije sentándome sobre la tapia, con las piernas colgando hacia fuera. Me incliné para que Flavius me oyera con claridad. Él no retrocedió, sino que me miró fascinado—. Ve a ver cómo están las muchachas, duerme y cúrate esas heridas. El demonio ha muerto, no debes preocuparte más por él. Regresa aquí mañana por la noche, cuando oscurezca.

Flavius negó con la cabeza. Trató de decir algo, pero no pudo. Trató de gesticular, pero no pudo. Le latía violentamente el corazón. Se volvió para observar la carretera, las diminutas y lejanas luces de Antioquía.

Luego me miró de hito en hito. Percibí los acelerados latidos de su corazón. Sentí su conmoción y su temor, su temor por mí, no por él. El temor de que me aguardaba una suerte espantosa. Se agarró a los barrotes de la verja, rodeándolos con el brazo derecho y sujetándolos con la mano izquierda como si se negara a moverse de allí.

Me vi a mí misma tal como me veía él, vestida con la túnica de un hombre, con el cabello suelto, sentada sobre la tapia, como si mi cuerpo fuera joven y ágil. Todas las arrugas propias de la vejez habían desaparecido de mi rostro. Flavius vio en mí un rostro que nadie habría sido capaz de pintar.

Pero lo importante era que ese hombre había alcanzado el límite de su capacidad de aguante. No podía más. Y yo sabía bien lo mucho que lo amaba.

—De acuerdo —dije. Me levanté y tendí las manos hacia él—. Vamos, si quieres te ayudaré a saltar la tapia.

Flavius levantó los brazos, receloso, asimilando con los ojos cada detalle de mi transformación.

No pesaba nada. Lo alcé sin mayores dificultades y lo deposité de pie en la parte interior de la verja. Luego salté sobre la hierba junto a él y le rodeé los hombros con un brazo. Qué intenso era su temor. Qué fuerte su coraje.

—Tranquilízate —dije. Lo conduje hacia la casa mientras él seguía observándome fijamente, jadeando como si le costara respirar debido a su estado de conmoción—. Yo me ocuparé de ti.

—Había conseguido agarrar al monstruo —dijo Flavius—. ¡Lo sujetaba del brazo! —Qué opaca sonaba su voz, qué rebosante de fluido vivo y esfuerzo—. Le clavé el puñal varias veces, pero él me hirió en la cara y huyó saltando la tapia como un enjambre de mosquitos, negro, de una negrura inmaterial.

—Ha muerto abrasado, Flavius, reducido a cenizas.

—De no haber oído vuestra voz me habría vuelto loco. Oí sollozar a los esclavos. Mi maldita pierna me impedía trepar por la tapia. ¡Luego oí vuestra voz y supe que estabais viva! —exclamó lleno de gozo—. Estabais con Marius.

Sentí su amor con una naturalidad dulce y conmovedora.

De pronto recordé el santuario, el néctar de la Reina y la lluvia de pétalos. Pero tenía que conservar mi equilibrio en ese nuevo estado. Flavius se mostraba profundamente perplejo.

Lo besé en los labios, unos labios cálidos, mortales, y luego, cuando con la destreza de un gato lamí la sangre que manaba de los cortes en sus mejillas, sentí que un escalofrío me recorría el cuerpo.

Lo llevé a la biblioteca, que en aquella casa constituía la estancia principal. Los chicos se hallaban cerca. Habían encendido las lámparas y luego habían corrido a ocultarse. Percibí el olor de su sangre y de su joven carne humana.

—Te quedarás conmigo, Flavius. Chicos, ¿podéis disponer una habitación para mi administrador en esta planta? Tenéis fruta y pan, ¿no es así? Huelo su aroma. ¿Disponéis de suficientes muebles para disponer para él una habitación confortable en el ala derecha, donde pueda descansar tranquilamente?

Los chicos salieron a toda prisa de sus respectivos escondites; me chocó su aspecto tan nítidamente humano. Por un instante los miré desconcertada.

Los detalles más nimios y naturales en ellos me parecieron algo precioso: sus cejas negras y espesas, sus bocas pequeñas y redondeadas, sus tersas mejillas.

—¡Sí, señora, sí —respondieron los muchachos al unísono, acercándose apresuradamente.

—Éste es Flavius, mi administrador. Se alojará con nosotros. De momento conducidlo al baño, calentad el agua y atendedle. Llevadle un poco de vino.

Los esclavos se ocuparon de inmediato de Flavius, pero éste se detuvo y con expresión seria y pensativa dijo:

—No me abandonéis, señora. Os soy leal en todos los aspectos.

Luego Flavius se dirigió al baño escoltado por los jóvenes babilonios, quienes parecían encantados de tener algo que hacer.

No tardé en hallar los enormes armarios roperos de Marius. Poseía ropa suficiente para vestir a los reyes de Esparta, Armenia, a Livia, la madre del emperador, a la difunta Cleopatra y a un ostentoso patricio que hiciera caso omiso de las estúpidas leyes suntuarias de Tiberio.

Me puse una túnica larga, más bonita, de seda y lino, y elegí un ceñidor dorado. Con los peines y cepillos de Marius me peiné el largo cabello, desenredándolo y dejándolo limpio y suave como cuando era niña.

Marius tenía muchos espejos, que en aquellos días eran de metal bruñido, como ya sabes. El hecho de verme joven de nuevo me dejó pensativa y perpleja; tenía los pezones rosados; las arrugas propias de la edad ya no interrumpían la belleza que la naturaleza había conferido a mi rostro y mis brazos. Quizá sería más exacto decir que mostraba un aspecto intemporal.

Intemporal en mi madurez. Y cada objeto sólido parecía estar allí para servirme en mi renovada juventud y vigor.

Contemplé las losas de mármol que cubrían el suelo y vi en ellas una profundidad, una prueba de un proceso prodigioso y que apenas alcanzaba a comprender.

Sentí deseos de salir de nuevo al jardín, de hablar con las flores, de arrancarlas a puñados. Deseaba conversar urgentemente con las estrellas. No me atrevía a ir al santuario por temor a Marius, pero de no haber estado por los alrededores, habría ido a arrodillarme ante la Madre y a contemplarla en silencio, tratando de percibir el menor movimiento, aunque después de presenciar el comportamiento de Marius sabía que eso no ocurriría. La Reina había movido su brazo derecho al parecer sin que el resto de su cuerpo se percatara de ello. Lo había movido para matar, y luego para invitarme a aproximarme a ella.

Entré en la biblioteca y me senté delante del escritorio, donde estaban los pergaminos que yo había escrito, y aguardé.

Cuando por fin apareció Marius vi que también se había cambiado de ropa; iba peinado con raya al medio y llevaba el pelo suelto. Se sentó junto a mí en una silla de ébano, con el respaldo curvado y con incrustaciones de oro. Yo lo miré, constatando la semejanza que guardaba con la silla, pues parecía una inmensa extensión de toda las materias primas que formaban parte de su composición. La naturaleza había esculpido y taraceado sus rasgos, aplicándole luego una capa de barniz.

Sentí deseos de echarme a llorar en sus brazos, pero me tragué mi soledad. La noche jamás me abandonaría; me era fiel en cada puerta abierta a través de la cual distinguía la hierba y las gruesas ramas de los olivos que se alzaban para atrapar el resplandor de la luna.

—Bendita sea la persona que se ha convertido en una bebedora de sangre —dije—, cuando es luna llena y las nubes se elevan como montañas en la noche translúcida.

—Probablemente tengas razón —repuso Marius.

Movió un poco la lámpara que había entre nosotros sobre el escritorio, de forma que no me deslumbrara.

—He alojado a mi administrador en esta casa —dije—. Le he ofrecido un baño, un lecho y ropa. ¿Me perdonas? Le tengo en mucha estima y no deseo perderlo. Es demasiado tarde para obligarlo a regresar al mundo.

—Es un hombre extraordinario —comentó Marius—, y me complace que se aloje aquí. Mañana puede traerte a tus esclavas. De este modo los muchachos tendrán compañía y habrá algo más de disciplina. Flavius, entre otras cosas, es un hombre instruido.

—Eres muy amable. Temía que te enfadaras. ¿Por qué sufres? No puedo adivinar tus pensamientos; no poseo ese don.

—No, eso no era del todo cierto. Podía adivinar los pensamientos de Flavius. Sabía en que este preciso instante los chicos se sentían muy aliviados por la presencia de Flavius mientras le ayudaban a enfundarse una camisa de dormir.

—Estamos demasiado unidos por la sangre —respondió Marius—. Yo tampoco consigo adivinar tus pensamientos. Debemos recurrir a las palabras, como los mortales, sólo que nuestros sentidos están mucho más aguzados, y el distanciamiento que experimentamos en ocasiones es frío como el hielo del norte; pero en otras ocasiones los sentimientos nos inflaman y transportan sobre las ardientes olas de un mar abrasador.

—Hum —contesté.

—Me desprecias —dijo Marius suavemente, con expresión contrita—, porque aplaqué tu éxtasis, te robé tu alegría, tus convicciones. —Parecía sinceramente arrepentido—. Lo hice en el momento más feliz de tu conversión.

—No estés tan seguro de que has aplacado mi éxtasis. Aún soy capaz de construir templos para ella, de difundir su culto. Soy una iniciada. No he hecho más que empezar.

—¡No restituirás su culto, te lo aseguro! —exclamó Marius—. No hablarás con nadie sobre ella, ni revelarás quién es ni dónde se encuentra, y jamás crearás a otro bebedor de sangre.

—¡Ni el propio Tiberio se expresa con tal autoridad cuando se dirige al Senado! —repliqué.

—Lo único que ambicionaba Tiberio era estudiar en el gimnasio de Rodas, pasearse todos los días ataviado con un manto y unas sandalias griegas y hablar de filosofía. La propensión a la acción florece en hombres de menor calado, que la utilizan en su hermosa soledad.

—¿Es éste un discurso destinado a aleccionarme? ¿Crees que no sé eso? Lo que tú no sabes es que el Senado no ayudará a Tiberio a gobernar. Roma desea un emperador, para admirarlo y reverenciarlo. Fueron los de tu generación, bajo Augusto, quienes nos acostumbraron a cuarenta años de gobierno autocrático. No me hables de política como si fuera una idiota.

—Debí tener en cuenta que tú lo sabes todo —contestó Marius—. Recuerdo cuando eras niñas. Nadie podía competir con tu brillante inteligencia. Tu fidelidad a Ovidio y a sus obras eróticas constituía una rara sofisticación, una demostración de tu capacidad para comprender la sátira y la ironía. Un talante romano bien alimentado.

Lo miré. Su rostro aparecía también desprovisto de toda señal del paso del tiempo. Aprovechando que disponía de tiempo, me regodeé examinándolo detenidamente, sus hombros recios, su cuello recto y firme, la singular expresión de sus ojos, y sus cejas perfectamente dibujadas. Un maestro escultor nos había transformado en unos retratos de nosotros mismos en mármol.

—¿Sabes? —dije—, incluso bajo este aplastante torrente de definiciones y declaraciones tuyas, como si yo implorara tu ratificación, te amo, y sabes de sobra que estamos solos en esta empresa, y casados el uno con el otro, y no me siento desdichada.

Marius parecía sorprendido, pero no dijo nada.

—Soy una exaltada, me siento herida en lo más profundo de mi corazón —proseguí—, soy una peregrina endurecida; pero te ruego que no me hables como si mi formación y educación constituyeran tu máxima preocupación.

—No tengo más remedio que hablar así —repuso Marius. Su voz destilaba dulzura y calor—. Por supuesto que tú constituyes mi máxima preocupación —añadió—. Si eres capaz de comprender lo que ocurrió al término de la República romana, si eres capaz de comprender a Lucrecio y a los estoicos, sin duda comprenderás lo que somos. ¡Es preciso que lo comprendas!

—Pasaré por alto tus insultos —respondí—. No estoy de humor para ofrecerte una lista de todos los filósofos y poetas que he leído, ni para referirte las conversaciones que mantenía con mi familia mientras cenábamos.

—¡No pretendo ofenderte, Pandora! ¡Pero Akasha no es una diosa! Recuerda tus sueños. Es un vial que contiene una energía preciosa. Tus sueños te demostraron que ella puede ser utilizada, que cualquier infame bebedor de sangre puede transmitir la sangre a otro, que ella es una especie de demonio, y que alberga en su seno el poder que ambos compartimos.

—Silencio, puede oírte —murmuré escandalizada.

—Desde luego. Durante quince años he sido su guardián. He luchado contra esos renegados de Oriente que pretendían acabar con ella, y contra otros canallas procedentes de la selva africana. Ella sabe lo que es.

Nadie habría podido adivinar la edad de Marius, excepto por su expresión grave y solemne. Parecía un hombre en perfecta forma. Traté de no dejarme cautivar por él, por la noche que latía a sus espaldas, y sin embargo deseaba abandonarme a esas sensaciones.

—Menudo festín de boda —dije—. Quiero decirles algunas cosas a los árboles.

—Mañana por la noche seguirán aquí —repuso él.

En aquel momento pasó ante mis ojos la última imagen

que tenía de ella, realzada por el éxtasis: la vi alzando al joven faraón de su silla y lo había convertido en astillas. Luego la vi antes de esa revelación, al comienzo de mi trance, corriendo por el pasillo, riendo.

Un lento temor hizo presa en mí.

—¿Qué ocurre? —preguntó Marius—. Confía en mí.

—Cuando bebí su sangre, la vi como una muchacha, riendo. —Le relaté la visión que había tenido de nuestra boda, la lluvia de pétalos, y luego el extraño templo egipcio lleno de fanáticos adoradores de la Madre. Por último le conté que la había visto entrar en la cámara del pequeño faraón, cuyos consejeros le previnieron sobre los dioses de ella.

—Ella lo destrozó como si fuera un muñeco de madera. Dijo: «Pequeño Rey, pequeño reino.»

Tomé mis pergaminos, que anteriormente había depositado sobre el escritorio. Describí a Marius el último sueño que había tenido referente a la Madre, cuando ella había amenazado, gritando como una posesa, con encaminarse hacia el sol y destruir a sus díscolos hijos. Describí todas las cosas que había visto, las múltiples migraciones de mi alma.

Sentí un profundo dolor en el corazón. Mientras hablaba, vi la vulnerabilidad de la Madre, el peligro que encarnaba. Por último expliqué a Marius que había escrito todo aquello en egipcio.

Estaba cansada y deseaba sinceramente no haber vislumbrado nunca ese mundo. Experimenté de nuevo la intensa y total desesperación de aquellas noches que había pasado sollozando en mi casita de Antioquía, golpeando las paredes con los puños, hundiendo el puñal en la tierra. ¡Ojalá no la hubiera visto correr por aquel pasillo riendo alegremente! ¿Qué significaba aquella imagen? ¿Y el pequeño Rey, que había muerto impotente a manos de ella?

Hice un resumen de todo ello, aguardando los comentarios despectivos de Marius. No estaba dispuesta a dejar que siguiera humillándome.

—¿Cómo lo interpretas? —preguntó él suavemente. Trató de tomarme la mano, pero yo me apresuré a retirarla.

—Son fragmentos de su memoria —contesté. Me sentía muy deprimida—. Es lo que ella recuerda. En ello hay tan sólo una insinuación de un futuro —dije—. Una sola imagen descifrable de un deseo: nuestro matrimonio, que estemos juntos. —Aunque mi voz rebosaba tristeza, le pregunté—: ¿Por qué lloras, Marius? Imagino que ella se dedica a reunir recuerdos como si recogiera flores en el jardín del mundo, como hojas que caen en sus manos, y con esos recuerdos confeccionó para mí una guirnalda. ¡Una guirnalda de boda! Una trampa. No poseo un alma migratoria. Al menos eso creo. Y suponiendo que poseyera una, ¿por qué había de ser precisamente ella, tan sola, tan arcaica, tan impotente, tan irrelevante para el mundo, tan anacrónica y desprovista de poder, quien lo supiera, quien me lo revelara, la única en saberlo?

Miré a Marius. Me escuchaba atentamente pero no cesaba de llorar. No parecía sentirse avergonzado, y era evidente que no iba a disculparse.

—¿Qué fue lo que dijiste antes? —pregunté—. «El hecho de adivinar el pensamiento de la gente no me hace más sabio.» —Sonreí—. Ésa es la clave. Cómo se rió la diosa cuando me condujo hasta ti. Cómo deseaba que yo te viera en tu soledad.

Marius se limitó a asentir con la cabeza.

—Me pregunto cómo supo lanzar sus redes —añadí—, para hallarme al otro lado del agitado mar.

—Se lo indicó Lucius. Ella oye voces procedentes de muchas tierras. Ve lo que desea ver. Una noche, aquí, asusté a un romano, que al parecer me reconoció. El hombre huyó apresuradamente, como si yo representara un peligro para él. Lo seguí, intrigado por tan excesivo temor.

»No tardé en constatar que tenía un gran peso sobre su conciencia, un peso que distorsionaba todos sus pensamientos y movimientos. Le espantaba ser reconocido por alguien de la capital. Deseaba marcharse.

»Se dirigió a la casa de un mercader griego. Llamó a la puerta insistentemente, a altas horas de la noche, a la luz de una antorcha, exigiendo el pago de una deuda que el griego debía a tu padre. El griego le repitió lo que le había dicho antes, que sólo pagaría el dinero a tu padre.

»La noche siguiente fui de nuevo en busca de Lucius. Esta vez el griego tenía una sorpresa para él. Acababa de recibir una carta de tu padre que había llegado en un barco militar. Esto ocurrió unos cuatro días antes de tu llegada. En la carta, tu padre le pedía al griego un favor en nombre de la hospitalidad y el honor. Si accedía a hacerle ese favor, tu padre cancelaría todas las deudas que el griego había contraído con él. Todo quedaría explicado en una carta adjunta a un cargamento con destino a Antioquía. El cargamento tardaría unos días en llegar, pues el barco debía hacer varias escalas. Se trataba de un favor sumamente importante.

»Cuando tu hermano se fijó en la fecha de esta carta, se quedó estupefacto. El griego, quien a esas alturas estaba más que harto de Lucius, le cerró la puerta en las narices.

»Yo abordé a Lucius a pocos pasos de la casa del griego. Por supuesto se acordaba de mí, el excéntrico Marius a quien había conocido hacía tanto tiempo. Yo fingí que me asombraba haberme tropezado con él aquí y le pregunté por ti. Lucius, que estaba nervioso, se inventó la historia de que te habías casado y vivías en la Toscana, y dijo que él se disponía a partir de la ciudad. Luego se marchó precipitadamente. Pero ese breve contacto, que duró tan sólo unos momentos, bastó para ver el testimonio que Lucius había prestado ante la guardia pretoriana contra su familia —todo mentiras— y para imaginar las terribles consecuencias de esa acción.

»Al día siguiente, en cuanto desperté, salí en su busca, pero no logré dar con él. Vigilé la casa de los griegos. Sopesé la posibilidad de hacer una visita al anciano, el mercader griego, para tratar de entablar amistad con él. Pensé en ti. Te imaginé. Te recordaba perfectamente. Compuse mentalmente unos poemas sobre ti. No volví a ver ni a saber nada de tu hermano, por lo que deduje que había partido de Antioquía.

»Una noche me desperté, y al subir y mirar por la ventana vi que toda la ciudad estaba llena de incendios.

»Germánico había muerto, sin retractarse de sus acusaciones de que Pisón lo había envenenado.

»Cuando llegué a casa del mercader griego, comprobé que ésta había quedado reducida a cenizas. No vi a tu hermano por ninguna parte. Supuse que todos habían perecido, incluidos él y la familia del mercader griego.

»Durante las noches siguientes traté de localizar a Lucius. No tenía ni idea de que tú estabas aquí, sólo sentía un anhelo obsesivo de verte. Traté de recordarme que si me abandonaba a la nostalgia por todas las relaciones mortales que había tenido cuando estaba vivo, me volvería loco mucho antes de constatar el alcance de las dotes que me habían conferido nuestro Rey y nuestra Reina.

»Una tarde en que me encontraba en la librería, el sacerdote se acercó a mí y te señaló. Estabas en el foro, despidiéndote del filósofo y de los estudiantes. ¡Estaba tan cerca de ti!

»Me sentí tan abrumado por el amor que me inspirabas que ni siquiera escuché al sacerdote hasta que me di cuenta de que hablaba de unos sueños extraños que habías tenido. Afirmó que sólo yo era capaz de descifrar aquel enigma. Estaba relacionado con el bebedor de sangre que había sido visto recientemente en Antioquía, lo cual no era un caso infrecuente. Yo había matado con anterioridad a otros bebedores de sangre y juré acabar con aquél.

»Entonces vi a Lucius. Vi que te reunías con él. Su ira y su culpabilidad casi me cegaron, impidiéndome contemplar a aquel bebedor de sangre. Oí vuestras palabras con toda nitidez, pese a la gran distancia que nos separaba, pero decidí no moverme hasta que tú te hubieras alejado de él y estuvieras a salvo.

»Deseaba matarlo allí mismo, pero comprendí que lo más prudente sería permanecer junto a ti, entrar en el templo y no perderte de vista. No estaba seguro de si tenía derecho a matar a tu hermano por ti, de que fuera eso lo que tú deseabas. No lo supe hasta que te conté la canallada que había cometido Lucius. Entonces comprendí lo mucho que ansiabas que matara a tu hermano.

»Naturalmente, yo no sabía lo inteligente que eras, ni que seguías conservando el talento y las palabras que había amado en ti de niña. De pronto te vi en el templo, pensando tres veces más rápidamente que los otros mortales que se hallaban presentes, sopesando cada aspecto de la cuestión, superándolos a todos con tu ingenio. Y entonces se produjo la espectacular confrontación con tu hermano, en la que lograste atraparlo con la más ingeniosa red de verdades, propiciando su fin, sin siquiera tocarlo, pero con la complicidad de tres testigos militares que habían presenciado su muerte.

Marius hizo una breve pausa y prosiguió:

—En Roma, hace años, te seguí. Tenías dieciséis años. Recuerdo tu primer matrimonio. Tu padre me llevó aparte, era un hombre muy amable. «Marius, estás destinado a ser un historiador errante», señaló. No me atreví a decirle lo que pensaba realmente de tu marido.

»Y ahora has venido a Antioquía, y yo pienso, con mi estilo egocéntrico, como enseguida observarás, que si alguna vez fue creada una mujer para mí, ésa eres tú. Y tan pronto como te abandono por la mañana sé que tengo que sacar a nuestra Madre y a nuestro Padre de Antioquía, alejarlos de aquí, pero ese bebedor de sangre tiene que ser destruido, y sólo entonces podré dejarte a salvo.

—Abandonarme a salvo —dije yo.

—¿Me lo reprochas? —preguntó Marius.

La pregunta me pilló por sorpresa. Lo miré largamente, dejando que su belleza llenara mis ojos e intuyendo con intolerable perspicacia su tristeza y desesperación. ¡Cuánto me necesitaba! ¡Qué desesperadamente necesitaba no sólo mi alma mortal en la que confiar sino mi persona!

—Realmente deseabas protegerme, ¿no es cierto? —pregunté—. Tu explicación de todos los puntos es completamente racional; contiene la elegancia de las matemáticas. La reencarnación no es necesaria, ni el destino, ni ninguna explicación milagrosa de nada de lo que ha ocurrido.

—Eso es lo que yo creo —repuso Marius con brusquedad. Su rostro adquirió una expresión ausente y luego seria—. Nunca te diría nada salvo la verdad. ¿O eres una mujer que no permite que le lleven la contraria?

—¡No seas fanático en el uso de la razón! —respondí.

Se mostró ofendido ante mis palabras.

—No te aferres a la razón en un mundo donde existen tan numerosas y horrendas contradicciones.

Marius guardó silencio.

—Si lo haces —añadí—, con el paso del tiempo la razón te fallará, y entonces te refugiarás en la locura.

—¿A qué diantres te refieres?

—Te compones de razón y religión lógica. Obviamente, es la única forma que tienes de soportar lo que te ocurrió, el hecho de ser un bebedor de sangre y guardián, según parece, de esas deidades desplazadas y olvidadas.

—¡No son deidades! —protestó Marius, furioso—. Fueron creados hace miles de años, mediante una mezcla de espíritu y carne que les hizo inmortales. Ellos, evidentemente, encuentran su refugio en el olvido. Con tu característica amabilidad, lo has calificado como un jardín en el que la Madre recogió flores y hojas para hacer una guirnalda para ti, una trampa, según dijiste. Pero eso es una dulce poesía propia de las jovencitas como tú. Ni siquiera sabemos si son capaces de formar una serie de palabras seguidas.

—No soy una dulce jovencita —repliqué—. La poesía pertenece a todo el mundo. ¡Háblame! —exigí—, y deja a un lado esas palabras, «jovencita» y «mujer». No me tengas tanto miedo.

—No te tengo miedo —contestó él.

—¡No mientas! Incluso mientras esta nueva sangre corre por mis venas, me devora y me transforma, no me aferro ni a la razón ni a la superstición para sentirme segura. Puedo entrar en un mito y salir de él sin mayores problemas. Tú me temes, porque no sabes qué soy. Tengo aspecto de mujer, me expreso como un hombre, y tu razón te dice que eso es imposible.

Marius se levantó. Su rostro estaba radiante.

—¡Déjame que te explique lo que me ocurrió! —dijo con firmeza.

—Está bien, adelante —respondí—. Pero con sinceridad, sin ambages.

Marius pasó por alto ese comentario. Yo no quería herirle. Tan sólo deseaba amarlo. Sabía que era cauto por naturaleza. Pero pese a su sabiduría, mostraba una enorme fuerza de voluntad, la fuerza de voluntad de un hombre, y yo tenía que averiguar el origen de la misma. Debía ocultar mi amor.

—¿Cómo lograron atraerte?

—No lo hicieron —respondió con calma—. Fui capturado por los celtas en la Galia, en la ciudad de Massilia. Me llevaron al norte, dejaron que me creciera el cabello y me encerraron con los bárbaros en un enorme árbol hueco en la Galia. Un bebedor de sangre que se había abrasado me convirtió en un «nuevo dios» y me recomendó que huyera de los sacerdotes locales, que me dirigiera al sur, a Egipto, para averiguar por qué se habían abrasado los bebedores de sangre, por qué los jóvenes morían y el viejo padecía un tormento atroz. Yo fui por mis propios motivos. Deseaba averiguar qué era yo.

—Lo comprendo —dije.

—Pero no antes de asistir a unos sacrificios de sangre horripilantes e indescriptibles (recuerda que yo era el dios, Marius, a quien tú seguías ciega de amor por toda Roma), y era a mí a quien me ofrecían esos hombres.

—Lo he leído en la historia de César.

—Lo has leído pero no lo has visto. ¡Cómo te atreves a interrumpirme con un comentario tan banal y jactancioso!

—Disculpa, olvidé tus infantiles arrebatos de mal humor. Marius suspiró.

—Disculpa, olvidé tu intelecto práctico y de natural impaciente.

—Lo lamento. Siento haber pronunciado esas palabras. Tuve que presenciar numerosas ejecuciones en Roma. Era mi deber. Y eso se hacía en nombre de la ley. ¿Quién sufre más? ¿Las víctimas del sacrificio o la ley?

—Muy bien. Logré escapar de esos celtas y fui a Egipto, y allí conocí al Mayor, que era el guardián de la Madre y del Padre, la Reina y el Rey, los primeros vampiros de todos los tiempos, de quienes mana el enriquecimiento de nuestra sangre. Este Mayor me contó unas historias un tanto vagas pero fascinantes. La pareja real había sido humana. Un espíritu o demonio había poseído a uno de ellos o a ambos, alojándose tan firmemente en su cuerpo que ningún exorcismo fue capaz de expulsarlo. La pareja real podía transformar a otros dándoles su sangre. Trataron de convertirlo en una religión. Pero fue derrocada. Una y otra vez. Cualquiera que posea esa sangre puede crear a otro vampiro. Por supuesto, el Mayor manifestó que ignoraba por qué tantos bebedores de sangre habían resultado abrasados. Pero fue él quien había sacado de su santuario a sus sagrados y reales protegidos y los había expuesto al sol después de siglos de custodiarlos estúpidamente. Egipto había muerto, me dijo. «El granero de Roma», lo llamaba. Dijo que hacía miles de años que la pareja real no se movía.

Eso me produjo una extraordinaria y poética sensación de horror.

—Pues bien, la luz solar de un día no bastó para destruir a nuestros antiguos padres, pero sus hijos, diseminados por todo el mundo, sufrieron las consecuencias. Y ese cobarde Mayor, cuya piel resultó abrasada en recompensa por lo que había hecho, no tuvo el valor de continuar exponiendo la pareja real a los rayos solares. No tenía motivo para hacerlo.

»Akasha me habló. Me habló como pudo. A través de

imágenes, de unas escenas, me relató lo ocurrido desde el comienzo, del modo en que esta tribu de dioses y diosas se había originado a partir de ella, y las rebeliones que habían estallado, y la historia y el propósito que no se habían cumplido, y cuando llegó el momento de pronunciar unas palabras, Akasha sólo pudo articular unas pocas frases en silencio: "Marius, sácanos de Egipto." —Marius hizo una pausa—. "¡Sácanos de Egipto, Marius! El Mayor pretende destruirnos. Protégenos o pereceremos aquí."

Marius respiró hondo; estaba más tranquilo, menos enojado, pero visiblemente conmocionado por lo que acababa de referirme, y en mi vampírica visión comprendí más cosas sobre él: lo valiente que era, lo resuelto que estaba a mantenerse fiel a los principios en los que creía, a pesar de la magia que le había devorado antes de que tuviera tiempo de cuestionarla. El suyo era un noble intento de llevar una vida digna, pese a todo.

—Mi suerte —continuó— estaba directamente ligada a la de ellos. Si los abandonaba, antes o después el Mayor los expondría de nuevo a los rayos solares, y yo, que carecía de la sangre de siglos, me quemaría como la cera. Mi vida, que había experimentado un gran cambio, habría llegado a su fin. Pero el Mayor no me pidió que fundara un nuevo sacerdocio. Akasha no me pidió que fundara una nueva religión. No habló de altares ni de cultos. Sólo el viejo y abrasado dios que moraba en el bosque septentrional, entre los bárbaros, me pidió que lo hiciera cuando me envió al sur, a Egipto, a la tierra de todos los misterios.

—¿Cuánto tiempo los has custodiado?

—Más de quince años. He perdido la cuenta. No se mueven ni hablan. Los heridos, los que sufren unas quemaduras tan graves que tardarán siglos en sanar, saben que estoy aquí. Y vienen. Yo trato de eliminarlos antes de que sus mentes puedan enviar un mensaje confirmando la imagen a otras mentes lejanas. Ella no conduce a esos hijos suyos abrasados hasta donde se encuentra, como hizo una vez conmigo. Si alguno logra engañarme o desbordarme con su fuerza, ella se mueve, tal como viste, para aplastar al bebedor de sangre. Pero ella te ha llamado a ti, Pandora, te ha hecho venir. Y ahora ya sabemos con qué propósito. Me he portado de forma torpe y cruel contigo.

Marius se volvió hacia mí.

—Dime, Pandora —preguntó, suavizando la voz—, en esa visión que tuviste, cuando contrajimos matrimonio, ¿éramos jóvenes o viejos? ¿Eras la jovencita quinceañera a la que yo había cortejado hace años, o la espléndida mujer madura que eres ahora? ¿Están satisfechas las familias? ¿Formamos una bonita pareja?

Me sentí profundamente conmovida por la sinceridad de sus palabras, por la angustia y el ruego que yacía tras ellas.

—Teníamos el aspecto que tenemos ahora —dije, respondiendo con una cautelosa sonrisa a la suya—. Tú eras un hombre que se había quedado anclado para siempre en la plenitud de su vida, ¿y yo? tal como parezco en estos momentos.

—Créeme —dijo Marius con gran dulzura—, no te habría hablado con tanta dureza precisamente esta noche, pero podrás gozar de muchas otras noches. Nada puede matarte ahora, salvo el sol o el fuego. Nada puede dañarte. Tienes mil experiencias que descubrir.

—¿Y qué me dices del éxtasis que sentí al beber la sangre de la Madre? —pregunté—. ¿Qué me dices de sus propios comienzos y tribulaciones? ¿No está vinculada en ningún sentido a lo sagrado?

—¿Qué es lo sagrado? —replicó Marius, encogiéndose de hombros—. Dímelo. ¿Qué es sagrado? ¿Fue santidad lo que viste en sus sueños?

Yo agaché la cabeza, incapaz de responder.

—Ciertamente, no el Imperio romano —dijo él—. Ciertamente, no los templos de César Augusto. Ciertamente, no el culto de Cibeles. Ciertamente, no el culto de aquellos que adoran el fuego en Persia. ¿Sigue siendo sagrado el nombre de

Isis, si es que alguna vez lo fue? El Mayor en Egipto, mi primer y único instructor en todo esto, dijo que Akasha se había inventado las historias de Isis y Osiris en beneficio propio, para dar un aire poético a su culto. Yo más bien creo que ella añadió su propio nombre a las viejas leyendas. El demonio que habita en esos dos crece con cada nuevo bebedor de sangre que se crea. Estoy convencido de ello.

—Pero ¿con qué fin?

—¿Quizá para saber más? —repuso Marius—. ¿Para ver más, para sentir más, a través de cada uno de nosotros que portamos su sangre? Tal vez nosotros constituyamos una pequeña parte de ese ser, tal vez llevemos dentro de nosotros todos su sentidos y habilidades y le transmitamos nuestras experiencias. Ese ser se sirve de nosotros para conocer el mundo.

»Sólo puedo decirte lo siguiente —continuó, tras hacer una pausa y apoyar las manos en el escritorio—. Al ser que arde en mí no le importa si la víctima es inocente o culpable de un crimen. Está sediento de sangre. No todas las noches, pero a menudo. No dice nada. No me habla en mi corazón de altares. Me dirige a su antojo, como si yo fuera un caballo de batalla y él el general que lo monta. Es Marius quien distingue entre el bien y el mal, según la costumbre, por razones que sin duda comprenderás, pero no esta insaciable sed; esta sed conoce la naturaleza pero no sabe de moralidad.

—Te amo, Marius —dije—. Tú y mi padre sois los únicos hombres a los que he amado realmente. Pero ahora debo salir sola.

—¿Qué has dicho? —preguntó Marius atónito—. Es más de medianoche.

—Has sido muy paciente conmigo, pero debo salir sola —insistí.

—Te acompañaré.

—No —repuse.

—Pero no puedes pasearte por Antioquía sin compañía de nadie.

—¿Por qué no? Si lo deseo puedo percibir pensamientos mortales. Acaba de pasar una litera. Los esclavos están tan borrachos que me asombra que no la dejen caer y abandonen tendido en la carretera a su amo, que, por cierto, duerme como un tronco. Deseo caminar sola, por la ciudad, por los lugares oscuros, peligrosos y perversos, por los lugares donde... ni siquiera un dios se atrevería a ir.

—Supongo que lo haces para vengarte de mí —dijo Marius. Yo me dirigí hacia la verja y él me siguió—. No salgas sola, Pandora.

—Marius, amor mío —contesté, volviéndome y tomándole de la mano—. No se trata de una venganza. Las palabras que pronunciaste antes, «jovencita» y «mujer», siempre han limitado mi vida. Sólo deseo caminar sin temor, con los brazos desnudos y el cabello cayéndome sobre la espalda, penetrar en cualquier caverna peligrosa que me apetezca. ¡Aún estoy embriagada de su sangre, de la tuya! Sólo percibo el leve fulgor y el parpadeo de ciertas cosas que deberían brillar con intensidad. Quiero estar sola para reflexionar sobre todo lo que has dicho.

—Pero debes prometerme que regresarás antes del amanecer, mucho antes. Debes reunirte conmigo abajo, en la cripta. No puedes permanecer tumbada en una habitación, en algún lugar de la ciudad. La mortífera luz penetrará...

Me conmovió su deseo de protegerme, su aspecto lustroso, su furia.

—Regresaré —dije—, y mucho antes de que amanezca. Pero antes de marcharme quiero que sepas que se me romperá el corazón si a partir de este momento no permanecemos unidos.

—Estamos unidos —repuso él—. Vas a volverme loco, Pandora.

Marius se detuvo ante los barrotes de la verja.

—No des un paso más —dije al despedirme de él.

Eché a andar hacia Antioquía. Mis piernas eran fuertes y

ágiles, y los guijarros del polvoriento camino no representaban obstáculo alguno para mis pies; mis ojos escrutaron la noche para contemplar la conspiración de las lechuzas y los pequeños roedores que merodeaban en los árboles, observándome, para luego salir huyendo como si sus sentidos naturales les hubieran prevenido contra mí.

Al cabo de un rato llegué a la ciudad propiamente dicha. Creo que la decisión con que me trasladaba de una callejuela a otra bastó para ahuyentar a cualquiera que quisiera abordarme. Sólo oí comentarios procaces procedentes de la oscuridad, esas torpes y grotescas maldiciones que arrojan los hombres sobre las mujeres que desean, entre amenazantes y despectivas.

Sentí a la gente que estaba recogida en su casa, durmiendo, y oí a los soldados que montaban guardia, charlando en su cuartel detrás del foro.

Hice todas las cosas que los nuevos bebedores de sangre hacen siempre. Toqué la superficie de los muros y contemplé embelesada una antorcha y las polillas que se dejaban atrapar por ella. Sentí sobre mis brazos desnudos y mi frágil túnica los sueños de toda Antioquía rodeándome.

Unas ratas correteaban despavoridas por las alcantarillas y las calles. El río exhalaba su particular sonido; percibí el eco ronco de los barcos que estaban amarrados en el puerto, incluso el leve murmullo del agua.

El foro, resplandeciente con sus inmutables luces, atrapaba la luna como una inmensa trampa humana, lo contrario de un cráter terrestre, un ingenio ideado por el hombre que podía ser observado y bendecido por el intransigente cielo.

Cuando llegué a mi casa trepé con toda facilidad hasta el tejado y me senté en él, relajada, a salvo y libre, contemplando el patio, el peristilo, donde había averiguado —a solas durante aquellas tres noches— las verdades que me habían preparado para recibir la sangre de Akasha.

Con calma y sin dolor, pensé de nuevo en todo lo ocurrido, como si debiera esa reconsideración a la mujer que yo había sido, a la iniciada, a la mujer que se había refugiado en el templo. Marius tenía razón. La Reina y el Rey estaban poseídos por un demonio que se extendía a través de la sangre, alimentándose de ella, creciendo, tal como sentí que hacía en aquellos momentos dentro de mí.

El Rey y la Reina no habían inventado la justicia. La Reina, que había destrozado al pequeño faraón reduciéndolo a un montón de astillas, no había inventado la ley ni la moral.

Y los tribunales romanos, pese a sus torpezas y titubeos a la hora de tomar una decisión, sopesando todos los aspectos del caso, rechazando cualquier ardid mágico o religioso, se afanaban, incluso en aquellos siniestros tiempos, en impartir justicia. Era un sistema que no se basaba en la revelación de los dioses sino en la razón.

Pero yo no podía lamentar el momento de ebriedad en que había bebido la sangre de Akasha y había creído en ella, y había visto cómo caía sobre mí una lluvia de flores. No podía lamentar que una mente fuera capaz de concebir una trascendencia de tal perfección.

Ella había sido mi Madre, mi Reina, mi diosa, mi todo. Yo había sentido las sensaciones que todos debemos experimentar cuando bebemos las pócimas en el templo, cuando cantamos, cuando nos mecemos delirantes y embriagados por los cánticos. Y yo lo había sentido en sus brazos. También lo había sentido en los brazos de Marius, en una medida más segura, y ahora deseaba tan sólo estar con él.

Qué terrorífico me parecía el culto a la diosa. Tarada e ignorante, elevada a un inconcebible poder. Y qué revelador se me antojaba el que en el núcleo de esos misterios residieran unas explicaciones tan degradantes. ¡La sangre derramada sobre su vestido dorado!

«Todas las imágenes, todos los destellos significativos te enseñan cosas más profundas», pensé de nuevo, como había pensado en el templo, cuando me había contentado consolándome con una estatua de basalto.

Soy yo, y sólo yo, quien debe convertir mi nueva vida en una historia heroica.

Me alegré por Marius de que hubiera hallado consuelo en la razón. Pero la razón sólo era una cosa creada, impuesta con fe sobre el mundo, y las estrellas no prometen nada a nadie.

Yo había vislumbrado algo más profundo en aquellas oscuras noches en que había permanecido oculta en esta casa de Antioquía, llorando la muerte de mi padre.

Había comprendido que en el corazón mismo de la Creación existía algo tan incontrolable e incomprensible como un volcán en erupción.

Su lava destruía por igual a los árboles y a los poetas.

«De modo que acepta este regalo, Pandora —me dije—. Vete a casa, agradecida de haberte casado de nuevo, pues no podías haber hecho mejor elección ni contemplar ante ti un futuro más prometedor.»

Cuando regresé —y mi regreso fue muy rápido, lleno de nuevas lecciones sobre cómo podía pasar velozmente por los tejados, sin apenas rozarlos, y sobre los muros—, cuando regresé, lo encontré tal como lo había dejado, sólo que mucho más triste. Estaba sentado en el jardín, como lo había visto en la visión que me había mostrado Akasha.

Sin duda era un lugar que a él le encantaba, detrás de la villa con sus numerosas puertas, un banco situado frente a unos matorrales y un riachuelo que fluía alegremente sobre las piedras y desembocaba en una corriente que discurría a través de la alta hierba.

En cuanto me vio se puso en pie.

Lo abracé.

—Perdóname, Marius.

—No digas eso. Soy yo quien tiene la culpa de todo. No te protegí de ello.

Nos abrazamos con pasión. Yo deseaba hundir mis dientes en su carne, beber su sangre, y lo hice, y sentí que él bebía también mi sangre. Era una unión más poderosa que la que yo había conocido en mi tálamo conyugal, y me abandoné a ella como jamás me había abandonado a nadie.

De pronto me sentí cansada. Dejé de besarlo y retiré mis dientes de su cuello.

—Vamos —dijo Marius—. Tu esclavo se ha ido a dormir. Mañana, durante el día, mientras durmamos, te traerá todas tus pertenencias; tus muchachas también pueden trasladarse aquí si lo deseas.

Bajamos por la escalera y entramos en otra habitación. Marius tuvo que hacer acopio de todas sus fuerzas para abrir la puerta, lo cual significaba que ningún hombre mortal habría sido capaz de hacerlo.

En el centro de la habitación había un sencillo sarcófago de granito.

—¿Puedes levantar la tapa del sarcófago? —me preguntó Marius.

—¡Me siento muy débil!

—Es porque está amaneciendo. Intenta alzar la tapa. Deslízala hacia un lado.

Hice lo que me pedía, y en el interior del sarcófago vi un lecho de lirios y pétalos de rosa marchitos, unos cojines de seda y unos trozos de flores secas que exhalaban un grato perfume.

Me metí en el sarcófago, me volví y me tumbé en esta prisión de piedra. Marius se acostó en la tumba a mi lado y volvió a colocar la tapa en su lugar, ocultando con ello toda la luz del mundo, como si eso fuera lo que deseaban los muertos.

—Tengo sueño. Apenas puedo hablar.

—¡Qué bendición! —exclamó.

—No es preciso que me ofendas —murmuré—; pero te perdono.

—¡Te amo, Pandora! —dijo en un arrebato.

—Penétrame con tu miembro —dije metiendo la mano entre sus piernas—. Lléname con él y abrázame con fuerza.

—Eso es una estupidez y una superstición —protestó él.

—No lo es —repliqué—. Es simbólico y consolador.

Marius obedeció. Nuestros cuerpos se convirtieron en uno, conectados por este órgano estéril que significaba tanto para él como su brazo, pero cómo amaba yo el brazo con que me rodeó y los labios que oprimió sobre mi frente.

—Te amo, Marius, mi extraño, alto y hermoso Marius.

—No te creo —contestó con voz apenas audible.

—¿Que quieres decir?

—No tardarás en odiarme por lo que te he hecho.

—No es cierto, mi amado y racional Marius. No ansío envejecer, marchitarme y morir, como puedas pensar. Deseo conocer más cosas, ver más cosas...

Sentí sus labios sobre mi frente.

—¿Es cierto que trataste de casarte conmigo cuando yo tenía quince años?

—¡Ay, qué recuerdos tan dolorosos! Los insultos de tu padre aún resuenan en mis oídos. A punto estuvo de mandar que me arrojaran de vuestra casa.

—Te amo con todo mi corazón —musité—. Has ganado. Ahora me tienes junto a ti, soy tu esposa.

—Te tengo a mi lado, sí, pero creo que la palabra «esposa» no es la adecuada. Me asombra que hayas olvidado los reparos que habías puesto a esta palabra.

—Juntos —dije; apenas podía hablar debido a sus besos. Tenía sueño, y me encantaba sentir el tacto de sus labios, su repentino afán de cariño—. Ya se nos ocurrirá otra palabra más exaltada que «esposa». —De pronto me separé de él. No podía verlo en la oscuridad—. ¿Estás besándome para impedir que hable?

—Sí, eso es justamente lo que pretendo —respondió.

Yo aparté el rostro.

—Vuélvete, por favor —me rogó Marius.

—No —contesté.

Permanecí inmóvil, dándome cuenta vagamente de que su cuerpo me parecía ahora completamente normal, porque el mío era tan duro y fuerte como el suyo. Qué ventaja tan sublime. Pero lo amaba. ¡Lo amaba! Dejé que me besara en la nuca, pero no consiguió obligarme a que me volviera hacia él.

Deduje que había amanecido.

Cayó sobre mí un silencio como si el universo y todos sus volcanes y mareas —y todos sus emperadores, reyes, jueces, senadores, filósofos y sacerdotes— hubieran sido borrados del mapa.

11

Bien, David, aquí lo tienes.

Yo podría continuar la comedia al estilo Plauto-Terencio durante páginas. Podría rivalizar con la obra de Shakespeare *Mucho ruido y pocas nueces*.

Pero ésta es la historia básica. Esto es lo que está detrás de la petulante versión resumida en *El vampiro Lestat*, esculpida en su forma definitiva y trivial por Marius o Lestat, quién sabe.

Permíteme que te guíe a través de esos puntos que son sagrados y todavía arden en mi corazón, por más que otro haya tratado de despacharlos a la ligera.

Y el relato de nuestra despedida no es mera disonancia sino que puede contener una lección.

Marius me enseñó a cazar, a atrapar únicamente a los malvados, y a matar sin dolor, envolviendo el alma de mi víctima en dulces visiones o permitiendo al alma iluminar su propia muerte con una cascada de fantasías que yo no debo juzgar sino simplemente devorar, como la sangre. Todo ello no requiere una detallada documentación.

Marius y yo poseíamos una fuerza equiparable. Cuando un bebedor de sangre abrasado y ambicioso conseguía llegar a Antioquía, lo cual sucedió sólo unas pocas veces, nosotros ejecutábamos juntos al suplicante. Eran unas mentalidades monstruosas, forjadas durante siglos y que nosotros apenas lográbamos comprender, las cuales buscaban a la Reina como los chacales buscan los cadáveres de seres humanos.

Entre nosotros no se produjo jamás la menor discusión con respecto a ninguno de ellos.

Con frecuencia Marius y yo leíamos en voz alta, para el otro, y nos reíamos juntos con el *Satiricón* de Petronio, y compartíamos las lágrimas y la risa con las amargas sátiras de Juvenal. De Roma y Alejandría surgía un incesante flujo de nueva sátira e historia.

Pero algo separó a Marius para siempre de mí.

El amor entre ambos creció a la par que las constantes discusiones, que se convirtieron en el peligroso cemento de nuestra unión.

A lo largo de los años, Marius custodió su delicada racionalidad como una virgen vestal guarda una llama sagrada. Cuando una extática emoción hacía presa en mí, él siempre estaba allí para sujetarme por los hombros y decirme sin rodeos que me comportaba de forma irracional. ¡Irracional, irracional, irracional!

Cuando el terrible terremoto del segundo siglo azotó Antioquía —terremoto del que nosotros salimos ilesos—, me atreví a referirme a ello como una bendición divina. Esto enfureció a Marius, quien se apresuró a indicar que esa intervención divina había protegido también al emperador Trajano, quien a la sazón se encontraba en la ciudad. ¿Qué interpretación podía dar yo a esos hechos?

Añadiré de paso que Antioquía se reconstruyó rápidamente, los mercados prosperaron, llegaron más y más esclavos, nada podía detener a las caravanas que se dirigían hacia los barcos, y los barcos se dirigieron hacia las caravanas.

Pero mucho antes del terremoto, Marius y yo casi llegábamos a las manos noche tras noche.

Si yo permanecía unas horas en la cámara de la Madre y el Padre, Marius venía invariablemente a buscarme y trataba de hacerme entrar en razón. No podía leer conmigo en ese estado, según decía. No podía pensar porque sabía que yo estaba abajo coqueteando deliberadamente con la locura.

¿A cuento de qué, preguntaba yo, se extendía su dominio a cada rincón de nuestra casa y nuestro jardín? ¿Y cómo se explicaba que mi fuerza fuera equiparable a la suya cuando nos enterábamos de la presencia en Antioquía de un viejo y monstruoso vampiro que se había cobrado varias víctimas y era preciso eliminar?

—¿Acaso no poseo una capacidad intelectual equiparable a la tuya?

—¡Sólo tú formularías esa pregunta! —me espetaba él.

Por supuesto, la Madre y el Padre no volvieron a moverse ni a hablar. No volví a tener sueños de sangre ni recibí más instrucciones divinas. De vez en cuando Marius me lo recordaba. Y al cabo de mucho tiempo me permitió que me ocupara con él del santuario, para que constatara el grado de silenciosa y vacua condescendencia de la pareja real. Parecían estar más allá de nuestro alcance; su cooperación era pavorosamente torpe y deficiente.

Cuando Flavius cayó enfermo a los cuarenta años, Marius y yo tuvimos nuestra primera batalla campal. Ésta estalló mucho antes del terremoto.

Diré de paso que fue una época maravillosa porque el viejo y perverso Tiberio había llenado Antioquía de nuevos y espléndidos edificios. La ciudad rivalizaba con Roma. Pero Flavius estaba enfermo.

Marius no podía soportarlo. Se había encariñado mucho con Flavius; ambos hablaban continuamente de Aristóteles, y Flavius demostró ser uno de esos hombres capaces de hacer cualquier cosa, desde administrar la casa hasta copiar el texto más antiguo y esotérico con absoluto rigor.

Flavius jamás nos había hecho ninguna pregunta respecto a lo que éramos. En su mente, según comprobé, la aceptación y fidelidad superaban con mucho la curiosidad o el temor.

Ambos confiábamos en que la dolencia de Flavius no fuera grave. A medida que su fiebre aumentaba, Flavius solía apartar el rostro cada vez que Marius se acercaba a él, pero se aferraba a mi mano siempre que yo se la ofrecía. Con frecuencia permanecía acostada junto a él durante horas, al igual que él se había acostado en una ocasión junto a mí.

Una noche Marius me condujo hasta la verja y dijo:

—Flavius habrá muerto cuando yo regrese. ¿Podrás resistirlo sola?

—¿Acaso pretendes huir del trance? —pregunté.

—No —respondió Marius—. Pero él no quiere que yo le vea morir; no quiere que le vea gemir de dolor.

Asentí con la cabeza.

Marius se marchó. Desde hacía tiempo había decidido que no se volviera a crear otro bebedor de sangre. Yo no me había molestado en cuestionar esa decisión.

Tan pronto como Marius se hubo marchado, convertí a Flavius en un vampiro. Lo hice tal como el monstruo, Marius y Akasha habían hecho conmigo. Marius y yo habíamos hablado mucho sobre el método, consistente en chupar a la víctima tanta sangre como fuera posible y luego devolvérsela, hasta que uno estuviera a punto de perder el conocimiento. El caso es que perdí el conocimiento, y al recobrarlo vi a aquel espléndido griego junto a mí, sonriendo débilmente, tras haber desaparecido de su cuerpo toda enfermedad. Flavius se inclinó sobre mí, me tendió la mano y me ayudó a levantarme.

En aquel preciso instante apareció Marius, que contempló con asombro al renacido Flavius y dijo:

—Márchate de esta casa, de esta ciudad, de esta provincia y de este imperio.

Las últimas palabras que me dirigió Flavius fueron las siguientes:

—Gracias por este Don Oscuro.

Fue la primera vez que oí esa frase, la cual aparece con frecuencia en los escritos de Lestat. Qué bien lo había comprendido aquel culto ateniense.

Durante horas evité tropezarme con Marius. ¡Jamás me perdonaría! Luego salí al jardín. Allí lo encontré, muy deprimido, y al alzar la cabeza y mirarme comprendí que creía que yo me proponía fugarme con Flavius. Al darme cuenta de eso lo abracé. Se mostró aliviado y muy cariñoso conmigo, y me perdonó mi «increíble imprudencia».

—¿No comprendes que te adoro? —dije, tomándole la mano—. Pero no consentiré que me domines. ¿Es que no puedes mostrarte razonable y tratar de comprender que lo más importante de nuestro don es habernos librado de los límites impuestos por los términos «masculino» y «femenino»?

—No lograrás convencerme —repuso él— de que no sientes, razonas y obras como una mujer. Los dos queríamos a Flavius. Pero ¿a qué viene crear a otro bebedor de sangre?

—Todo lo que sé es que Flavius lo deseaba. Él comprendía nuestros secretos, existía cierta... cierta complicidad entre Flavius y yo. Me había sido leal en las horas más sombrías de mi vida mortal. ¡Oh, no puedo explicarlo!

—Unos sentimientos típicamente femeninos. Y has arrojado a esa criatura a la eternidad.

—Él colaborará en nuestra búsqueda —contesté.

Hacia mediados de siglo, cuando la ciudad había alcanzado una gran prosperidad y en el Imperio reinaba una paz que habría de durar doscientos años, llegó a Antioquía el cristiano Pablo.

Yo fui una noche a oírle hablar y regresé a casa diciendo que de aquel hombre emanaba tal poder personal que era capaz de convertir las mismas piedras a su fe.

—¿Cómo puedes perder el tiempo en esas cosas? —me espetó Marius—. ¡Cristianos! ¡Ni siquiera constituyen un culto! Algunos veneran a Juan, otros a Jesús. No cesan de pelearse entre ellos. ¿Es que no ves lo que ha hecho ese tal Pablo?

—¿Qué ha hecho? —inquirí—. No he dicho que fuera a unirme a esa secta. Sólo he dicho que fui a oírle. ¿A quién perjudico con eso?

—A ti misma, a tu mente, a tu equilibrio, a tu sentido común. Se ven comprometidos por las estupideces en las que a veces te interesas, y francamente perjudicas el mismo principio de la verdad.

»Permíteme que te hable de ese hombre llamado Pablo —continuó Marius—. Jamás conoció a Juan el Bautista ni a Jesús de Galilea. Los hebreos lo expulsaron del grupo. Jesús y Juan eran hebreos. Y ahora Pablo se dirige a todo el mundo, judíos y cristianos por igual, romanos y griegos, y les dice: "No es preciso que sigáis la observancia hebrea. Olvidaos de las Fiestas de Jerusalén. Olvidaos de la circuncisión. Convertíos en cristianos."

—Sí, es cierto —dije con un suspiro.

—Es una religión muy fácil de adoptar —comentó Marius—. No es nada. Tienes que creer que ese hombre se alzó de entre los muertos. A propósito, he examinado a fondo todos los textos que circulan por el mercado de libros. ¿Y tú?

—No. Me sorprende que hayas creído que esa búsqueda era digna de tu tiempo.

—No veo en parte alguna de los escritos de quienes conocieron a Juan y a Jesús que alguno de ellos afirmara que uno se alzaría de entre los muertos, ni que los que creyeran en ellos vivirían después de muertos. Fue Pablo quien añadió esas cosas. ¡Qué promesa tan atrayente! ¡Y deberías oír lo que tu amigo Pablo tiene que decir sobre el tema del infierno! Qué visión tan cruel, el que los mortales cargados de defectos puedan cometer en esta vida unos pecados tan graves como para abrasarse durante toda la eternidad.

—Él no es mi amigo. Concedes demasiada importancia a unos simples comentarios. ¿Por qué te inspira rechazo ese hombre?

—Ya te lo he dicho. Me importa la verdad, lo razonable.

—Lo que no comprendes sobre ese grupo de cristianos es que lo que les une es un amor eufórico, creen en la generosidad...

—¡No me vengas con esto! En cualquier caso, ¿cómo sabes que eso es bueno?

No respondí.

Marius había reanudado su tarea cuando dije:

—Tú me temes. Temes que me deje cautivar por alguien que sostenga unas creencias firmes y te abandone. No, miento. Temes sentirte cautivado tú mismo. Sentirte atraído de nuevo por el mundo y regresar a él, no pudiendo vivir allí conmigo, como un solitario observador romano de inteligencia superior, buscando consuelo mortal en la compañía y la proximidad de otros, la amistad de los mortales, su reconocimiento de que tú eres uno de ellos cuando en realidad no lo eres.

—No digas estupideces, Pandora.

—Guarda tus orgullosos secretos —repuse—. Pero temo por ti, lo reconozco.

—¿Que temes por mí? ¿Y por qué, si puede saberse? —preguntó Marius.

—Porque no te das cuenta de que todo perece, de que todo es puro artificio. Que incluso la lógica, las matemáticas y la justicia no tienen en última instancia significado alguno.

—Eso no es cierto —replicó él.

—Oh, sí lo es. Llegará una noche en que comprenderás lo que vi, cuando llegué a Antioquía, antes de que dieras conmigo, antes de esta transformación que debía de haberlo engullido todo.

»Contemplarás una oscuridad —añadí—, una oscuridad tan absoluta como la naturaleza jamás ha experimentado en la tierra, en ningún lugar y en ninguna época. Sólo el alma humana puede experimentarla. Y dura eternamente. Confío en que cuando ya no puedas escapar de ella, cuando comprendas que estás rodeado por esas tinieblas, tu lógica y tu razón te procuren las fuerzas necesarias para resistirla.

Marius me dirigió una mirada llena de respeto, pero no dijo nada.

—La resignación no te servirá de nada cuando llegue ese

momento —proseguí—. La resignación requiere voluntad, y la voluntad requiere decisión, y la decisión requiere creer en ello. Y toda acción o aceptación requiere un testigo. ¡Pero no hay nada, y no hay testigos! Eso aún no lo sabes, pero lo averiguarás. Confío en que cuando lo averigües, alguien sea capaz de consolarte mientras vistes y acicalas a esas monstruosas reliquias que conservas abajo. Cuando les lleves flores.

»Piensa en mí cuando llegue ese momento —continué furiosa—, si no para pedirme perdón, sí para recordarme como un modelo. Pues yo he visto esto, y he sobrevivido. No importa que yo fuera a oír predicar a Pablo o a Cristo, ni que confeccione una corona de flores para la Reina, ni que baile como una necia a la luz de la luna en el jardín antes del amanecer, ni que... ni que te ame. No tiene importancia. Porque no existe nada. Y nadie puede verme. ¡Nadie! —Suspiré. Había llegado el momento de concluir.

»Regresa a tu historia, a ese montón de mentiras que pretenden ligar cada hecho a una causa y un efecto, a esta absurda fe que sostiene que una cosa sigue a otra. Te digo que no es así. Pero es muy romano que tú lo creas.

Marius me miró en silencio. Yo no podía adivinar sus pensamientos ni lo que sentía su corazón. Al cabo de un rato preguntó:

—¿Qué pretendes que haga? —Nunca me había parecido tan inocente como en aquellos momentos.

Lancé una amarga carcajada. ¿Es que no hablábamos el mismo lenguaje? Marius no había oído una sola palabra de lo que yo había dicho. En lugar de ofrecerme una respuesta, me planteaba esta simple pregunta.

—De acuerdo —contesté—. Te diré lo que quiero. ¡Ámame, Marius! ¡Ámame pero déjame en paz! —exclamé sin pensar en lo que decía. Las palabras brotaron de forma espontánea—. Déjame en paz para que pueda buscar mis propios consuelos, mis propios medios de permanecer viva, por muy estúpidos y ridículos que a ti puedan parecerte. ¡Déjame en paz!

Marius me miró dolido, desconcertado, con su increíble expresión de inocencia.

Marius y yo tuvimos muchas disputas de ese estilo durante las siguientes décadas.

En ocasiones, después de una disputa, él acudía a mí y se enzarzaba en una larga y sesuda plática sobre los males que aquejaban al Imperio, afirmando que los emperadores se habían vuelto locos y el senado carecía de poder, que el progreso del hombre era un acontecimiento único en la naturaleza y digno de contemplarse con asombro. Que él ansiaba vivir, según creía, hasta que ya no existiera vida.

—Aunque no quede nada sino un desierto yermo —solía decir—, quiero estar allí, para ver cómo se derrumba una duna tras otra. Si quedara tan sólo una lámpara en todo el mundo, querría contemplar su llama. Y tú también.

Pero los términos de la pelea, y su intensidad, nunca cambiaban.

En el fondo Marius creía que yo le odiaba por haberse comportado de forma tan cruel conmigo la noche en que me fue concedida la Sangre Oscura. Le dije que eso era ridículo. No logré convencerle de que mi alma y mi inteligencia eran demasiado grandes para alimentar un rencor tan pueril, y que yo no tenía por qué darle explicaciones con respecto a mis pensamientos, palabras ni hechos.

Durante doscientos años, vivimos juntos y nos amamos. Marius me parecía cada vez más hermoso.

A medida que llegaban a la ciudad nuevas oleadas de bárbaros procedentes del norte y el este, Marius ya no sentía la necesidad de vestirse como un romano, y frecuentemente adoptaba la suntuosa vestimenta adornada con gemas de los orientales. Su cabello se había tornado más fino, más ligero. Rara vez se lo cortaba, cosa que lógicamente tenía que hacer las noches en que deseaba llevarlo corto. Lucía una espléndida melena sobre sus hombros.

A medida que su rostro se fue haciendo más terso, se disiparon las escasas arrugas que fácilmente indicaban ira en su expresión. Como ya he apuntado, Marius se parece mucho a Lestat. Sólo que es de complexión más recia, y la mandíbula y la barbilla se habían endurecido un poco más con el paso del tiempo antes del Don Oscuro. Pero la pesadez de los párpados había desaparecido.

En ocasiones, durante muchas noches, por temor a pelearnos, no nos dirigíamos la palabra. Entre nosotros hubo siempre un gran afecto físico: abrazos, besos, a veces una silenciosa caricia con la mano.

Pero sabíamos que habíamos vivido mucho más que cualquier humano.

No es preciso que te ofrezca una historia detallada de aquella extraordinaria época, dado que es harto conocida. Pero permíteme que destaque algunos hechos. Permíteme que te describa desde mi propia perspectiva los cambios que se registraban en todo el Imperio.

Antioquía, en cuanto pujante metrópoli, era indestructible. Los emperadores comenzaron a visitarla con frecuencia. Se construyeron más templos consagrados a los cultos orientales. A Antioquía llegaban grandes oleadas de cristianos. Es más, los cristianos de Antioquía constituían un inmenso y fascinante grupo de gentes que no cesaban de pelearse entre sí.

Roma entabló una guerra contra los judíos, aplastando por completo a Jerusalén y destruyendo el sagrado templo hebreo. Un gran número de brillantes pensadores hebreos se estableció en Antioquía y Alejandría.

En dos o tres ocasiones, las legiones romanas pasaron no lejos de nosotros en su camino hacia Partia, al norte de Antioquía; una vez incluso tuvimos una pequeña rebelión, pero Roma siempre acudía para salvar a la ciudad de Antioquía. ¡El mercado cerró durante un día! El comercio continuó, así como la lujuriosa avidez de las caravanas por los barcos y la de los barcos por las caravanas, y Antioquía constituía el lecho en el que ambos cohabitaban.

Se publicaban escasas obras poéticas. La sátira se había convertido en la única expresión segura y honesta de la mente romana; teníamos la divertidísima historia de *El asno de oro*, de Apuleyo, que se burlaba de todas las religiones. Pero las obras del poeta Marcial estaban imbuidas de una gran amargura. Y las cartas de Plinio que llegué a leer se hallaban repletas de juicios de valor sobre el caos moral en Roma.

Como vampiro comencé a alimentarme exclusivamente de soldados. Me gustaban los soldados, su aspecto, su fuerza. Me alimenté de la sangre de tantos soldados y obraba tan despreocupadamente que llegué a convertirme en una leyenda entre ellos. Me llamaban «la Dama Griega de la Muerte» debido a mis ropas, que sin duda debían de parecerles arcaicas. Les atacaba al azar en callejones oscuros. Gracias a mi astucia, mi fuerza y mi sed era imposible que me rodearan o me detuvieran.

Cuando se lo conté a Marius, dijo que era el tipo de necedades místicas que esperaba de mí.

Yo no quise discutir. Marius observaba con gran interés los avatares de Roma. A mí apenas me sorprendieron.

Marius leyó con avidez las historias de Dión Casio, Plutarco y Tácito, y golpeó con un puño la palma de la otra mano cuando se enteró de las interminables escaramuzas libradas a orillas del Rin y del avance hacia el norte, hacia Britania, y de la construcción de la muralla de Adriano para impedir la entrada de los escoceses, quienes al igual que los germanos no se doblegaban ante nadie.

—¡No están patrullando, preservando ni conteniendo un Imperio! —exclamó—. ¡Conservar un sistema de vida! —añadió—. Sólo les importa la guerra, y el comercio.

Yo no podía mostrarme en desacuerdo con él.

La situación en realidad era mucho peor de lo que imaginaba Marius. Si hubiera acudido con tanta frecuencia como yo a oír a los filósofos, se habría quedado asombrado.

Por doquier aparecían magos, afirmando que eran capaces de volar, de ver visiones, de sanar a la gente con la imposición de manos. Se peleaban con los cristianos y los judíos. No creo que el ejército romano les prestara mucho atención.

La medicina, tal como yo la había conocido en mi existencia mortal, se vio inundada por un torrente de fórmulas orientales secretas, amuletos, rituales y estatuillas.

Más de la mitad del Senado ya no era italiano de nacimiento. Esto significaba que nuestra Roma ya no era nuestra Roma. Había tantos asesinatos, complots, disputas, falsos emperadores y golpes de palacio que pronto comprendimos con meridiana claridad que era el ejército quien gobernaba. El ejército elegía al emperador. El ejército lo mantenía en el trono.

Los cristianos se dividían en unas sectas que no cesaban de pelear entre sí. Era inaudito. La religión no ardió por las disputas que estallaban en su seno sino que adquirió mayor fuerza. Las feroces persecuciones que se producían de vez en cuando —se ejecutaba a la gente por no postrarse ante los altares romanos— no sirvieron sino para aumentar las simpatías de la plebe hacia ese nuevo culto.

El nuevo culto azuzaba el debate sobre todos los principios con respecto a los judíos, Dios y Jesús.

Había ocurrido algo extraordinario con esa nueva religión. El cristianismo, a cuya rápida difusión habían contribuido las veloces embarcaciones, las excelentes carreteras y la fluidez de las rutas comerciales, se encontró de pronto en una extraña situación. El mundo no había llegado a su fin, como habían pronosticado Pablo y Jesús. Y todas las personas que habían conocido o visto a Jesús habían muerto. Y finalmente murieron todas las que habían conocido a Pablo.

Proliferaban los filósofos cristianos, que defendían unas tesis basadas en antiguos conceptos griegos y antiguas tradiciones hebreas.

Justino en Atenas escribió que Cristo era el Logos; uno podía ser un ateo y salvarse en Cristo. Siempre y cuando se mantuviera fiel a la razón.

Yo me apresuré a contárselo a Marius.

Pensé que le pondría furioso, y era una noche aburrida, pero él se limitó a soltar más sandeces sobre los gnósticos.

—Un hombre llamado Saturnino ha aparecido hoy en el foro —dijo Marius—. Quizás hayas oído hablar de él. Predica una absurda variante de ese credo cristiano que te parece tan divertido, según la cual el Dios de los hebreos es en realidad el diablo, y Jesús el nuevo Dios. No era la primera aparición de ese hombre. Él y sus seguidores, gracias al obispo local Ignatius, se dirigen a Alejandría.

—Han llegado aquí unos libros que contienen esas ideas —repuse—, procedentes de Alejandría. A mí me resultan impenetrables. Quizá no lo sean para ti. Se refieren a Sofía, un principio femenino de Sabiduría, que precedió a la Creación. Los judíos y los cristianos quieren incluir ese concepto de Sofía en su fe. Me recuerda a nuestra amada Isis.

—¡Será tu amada Isis! —replicó Marius.

—Algunas mentes se empeñan en tejerlo todo, los mitos, o su esencia, al objeto de confeccionar un glorioso tapiz.

—Me estás poniendo enfermo, Pandora —me advirtió Marius—. Déjame que te cuente lo que hacen tus cristianos. Se están organizando. Al obispo Ignatius le sucederá otro, y los obispos quieren imponer las normas, ahora que la era de la revelación íntima ha terminado; quieren elaborar, a partir de esos papiros demenciales que existen en el mercado, un canon en el que crean todos los cristianos.

—Jamás pensé que pudiera ocurrir tal cosa —observé—. Estaba más de acuerdo contigo de lo que suponías cuando los censuraste.

—Han triunfado porque se han alejado de la moralidad emocional —dijo Marius—. Se están organizando como los romanos. El obispo Ignatius es muy estricto. Delega el poder. Se ha pronunciado sobre el rigor de los manuscritos. Observa que están expulsando a los profetas de Antioquía.

—Sí, tienes razón —respondí—. ¿Qué opinas? ¿Eso es bueno o malo?

—Yo deseo que el mundo sea mejor —contestó Marius—. Mejor para los hombres y las mujeres. Mejor. Sólo hay una cosa que está clara: los viejos bebedores de sangre se han extinguido, y no hay nada que tú, yo, la Reina o el Rey podamos hacer para alterar el curso de los acontecimientos humanos. Opino que los hombres y las mujeres deben esforzarse más. Con cada víctima que me cobro trato de comprender la maldad más profundamente.

»Y me aterroriza cualquier religión que plantea unas aseveraciones y exigencias fanáticas sobre la base de la voluntad de un dios.

—Eres un auténtico augusto —repuse—. Estoy de acuerdo contigo, pero es divertido leer las obras de esos locos gnósticos. De ese Marción y ese Valentín.

—Quizás a ti te resulte divertido pero yo veo peligro por todas partes. Este nuevo cristianismo no sólo se está difundiendo sino que cambia en cada lugar donde se difunde; es como un animal que devora la flora y la fauna locales y obtiene un poder específico de ese alimento.

Yo no se lo discutí.

Hacia finales del siglo segundo, Antioquía se había convertido en una ciudad fundamentalmente cristiana. Al leer las obras de los nuevos obispos y filósofos tuve la impresión de que nos vendrían encima cosas peores que el cristianismo.

No obstante, debes tener en cuenta, David, que Antioquía no yacía bajo una nube de decadencia; nada parecía presagiar que el Imperio se aproximaba a su fin. Es más, la ciudad estaba marcada por una intensa vitalidad. Ello se debía sobre todo al comercio, que a veces produce la falsa sensación de que existe crecimiento y creatividad cuando en realidad no es así. Las cosas se intercambian, pero no mejoran necesariamente.

Entonces se produjo una época siniestra para Marius y para mí. Dos fuerzas que se abatieron sobre él, poniendo a prueba su valor. Antioquía se convirtió en un lugar más interesante de lo que jamás había sido.

Permíteme que describa el primer desastre, que a mí no me resultó tan duro de soportar como a Marius. Lo sentí mucho por él.

Como ya te he dicho, la cuestión de quién debía ser emperador se había convertido en una broma. Pero cuando se produjeron los hechos a principios de los años 200, la broma dio paso a un grito de angustia.

En aquellos tiempos el emperador era Caracalla, un asesino. Con motivo de un peregrinaje a Alejandría para visitar los restos de Alejandro Magno, el emperador —por razones que nadie se explica ni siquiera ahora— mandó detener y asesinar a miles de jóvenes alejandrinos. Alejandría jamás había vivido una matanza tan absurda y cruel.

Marius estaba trastornado. Todo el mundo lo estaba.

Marius habló de abandonar Antioquía, de alejarse de la ruina del Imperio. Yo empecé a mostrarme de acuerdo con él. Entonces ese miserable Caracalla decidió marchar en nuestra dirección para declarar la guerra a los partos situados al norte y al este de Antioquía. ¡Lo cual no era nada extraordinario para Antioquía!

Su madre, Julia Domna —no es necesario que recuerdes esos nombres—, se instaló en Antioquía. Se estaba muriendo de cáncer de mama. Y permíteme agregar que esa mujer, junto con su hijo Caracalla, había ayudado a asesinar a su otro hijo, Geta, porque los dos hermanos habían compartido el poder imperial y amenazaban con provocar una guerra civil.

Pero sigamos; tampoco es necesario que recuerdes los nombres que cito a continuación.

El emperador reunió a unas tropas para esta guerra oriental contra los dos reyes del este, Vologeso V y Artabán V. Caracalla les declaró la guerra, obtuvo la victoria y regresó triunfal. Luego, a pocos kilómetros de Antioquía, fue asesinado por sus soldados mientras estaba orinando.

Todo eso provocó en Marius una fuerte depresión. Pasaba horas sentado en el santuario contemplando a la Madre y al

Padre. Yo creí adivinar lo que estaba pensando, que debíamos inmolarnos a nosotros mismos y a ellos, pero me horrorizaba pensar en eso. Yo no quería morir. No quería perder la vida. No quería perder a Marius. La suerte de Roma me tenía sin cuidado. La vida se extendía ante mí, ofreciéndome la posibilidad de experimentar nuevos prodigios.

Pero regresemos a la Comedia. El ejército se apresuró a nombrar emperador a un hombre de las provincias llamado Macrino, el cual era moro y lucía un pendiente en la oreja.

Éste se peleó con Julia Domna, la madre del difunto emperador, porque Macrino no permitía que la mujer abandonara Antioquía para morir en otro lugar. Julia Domna se negó a comer y murió de inanición.

¡Todo esto ocurrió en nuestra propia casa! Esos lunáticos se hallaban en nuestra ciudad, no en una remota capital.

Entonces estalló de nuevo la guerra, porque los reyes orientales, a quienes Caracalla había pillado desprevenidos con anterioridad, estaban preparados para presentar batalla, y Macrino tuvo que conducir a sus legiones a la guerra.

Ya te he dicho que las legiones se habían hecho con el control de todo. Alguien debió de informar de ello a Macrino, quien en lugar de pelear compró al enemigo. Las tropas no se sentían orgullosas de ese hecho. Y luego cayó sobre ellos, arrebatándoles algunos de sus beneficios.

Macrino no parecía comprender que debía conservar el favor de las legiones para sobrevivir. Aunque ¿de qué le había servido eso a Caracalla, por quien sentían gran estima?

Sea como fuere, el caso es que la hermana de Julia Domna, llamada Julia Maesa, que era siria y de una familia consagrada al culto del sol sirio, aprovechó ese momento de auge de las ambiciosas legiones para colocar como emperador a su nieto, nacido de Julia Soemis. Fue un plan insensato, por muchas razones. En primer lugar, las tres Julias eran sirias. El chico sólo tenía catorce años y era un sacerdote hereditario del dios del sol sirio.

Pero de algún modo Julia Maesa y Gannys, el amante de su hija, lograron convencer a unos soldados de que instalaran en el trono imperial al muchacho de catorce años.

El ejército abandonó a Macrino, y éste y su hijo fueron capturados y asesinados.

Los orgullosos soldados desfilaron por las calles llevando a hombros a ese chico de catorce años, que no quería que le llamaran por su nombre romano. Deseaba ostentar el nombre del dios que había adorado en Siria, Heliogábalo. Su simple presencia en Antioquía puso nerviosos a todos los ciudadanos. Por fin, él y las tres Julias que quedaban —su tía, su madre y su abuela, todas ellas sacerdotisas sirias— abandonaron Antioquía.

En Nicomedia, muy cerca de nosotros, Heliogábalo asesinó al amante de su madre. ¡Casi no quedaba nadie! Heliogábalo aprovechó también para llevar a Roma una enorme piedra negra diciendo que era una piedra sagrada para el dios del sol sirio, a quien todos debían adorar a partir de entonces.

Heliogábalo partió por mar, pero en aquella época una carta no tardaba más de once días en llegar a Antioquía desde Roma, y al poco tiempo comenzaron a circular diversos rumores sobre él. ¿Quién sabrá alguna vez la verdad?

Heliogábalo. Construyó un templo para albergar en él la piedra sagrada, en la colina Palatina. Obligó a los romanos a vestirse con trajes fenicios mientras él se dedicaba a sacrificar reses y ovejas para ofrecérselos a su dios.

Heliogábalo rogó a los médicos que trataran de transformarlo en una mujer, creando el pertinente orificio entre sus piernas. Al enterarse, los romanos quedaron horrorizados. Por las noches el emperador se disfrazaba de mujer —peluca incluida—, y salía a recorrer las tabernas.

Los soldados comenzaron a sublevarse por todo el Imperio. Incluso las tres Julias, la abuela Julia Maesa, la tía Julia Domna y la madre Julia Soemis, empezaron a hartarse del emperador. Al cabo de cuatro años de gobierno de aquel maníaco, los soldados lo asesinaron y arrojaron su cadáver al Tíber.

Según Marius no quedaba nada de lo que él había llamado antiguamente Roma. Estaba más que harto de los cristianos de Antioquía, de sus peleas a propósito de la doctrina. Todas las religiones místéricas le parecían un peligro. Marius utilizaba a ese emperador lunático como ejemplo del fanatismo que imperaba en aquellos tiempos.

Entonces ocurrió un desastre más grave que el anterior, algo que ambos habíamos temido que se produjera en una u otra forma. Pero se abatió sobre nosotros en el momento menos propicio.

Una noche aparecieron a nuestras puertas, eternamente abiertas, cinco bebedores de sangre.

Ni Marius ni yo los oímos acercarse. Estábamos recostados en unos divanes, leyendo tranquilamente, cuando de pronto, al alzar los ojos, vimos a los cinco: tres mujeres, un hombre y un joven, todos ataviados de negro. Vestían como los eremitas y ascetas cristianos que rechazaban los goces de la carne y practicaban el ayuno. En las desérticas inmediaciones de Antioquía pululaban muchos de esos individuos.

Pero aquéllos eran bebedores de sangre.

Tenían el pelo y los ojos negros y la piel atezada. Se plantaron ante nosotros con los brazos cruzados sobre el pecho.

Piel atezada, pensé rápidamente. Son jóvenes. Fueron creados después de que muchos de ellos se abrasaran. ¿Qué más da que sean cinco?

Poseían rostros atractivos y rasgos armoniosos, cejas bien dibujadas y unos ojos negros y profundos, y todos ellos mostraban los signos de sus cuerpos vivos: unas pequeñas arrugas en las comisuras de los ojos y alrededor de los nudillos.

Parecían tan impresionados de vernos a Marius y a mí como nosotros de verlos a ellos. Contemplaron la biblioteca inundada de luz y observaron nuestra elegante vestimenta, la cual contrastaba con sus ascéticas túnicas.

—¿Y bien? —preguntó Marius—. ¿Quiénes sois?

Oculté mis pensamientos y traté de adivinar los de aquellos individuos.

Eran de mente cerrada. Estaban dedicados a algo. Todo su ser irradiaba fanatismo. Tuve el presentimiento de que algo terrible iba a ocurrir.

Comenzaron a entrar tímidamente, pero Marius los detuvo.

—No, por favor —dijo en griego—. Ésta es mi casa. Decidme quiénes sois y entonces quizás os invite a pasar.

—Sois cristianos, ¿no es así? —intervine—. Exhaláis un aire de profundo fervor.

—En efecto, somos cristianos —repuso el joven en griego—. Somos el azote de la humanidad en nombre de Dios y de su hijo, Jesucristo. Somos los Hijos de las Tinieblas.

—¿Quién os creó? —inquirió Marius.

—Nos crearon en una cueva sagrada y en nuestros templos —respondió una de las mujeres, también en griego—. Conocemos la verdad de la Serpiente, y sus colmillos son nuestros colmillos.

Me acerqué a Marius.

—Supusimos que estabais en Roma —dijo el joven, que tenía el pelo negro y corto, y unos ojos redondos de mirada cándida—, porque el obispo cristiano de allí es ahora el jefe supremo de los cristianos, y la teología de Antioquía ya no tiene peso alguno.

—¿Por qué habíamos de estar en Roma? —preguntó Marius—. ¿Qué nos importa a nosotros el obispo romano?

La mujer se adelantó. Llevaba un sencillo peinado, con la raya en medio, y el pelo cayéndole sobre los hombros, pero poseía un rostro de facciones nobles y armoniosas. Me fijé sobre todo en sus labios, perfectamente dibujados.

—¿Por qué os ocultáis de nosotros? Hace años que venimos oyendo hablar de vosotros. Sabemos que conocéis muchas cosas sobre nosotros y sobre la procedencia del Don Oscuro, que fue creado por Dios, y que evitasteis que nuestra especie se extinguiera.

Marius estaba visiblemente horrorizado, pero trató de disimularlo.

—No tengo nada que deciros —contestó, un tanto apresuradamente—, salvo que no creo en vuestro Dios ni en vuestro Jesucristo, y tampoco creo que fuera Dios quien creara el Don Oscuro, según lo llamáis vosotros. Habéis cometido un grave error.

Los visitantes se mostraban escépticos y totalmente entregados.

—Habéis alcanzado la salvación —dijo otro, el joven, situado en el extremo de la fila, que llevaba el pelo largo hasta los hombros. Poseía una voz varonil pero tenía las piernas y los brazos muy delgados—. Habéis llegado a un punto en que sois tan fuertes, pálidos y puros que prácticamente no necesitáis alimentaros de sangre.

—Ojalá fuera cierto, pero no lo es —repuso Marius.

—¿Por qué no nos invitas a pasar? —preguntó el joven—. ¿Por qué no nos guías y nos enseñas lo que sabes para que podamos difundir la Sangre Oscura y castigar a los mortales por sus pecados? Somos puros de corazón. Somos los elegidos. Cada uno de nosotros penetró valientemente en la caverna, donde el diablo, un ser agonizante, reducido a un montón de huesos sanguinolentos, expulsado del cielo en medio de una intensa llamarada, nos impartió sus enseñanzas.

—¿Y cuáles son esas enseñanzas? —inquirió Marius.

—Haced que sufran —contestó la mujer—. Sembrad la muerte. Rechazad todas las cosas materiales como hacen los estoicos y los eremitas de Egipto, pero sembrad la muerte. Castigadlos.

La mujer mostraba una actitud decididamente hostil hacia nosotros.

—Este hombre se niega a ayudarnos —dijo entre dientes—. Este hombre es un profano, un hereje.

—Debes acogernos —dijo el joven que había hablado en primer lugar—. Hace mucho que os buscamos por todo el mundo, y nos presentamos ante vosotros con humildad. Si deseáis vivir en un palacio, quizá tengáis razón, quizás hayáis ganado ese privilegio, pero nosotros no. Nosotros vivimos en la oscuridad, no gozamos de placer alguno salvo la sangre, nos alimentamos de los débiles, los enfermos y los inocentes. Cumplimos la voluntad de Cristo tal como la Serpiente cumplió la voluntad de Dios en el Edén cuando tentó a Eva.

—Venid a nuestro templo —dijo uno de los hombres—, y contemplad el árbol de la vida con la sagrada Serpiente enroscada en torno a él. Poseemos sus colmillos. Poseemos su poder. Dios la creó, al igual que creó a Judas Iscariote, y a Caín, y a los malvados emperadores romanos.

—Ya comprendo —dije—. Antes de que hablarais con el dios en la caverna, adorabais a la Serpiente. Sois ofitas, setianos, nasenianos.

—Ésa fue nuestra primera vocación —respondió el joven—; pero ahora somos Hijos de las Tinieblas, consagrados al sacrificio y la muerte, dedicados a infligir sufrimiento.

—¡Oh, Marción y Valentín! —murmuró Marius—. No conocéis esos nombres, ¿verdad? Son los poéticos gnósticos que hace cien años inventaron vuestra complicada filosofía. La dualidad... la cual, en un mundo cristiano, podía ser tan poderosa como un dios.

—Sí, lo sabemos —respondieron varios de ellos al unísono—. No conocemos esos nombres profanos, pero conocemos a la Serpiente y sabemos lo que Dios desea de nosotros.

—Moisés alzó a la Serpiente en el desierto, sobre su cabeza —dijo el joven—. Incluso la reina de Egipto conocía a la Serpiente y la lucía en su corona.

—La historia del gran Leviatán ha sido suprimida en Roma —apostilló la mujer—. La han eliminado de los libros sagrados. ¡Pero nosotros la conocemos!

—De modo que habéis aprendido todo esto de los cristianos armenios —dijo Marius—. ¿O fue de los sirios?

El hombre bajo y de ojos grises, que aún no había dicho

esta boca es mía, se dirigió a Marius con notable autoridad.

—Conoces verdades muy antiguas —dijo—, y las utilizas de forma profana. Todos hemos oído hablar de ti. Los rubios Hijos de las Tinieblas que habitan en los bosques septentrionales conocen tu existencia y saben que sustrajiste de Egipto un importante secreto antes del nacimiento de Cristo. Muchos vinieron aquí, os vieron a ti y a la mujer, y huyeron despavoridos.

—Hicieron bien —replicó Marius.

—¿Qué hallaste en Egipto? —preguntó la mujer—. En las habitaciones que antiguamente pertenecían a una raza de bebedores de sangre habitan ahora unos monjes cristianos. Los monjes no conocen nuestra existencia, pero nosotros sí hemos oído hablar de ellos y de vosotros. Había allí unos escritos, unos secretos, algo que por Derecho Divino nos pertenece ahora a nosotros.

—No, no había nada —contestó Marius.

—Cuando los hebreos huyeron de Egipto —dijo la mujer—, cuando Moisés hizo que se separaran las aguas del mar Rojo, ¿se dejaron los hebreos algo en Egipto? ¿Por qué alzó Moisés a la serpiente en el desierto? ¿Sabes cuántos somos? Casi un centenar. Hemos viajado al norte, al sur, incluso al este, a unas tierras que ni siquiera podéis imaginar.

Vi que Marius estaba trastornado.

—Muy bien —dije—, comprendemos lo que deseáis y por qué os han inducido a creer que podemos satisfacer vuestros deseos. Os ruego que salgáis al jardín y dejéis que Marius y yo hablemos a solas. Respetad nuestra casa. No hagáis daño a nuestros esclavos.

—Jamás se nos ocurriría tal cosa.

—Regresaremos enseguida.

Agarré a Marius de la mano y lo conduje abajo.

—¿Adónde vas? —murmuró él—. ¡Borra todas las imágenes de tu mente! No deben ver nada.

—No temas —contesté—. Y desde donde me situaré para hablar contigo, tampoco podrán oír nada.

Marius captó lo que quería decir. Lo conduje al santuario donde se hallaban la Madre y el Padre, inmutables, y cerré la puerta a mis espaldas.

Llevé a Marius detrás del trono del Rey y la Reina.

—Probablemente puedan percibir los latidos de los corazones de la pareja real —musité con voz apenas audible—. Pero confío en que ese sonido les impida oírnos a nosotros. Debemos matarlos, destruirlos por completo.

Marius me miró atónito.

—¡Sabes tan bien como yo que debemos hacerlo! —insistí—. Tienes que matarlos a ellos y a cualquier ser parecido a ellos que se nos acerque. ¿Por qué me miras así? Prepárate. El medio más sencillo es destrozarlos y luego quemar sus restos.

—¡Oh, Pandora! —exclamó Marius, y dejó escapar un suspiro.

—No irás a acobardarte ahora.

—No me acobardo, Pandora —repuso Marius—. Es que me veo irrevocablemente transformado por ese acto. Matar cuando estoy ávido de sangre, para mantenerme a mí mismo y mantener a quienes deben ser mantenidos por alguien, hace mucho que llevo haciendo eso. Pero ¿convertirme en verdugo? ¡Convertirme en alguien como los emperadores que quemaban a los cristianos! ¡Iniciar una guerra contra esta raza, esta orden, este culto, como quieras llamarlo, adoptar una postura tan implacable?

—No tienes más remedio. Hay muchas espadas decorativas en la habitación donde dormimos. Deberíamos utilizar las espadas grandes y curvadas. Y la antorcha. Deberíamos decirles que lamentamos mucho el castigo que debemos impartirles, y hacerlo.

Marius no respondió.

—¿Es que vas a dejar que se marchen para que vengan otros a por nosotros? La única seguridad radica en destruir a todos los vampiros que descubran nuestro paradero y el del Rey y la Reina.

Marius se alejó unos pasos y se detuvo ante la Madre. La miró a los ojos. Yo sabía que estaba conversando en silencio con ella. Y sabía también que ella no le respondía.

—Existe otra posibilidad —dije—, una posibilidad muy real. —Indiqué a Marius que volviera a situarse detrás del Rey y la Reina, donde los otros no pudieran oír nuestra conversación.

—¿Cuál? —inquirió él.

—Entrega el Rey y la Reina a esos seres. Tú y yo seremos libres. Ellos cuidarán de la real pareja con fervor religioso. Quizás el Rey y la Reina les permitan incluso beber...

—¡Es impensable! —protestó Marius.

—Eso es justamente lo que pienso. Jamás sabremos si estamos a salvo. Y ellos deambularán libremente por el mundo como unos roedores sobrenaturales. ¿Acaso se te ocurre una tercera alternativa?

—No, pero estoy dispuesto. Utilizaremos el fuego y las espadas simultáneamente. ¿Puedes decir algunas mentiras que los seduzcan mientras nos aproximamos a ellos, armados y con antorchas?

—Oh, sí, desde luego —respondí.

Entramos en la cámara y agarramos unas espadas curvadas de grandes dimensiones, con la hoja muy afilada, que procedían del mundo del desierto árabe. Encendimos otra antorcha con la que ardía al pie de la escalera y subimos.

—Acercaos, hijos míos —dije al entrar en la habitación—, acercaos, porque lo que voy a revelaros requiere la luz de esta antorcha, y pronto averiguaréis el sagrado propósito de esta espada. ¡Me admira vuestra devoción!

Marius y yo nos plantamos ante ellos.

—¡Qué jóvenes sois! —dije.

De golpe fueron presa del pánico y se agruparon precipitadamente, facilitándonos la labor. Al cabo de unos momentos prendimos fuego a sus ropas y los destrozamos con nuestras espadas, sin hacer caso de sus gritos.

Yo jamás había utilizado toda mi fuerza, agilidad y voluntad como hice para acabar con ellos. Experimenté una gran euforia al atacarlos con la espada hasta abatirlos, hasta matarlos a todos ellos. Por otra parte, no deseaba que padecieran.

Dado que todos eran tan jóvenes por ser unos bebedores de sangre, nos llevó un rato quemar sus huesos y dejarlos reducidos a cenizas.

Cuando por fin concluyó nuestra tarea, Marius y yo nos quedamos en el jardín, con nuestras ropas manchas de hollín, la alta hierba oscilando bajo la brisa, cerciorándonos con nuestros propios ojos de que las cenizas se esparcían a los cuatro vientos. De pronto Marius dio media vuelta y se alejó rápidamente hacia el santuario de la Madre.

Eché a correr tras él, asustada. Al entrar lo vi de pie ante ella, sosteniendo la antorcha y la espada ensangrentada —las criaturas habían sangrado profundamente—, mirando a Akasha a los ojos.

—¡Oh, madre desalmada! —murmuró Marius. Tenía el rostro manchado de sangre y hollín. Contempló la antorcha y luego la Reina.

Akasha y Enkil no manifestaron señal alguna de haberse enterado de la matanza que había tenido lugar arriba. No mostraron aprobación ni gratitud, ningún signo de ser conscientes de lo ocurrido. Tampoco parecían darse cuenta de que Marius sostenía una antorcha en la mano, ni de los pensamientos que en aquellos instantes le pasaban por la cabeza.

Fue el fin de Marius, el fin del Marius que yo había conocido y amado durante aquel tiempo.

Decidió no abandonar Antioquía. Yo era partidaria de que nos fuéramos y nos llevásemos a la real pareja, correr aventuras apasionantes y contemplar las maravillas que existen en el mundo.

Pero Marius se negó. No tenía más que una obligación: permanecer al acecho hasta haber liquidado a todos los bebedores de sangre que aún quedaban.

Durante varias semanas se negó a hablar y a moverse, excepto cuando yo le azuzaba, y entonces me suplicaba que lo dejara solo. En las raras ocasiones en que se levantaba de la tumba permanecía sentado, con la espada y la antorcha al alcance de la mano.

La situación se me hizo insostenible. Transcurrieron meses.

—Te estás volviendo loco —dije—. ¡Vámonos de aquí y llevémonos al Rey y a la Reina con nosotros!

Una noche me dejé dominar por la ira y la sensación de soledad y exclamé estúpidamente:

—¡Ojalá pudiera librarme de ellos y de ti! —Abandoné entonces la casa y no regresé hasta tres noches después.

Dormí en lugares oscuros y seguros, en los que me instalé sin reparos. Cada vez que pensaba en él lo visualizaba allí sentado, inmóvil, como ellos, y me invadía el pánico.

Si Marius hubiera conocido la auténtica desesperación, lo que ahora llamamos «lo absurdo», si hubiera tenido que enfrentarse alguna vez a la nada, no se habría dejado desmoralizar por aquella matanza.

Por fin una mañana, poco antes del amanecer, cuando me hallaba oculta en un lugar seguro, un extraño silencio cayó sobre Antioquía. El ritmo que yo había percibido durante toda mi estancia allí había desaparecido. ¿Qué podía significar? Pero había tiempo suficiente para averiguarlo.

Yo había cometido un error fatal. La villa estaba desierta. Marius había ultimado los detalles de su partida, incluido el medio de transporte, de día. Yo no tenía ni remota idea de adónde había ido. Se había llevado todas sus pertenencias, absteniéndose escrupulosamente de tocar las mías.

Yo le había fallado cuando más me necesitaba. Caminé durante horas alrededor del santuario vacío. Grité y dejé que el eco de mis gritos reverberara entre los muros.

Marius no regresó a Antioquía. No recibí carta de él.

Al cabo de seis meses me di por vencida y me marché.

Como sin duda sabes, los vampiros cristianos, tan religiosos y consagrados a su causa, no se extinguieron, al menos hasta que apareció Lestat ataviado de terciopelo rojo y piel para deslumbrarlos y burlarse de sus creencias. Eso ocurrió en la Edad de la Razón. Fue cuando Marius recibió a Lestat. Quién sabe que otros cultos vampíricos existen...

En cuanto a mí, en aquella época había perdido a Marius.

Le había visto únicamente una sola y preciosa noche hacía cien años, y por supuesto miles de años después del derrumbe de lo que denominamos «el mundo antiguo».

¡Sí, le vi! Sucedió durante los caprichosos y frágiles tiempos de Luis XIV, el Rey Sol. Habíamos asistido a un baile en la corte, en Dresde. Sonaba la música —una combinación experimental de clavicordio, laúd y violín—, creando los artísticos bailes que parecían consistir tan sólo en círculos y reverencias.

¡De pronto vi a Marius al otro lado de la habitación!

Hacía mucho que andaba buscándome, y al verme esbozó la más trágica y encantadora de las sonrisas. Lucía una voluminosa peluca rizada, teñida del mismo color que su cabello verdadero, una casaca de terciopelo y muchos encajes, a los que los franceses eran muy aficionados. Su piel tenía un tono dorado. Eso significaba fuego. Entonces comprendí que había sufrido una experiencia terrible. En sus pupilas azules se reflejaba un amor jubiloso, y sin abandonar su afectada pose —estaba apoyado sobre un codo en el borde del clavicordio— me lanzó un beso con las yemas de los dedos.

Yo no daba crédito a mis ojos. ¿Se trataba realmente de él? ¿Me encontraba yo sentada allí, luciendo un corpiño rígido y escotado y unas gigantescas faldas, una de las cuales llevaba recogida en artísticos pliegues para mostrar la otra? En aquella época mi piel daba la impresión de ser totalmente artificial. Unas manos profesionales me habían peinado el cabello en un gran moño sobre la cabeza.

Yo no había prestado atención a las manos mortales que me habían vestido y peinado. A la sazón me dejaba guiar a través del mundo por un feroz vampiro asiático, por quien no sentía la menor estima. Había caído en una trampa para mujeres: me había convertido en el ornamento vacuo y ostentoso de una personalidad masculina que a pesar de su aburrida crueldad verbal poseía la fuerza suficiente para conducirnos a ambos a través del tiempo.

El asiático se había esfumado con su víctima, elegida con esmero, a un dormitorio del piso de arriba.

Marius se acercó a mí, me besó y me abrazó. Yo cerré los ojos.

—¡Eres Marius! —musité—. ¡El auténtico Marius!

—¡Pandora! —repuso él, retrocediendo para contemplarme—. ¡Mi Pandora!

Tenía la piel quemada. Observé unas leves cicatrices. Pero estaba casi totalmente regenerada.

Marius me condujo a la pista de baile. Era la perfecta encarnación de un ser humano. Me ciñó por la cintura y comenzamos a bailar. Yo apenas podía respirar. Me dejé guiar por él, aturdida mientras giraba entre sus brazos y contemplaba la expresión arrobada de su rostro. No era capaz de medir siglos ni milenios. De pronto deseé saberlo todo, dónde había estado, lo que le había ocurrido. No me dejé influir por el orgullo ni la vergüenza. ¿Se dio cuenta Marius de que yo no era sino una sombra de la mujer que él había conocido?

—¡Eres la esperanza de mi alma! —murmuré.

Nos marchamos de inmediato. Marius me condujo en un coche a su palacio. Me cubrió de besos. Yo lo abracé apasionadamente.

—Eres mi sueño —dijo él—, mi tesoro tan estúpidamente perdido, pero estás aquí, has perseverado.

—Estoy aquí porque tú me ves —repuse con amargura—. Casi puedo verme en el espejo gracias a que tú has alzado la vela.

De golpe percibí un sonido, un antiguo y siniestro sonido. Era los latidos de Akasha, los latidos de Enkil.

El coche se detuvo. Una verja de hierro. Sirvientes.

Era un palacio enorme, elegante, la ostentosa residencia de un noble rico.

—¿Están ahí dentro, la Madre y el Padre? —pregunté.

—Oh, sí, inmutables. Sumidos en su eterno silencio. —La voz de Marius parecía desafiar el horror de aquella situación.

Yo no podía soportarlo. Tenía que escapar del sonido del corazón de la Reina. Vi ante mis ojos una imagen de la petrificada pareja real.

—¡No! Llévame lejos de aquí. No puedo entrar, Marius. ¡No soporto verlos!

—Están ocultos en los sótanos del palacio. No es necesario que los veas. Ellos jamás sabrán que estás aquí. Siguen igual que antes, Pandora.

¡Ah! ¡Igual que antes! Mi mente retrocedió siglos a través de un terreno peligroso hasta mis primeras noches, sola y mortal, en Antioquía, hasta las postreras victorias y derrotas de aquellos tiempos. ¡Ah! ¡Akasha seguía igual! Temí ponerme a gritar, incapaz de controlarme.

—Muy bien —dijo Marius—, iremos donde tú quieras.

Di al cochero las señas de mi escondite.

No podía mirar a Marius. Él se esforzó en simular un feliz encuentro. Habló sobre ciencia y literatura, Shakespeare, Dryden, el Nuevo Mundo lleno de selvas y ríos. Pero noté que la alegría había desaparecido de su voz.

Sepulté el rostro en su hombro. Cuando el coche se detuvo, me apeé apresuradamente y corrí hacia la puerta de mi casita. Al volverme vi a Marius parado en medio de la calle.

Estaba triste y cansado; asintió lentamente con la cabeza e hizo un gesto de resignación.

—¿Me permites esperar hasta que mudes de ánimo? —preguntó—. ¿Existe alguna esperanza de que cambies de opinión? ¡Aguardaré eternamente si es preciso!

—No se trata de mi estado de ánimo —contesté—. Esta noche me iré de la ciudad. Olvídame. ¡Olvida que me has visto!

—Amor mío —dijo Marius suavemente—. Mi único amor.

Entré precipitadamente y cerré la puerta. Unos instantes después oí alejarse el coche. Me volví loca, como no me había sucedido desde que era mortal, golpeando las paredes con los puños, tratando de contener mi inmensa fuerza y no lanzar los aullidos y gemidos que pugnaban por salir de mi garganta.

Por fin miré el reloj. Faltaban tres horas para el amanecer. Me senté ante el escritorio y le escribí:

Marius:

Al amanecer partiremos para Moscú. El mismo ataúd en el que descanso me transportará muchos kilómetros el primer día. Estoy aturdida, Marius. No puedo refugiarme en tu casa, bajo el mismo techo que los antiguos. Te lo ruego, Marius, ven conmigo a Moscú. Ayúdame a librarme de esta pesadilla. Más tarde podrás juzgarme y condenarme. Te necesito, Marius, vagaré por los alrededores del palacio del Zar y la Gran Catedral hasta que vengas. Marius, sé que se trata de un largo viaje, pero te suplico que me acompañes. Soy esclava de la voluntad de este bebedor de sangre.

Te quiere,

PANDORA

Salí a la calle apresuradamente y eché a correr hacia su casa, tratando de recordar el camino que había recorrido el coche y en el que yo, estúpidamente, apenas me había fijado.

Pero ¿y aquellos latidos? No tendría más remedio que oír ese espantoso sonido. Tenía que entrar corriendo, pasar apresuradamente a través de él, al menos el tiempo suficiente para entregar a Marius esta carta, para dejar que me sujetara por la muñeca y me obligara a refugiarme en un lugar seguro, y librarme antes del amanecer del vampiro asiático que me mantenía.

En ese momento apareció un coche transportando en su interior a mi compañero vampiro, que acababa de abandonar el baile.

El coche se detuvo para que yo subiera a él.

—El hombre que me acompañó... —dije al cochero en voz baja—. Me llevó a su casa, un palacio enorme.

—Sí, el conde Marius —contestó el cochero—. Acabo de dejarlo en su casa.

—Debes llevarle esta carta. ¡Apresúrate! ¡Llévala a su casa y entrégasela personalmente! Dile que no tengo dinero para pagarte. Él te pagará. Dile que la carta es de Pandora. ¡Es preciso que se la entregues!

—¿De quién estás hablando? —inquirió mi amante asiático.

Yo indiqué al cochero que partiera.

—¡Ve inmediatamente!

Como es lógico, mi consorte se enfureció; pero el coche ya había partido.

Transcurrieron doscientos años antes de que yo averiguara la verdad: Marius jamás recibió esa carta.

Había regresado a su casa, había hecho el equipaje y, la noche siguiente, había abandonado Dresde muy apenado. No vio mi carta hasta al cabo de mucho tiempo, tal como le contó al vampiro Lestat, «un frágil pedazo de papel —según dijo— que se había deslizado hasta el fondo de un baúl».

¿Cuándo volví a encontrarme con él?

En este mundo moderno. Cuando la antigua Reina se levantó de su trono y demostró los límites de su sabiduría, su voluntad y su poder.

Dos mil años más tarde, en nuestro siglo XX, que seguía lleno de columnas, estatuas, frontones y peristilos romanos, atestado de ordenadores y televisores que emiten calor, con Cicerón y Ovidio en todas las bibliotecas públicas, nuestra Reina, Akasha, se despertó de su letargo al contemplar una imagen de Lestat en la pantalla de un televisor, en su santuario ultramoderno y seguro, y trató de reinar como una diosa, no sólo sobre nosotros sino sobre toda la humanidad.

En aquellos peligrosos momentos, cuando Akasha amenazó con destruirnos a todos si no acatábamos su voluntad

—ya había matado a muchos— fue Marius, con su razonamiento, su optimismo, su filosofía, quien habló con ella, quien trató de calmarla y distraer su atención, quien neutralizó su destructivo intento hasta que un antiguo enemigo vino para llevar a cabo una antigua maldición, y la aniquiló con pasmosa sencillez.

David, ¿qué has hecho conmigo? ¿Cómo has conseguido que te narrara este relato?

Has hecho que me sienta avergonzada de los años desperdiciados. Has hecho que comprenda que ninguna oscuridad es lo bastante profunda para extinguir mis conocimientos personales del amor, el amor de los mortales que me trajeron a este mundo, el amor por las diosas de piedra, el amor por Marius.

Ante todo, no puedo negar el resurgir de este amor por Marius.

En este mundo veo en torno a mí infinitos testimonios de amor. Detrás de la imagen de la Virgen María y el Niño Jesús, detrás de la imagen de Jesucristo, detrás de la recordada imagen de basalto de Isis. Veo amor. Lo veo en la lucha humana. Lo veo en su innegable penetración, en todo cuanto los humanos han logrado en su poesía, su pintura, su música, su amor al prójimo y su negativa a aceptar el sufrimiento como algo inevitable.

El amor. Pero ¿de dónde proviene ese amor? ¿Por qué se niega a revelar sus fuentes, este amor que crea la lluvia y los árboles y las estrellas diseminadas por el firmamento, tal como los dioses y las diosas afirmaban antiguamente haber hecho?

De modo que Lestat, el príncipe imberbe, despertó a la Reina; y nosotros sobrevivimos a su afán destructor. De modo que Lestat, el príncipe imberbe, visitó el Cielo y el Infierno y regresó lleno de incredulidad y de horror, y con el Velo de la Verónica. Verónica, un nombre cristiano inventado que significa *vera ikon*, o icono verdadero. Se encontró en medio de Palestina durante los años en que yo vivía, y allí contempló algo que ha conseguido trastornar las facultades humanas que tanto valoramos: la fe, la razón.

Debo reunirme con Lestat, mirarlo a los ojos. ¡Debo ver lo que él vio!

Deja que los jóvenes canten canciones de muerte. Son estúpidos.

Lo más bello que existe bajo el sol y la luna es el alma humana. Me maravillan los pequeños milagros de bondad que se producen entre los humanos, me maravilla el desarrollo de la conciencia, la persistencia de la razón frente a la superstición y el desespero. Me maravilla la resistencia humana.

Tengo otra historia que narrarte. No sé por qué quiero dejar constancia de ella aquí. Pero deseo hacerlo. Quizás es porque presiento que tú —un vampiro que ve espíritus— la comprenderás, y tal vez entiendas el motivo de que no lograra conmoverme.

Una vez, en el siglo VI —es decir, quinientos años después del nacimiento de Cristo y trescientos años después de que yo hubiera abandonado a Marius—, decidí recorrer la bárbara Italia. Los ostrogodos habían invadido hacía mucho tiempo la península.

Entonces fueron atacados por otras tribus, las cuales saquearon, prendieron fuego y se llevaron las piedras de los viejos templos.

El hecho de ir allí me produjo la impresión de caminar sobre carbones encendidos.

Pero Roma luchó con cierto concepto de sí misma, de sus principios, tratando de unir lo pagano y lo cristiano, tratando de darse un respiro de los ataques de los bárbaros.

El Senado romano aún existía. De todas las instituciones, era la única que sobrevivía.

Boecio, un erudito con unos orígenes semejantes a los míos, un hombre muy culto que había estudiado a los antiguos y a los santos, había sido ejecutado recientemente, pero no antes de que nos regalara una gran obra. Actualmente puedes hallarla en las librerías. Como habrás adivinado, se trata de *Con-solación de la filosofía*.

Tenía que contemplar con mis propios ojos las ruinas del foro, las colinas quemadas y yermas de Roma, los cerdos y las cabras que deambulaban por los lugares donde antiguamente Cicerón se había dirigido a las masas. Tenía que ver a los pobres que vivían, abandonados y hundidos en la miseria, a orillas del Tíber.

Tenía que ver el mundo clásico que se había desmoronado. Tenía que ver las iglesias y los santuarios cristianos. Pero sobre todo tenía que ver a un erudito. Al igual que Boecio procedía de un antiguo linaje romano, y al igual que Boecio había leído los clásicos y los santos. Era un hombre que escribía cartas que llegaban a todos los confines del mundo, incluso a manos del venerable Beda en Inglaterra.

Había construido un monasterio allí, un gran alarde de creatividad y optimismo, pese a la desolación y a la guerra.

Ese hombre era Casiodoro, y su monasterio estaba emplazado en la misma punta de la bota de Italia, en la paradisíaca tierra de la verde Calabria.

Sus monjes se hallaban copiando afanosamente en el *scriptorium*.

Y en su celda, abierta de par en par a la noche, se encontraba Casiodoro, escribiendo, un hombre que había cumplido los noventa años.

Había sobrevivido a la feroz política que había sentenciado a su amigo Boecio, habiendo servido al emperador ostrogodo Teodorico, habiendo vivido lo suficiente para retirarse del servicio civil, habiendo sobrevivido para construir su monasterio, su sueño, y para escribir a monjes en todo el mundo, para compartir con ellos lo que sabía sobre los antiguos, para conservar la sabiduría de los griegos y los romanos.

¿Era realmente Casiodoro el último superviviente del mundo antiguo, según afirmaban algunos? ¿Era el último hombre capaz de leer en latín y en griego? ¿Era el último hombre capaz de valorar tanto a Aristóteles como el dogma del Papa romano? ¿A Platón y a san Pablo?

Yo ignoraba que lo recordaran todos, y no sabía cuándo se olvidarían de él.

Vivarium, sobre la ladera de la colina, constituía un triunfo arquitectónico. Poseía unos estanques repletos de peces, la característica que le había dado su nombre. Disponía de una iglesia cristiana con la inevitable cruz, sus celdas, sus habitaciones para viajeros fatigados. Su biblioteca contenía un sinfín de clásicos de mi época, así como Evangelios que se han perdido. En el monasterio abundaban los frutos del campo, toda clase de productos necesarios para que se alimentaran los monjes, árboles cargados de fruta, campos de trigo.

Los monjes se ocupaban de todo y se dedicaban día y noche a copiar libros en su largo *scriptorium*.

En esta suave costa bañada por el resplandor de la luna había centenares de colmenas en las que los monjes cultivaban miel para comer, cera para las velas sagradas, y jalea real para los ungüentos. Las colmenas cubrían una colina tan grande como el huerto o los campos de Vivarium.

Espié a Casiodoro. Me paseé entre las colmenas, maravillándome como de costumbre ante la inexplicable organización de las abejas, pues yo ya conocía los misterios de las abejas, su danza, su búsqueda de polen, sus métodos de reproducción, mucho antes de que el mundo humano los descubriera. Al abandonar las colmenas, al subir hacia el lejano faro que constituía la lámpara de Casiodoro, miré hacia atrás y contemplé algo asombroso.

Algo que se había formado a partir de las colmenas, algo inmenso e invisible y poderoso que sentí y oí. No estaba asustada sino estimulada por una esperanza temporal de que hubiera aparecido en el mundo una Cosa Nueva, pues no suelo ver espíritus y nunca los he visto.

Esa fuerza había brotado de las mismas abejas, de su sutil conocimiento y sus múltiples y sublimes esquemas, como si las abejas la hubieran creado de modo fortuito, o dotado de conciencia mediante su infinita creatividad, minuciosidad y resistencia.

Se asemejaba a un antiguo espíritu romano de los bosques.

Vi esta fuerza volar libremente sobre los campos. La vi penetrar el cuerpo de un hombre de paja situado en medio de los campos, un espantapájaros al que los monjes habían dotado de una hermosa cabeza redonda, unos ojos pintados, una tosca nariz y una boca risueña, una criatura íntegra e intacta que podía ser trasladada de vez en cuando, envuelta en su hábito y capucha de monje.

Vi a este espantapájaros, este hombre de paja y madera girar y danzar vertiginosamente a través de los campos y los viñedos hasta llegar a la celda de Casiodoro.

Lo seguí. Entonces oí brotar del espantapájaros un gemido silencioso. Lo oí y vi al espantapájaros ejecutar un baile lleno de amargura, doblándose hacia uno y otro lado, tapándose con sus toscas manos de paja unas orejas que no poseía. Le vi retorcerse de dolor.

Casiodoro había muerto. Había fallecido silenciosamente dentro de su celda iluminada por la lámpara, con la puerta abierta, sentado ante su escritorio. Ese anciano de pelo canoso yacía sobre su manuscrito. Había vivido más de noventa años. Y estaba muerto. Esa criatura, ese espantapájaros, no cesaba de mecerse y gemir, loco de dolor, aunque no emitía ningún sonido que un humano hubiera podido percibir.

Yo, que jamás he visto un espíritu, lo miré asombrada. Al percatarse de mi presencia, el espantapájaros se volvió. Y —al menos eso me pareció al contemplar su mísera vestimenta y su cuerpo de paja— extendió los brazos hacia mí. La paja se desprendió de sus mangas. Su cabeza de madera comenzó a bambolearse sobre el palo que formaba su espina dorsal. Él —esa cosa— me imploró, me imploró que respondiera a las preguntas más trascendentes que los humanos y los inmortales han formulado jamás. ¡Me pidió que respondiera a sus dudas!

Luego, tras volverse de nuevo para contemplar el cadáver de Casiodoro, el espantapájaros se dirigió volando hacia mí a través de la ondulante pradera, transmitiéndome su necesidad de hallar un respuesta. ¿No podía explicarle yo lo que deseaba saber? ¿No contendría yo, por un Designio Divino, el misterio de la pérdida de Casiodoro? ¡Casiodoro, cuyo Vivarium rivalizaba en elegancia y esplendor con la colmena de abejas! Era Vivarium lo que había formado esa criatura a partir de las colmenas. ¿No podía yo aliviar su dolor?

—Existen muchos horrores en este mundo —murmuré—. El mundo se compone de miseria y depende de la miseria. Si deseas tener paz, regresa a las colmenas, pierde tu forma humana, y desciende de nuevo fragmentado en la vida irracional de las satisfechas abejas de las que surgiste.

El espantapájaros se había quedado inmóvil, escuchándome.

—Si deseas una vida carnal, una vida humana, una vida tangible que te permita moverte a través del tiempo y el espacio, lucha por ella. Si deseas alcanzar una filosofía humana, lucha y hazte sabio para que nada pueda lastimarte jamás. La sabiduría es fuerza. Organiza tus partículas, sean las que sean, y conviértete en algo con un propósito. Pero ten presente que toda especulación que existe en el mundo, todo mito, toda religión, toda filosofía, toda historia, son mentiras.

Esa cosa, ya fuera masculina o femenina, alzó sus toscas manos de paja como para cubrirse la boca. Yo di media vuelta.

Me alejé caminando en silencio a través de los viñedos. Dentro de poco los monjes descubrirían que su padre superior, su genio, su santo, había muerto mientras trabajaba.

Al volverme comprobé asombrada que la figura de paja seguía allí, organizada, asumiendo la postura de un ser erecto, observándome.

—¡Me niego a creer en ti! —grité al hombre de paja—. ¡Me niego a ayudarte a hallar las respuestas! Pero ten en cuenta esto: si deseas convertirte en un ser organizado, como yo, ama a todos los hombres, a todas las mujeres y a todos los niños. ¡No saques tu fuerza de la sangre! ¡No te alimentes del sufrimiento ajeno! ¡No te alces como un dios sobre multitudes que entonan cánticos de adoración! ¡No mientas!

La cosa me escuchó. Oyó mis palabras. Inmóvil.

Eché a correr. Subí corriendo las rocosas laderas y atravesé los bosques de Calabria hasta hallarme lejos de aquella criatura. A la luz de la luna contemplé el gigantesco y majestuoso recinto de Vivarium con sus claustros y sus techos inclinados, rodeando la orilla de su resplandeciente cala en el mar.

Jamás volví a ver a esa criatura. No sé lo que era. No quiero que me hagas preguntas sobre ella. Afirmas que los espíritus y los fantasmas caminan por la tierra. Sabemos que esos seres existen. Pero ésa fue la primera y última vez que vi a ese ser.

Cuando visité Italia de nuevo, Vivarium había sido destruido. Los terremotos habían demolido hasta el último de sus muros. ¿Había sido antes saqueado por la siguiente oleada de hombres altos e ignorantes procedentes del norte de Europa, los vándalos? ¿Fue un terremoto lo que lo convirtió en un montón de ruinas? Nadie lo sabe. Lo que sobrevive de él son las cartas que Casiodoro envió a otros.

Al poco tiempo los clásicos fueron declarados profanos. El papa Gregorio escribió relatos de magia y milagros, porque era el único medio de convertir al cristianismo a miles de tribus septentrionales supersticiosas y paganas, con grandes bautismos de masas. Conquistó lo que los guerreros romanos jamás habrían conquistado.

Tras la muerte de Casiodoro, la historia de Italia se sumerge, por espacio de cien años, en la más absoluta tiniebla. ¿Cómo lo expresan los libros? Durante un siglo, nada se sabe sobre Italia.

¡Ah, qué silencio!

Bien, David, debo confesarte, cuando llegues a estas últimas páginas, que te he abandonado. Las sonrisas con las que te entregué estas libretas eran falsas. Unos ardides femeninos, como diría Marius. Mi promesa de reunirme contigo mañana por la noche aquí en París era mentira. Cuando leas estas líneas habré partido de París. Me marcho a Nueva Orleans.

Tú tienes la culpa, David. Me has transformado. Me has dado una fe desesperada de que en la narrativa existe una sombra de significado. Ahora conozco una nueva y estridente energía. Al obligarme a poner en práctica mis facultades de lenguaje y memoria, has conseguido que viva de nuevo, que vuelva a creer que en el mundo existe la bondad. Quiero encontrar a Marius. El aire está impregnado de pensamientos de otros seres inmortales. Gritos, súplicas, mensajes extraños...

Al parecer, uno que todos creíamos que había desaparecido para siempre entre nosotros ha sobrevivido.

Tengo fundados motivos para creer que Marius ha ido a Nueva Orleans, y debo reunirme con él. Debo buscar a Lestat, para contemplar a ese príncipe imberbe postrado en el suelo de la capilla, incapaz de hablar y de moverse.

Reúnete conmigo, David. No temas a Marius. Sé que ayudará a Lestat. Al igual que yo. Regresa a Nueva Orleans.

Aunque Marius no se encuentre allí, quiero ver a Lestat, quiero volver a ver a los otros. ¿Qué has hecho, David? Ahora poseo —con esta nueva curiosidad, con esta ardiente capacidad de conmoverme de nuevo, con esta renovada capacidad de cantar—, poseo la terrible capacidad de querer y amar.

Aunque sólo fuera por eso, que no es poco, siempre te estaré agradecida. Pese a las desgracias que puedan sobrevenir, tú me has estimulado. Y nada de cuanto hagas o digas matará nunca mi amor por ti.

5 de julio de 1997